СЕВЕРНОЕ МОРЕ

АНГЛИЯ

Лондон ●

АМФОРА TRAVEL ➡

Джереми Паксман

англия: портрет народа

Санкт-Петербург
Амфора
2009

УДК 82/89
ББК 84(4Вл)6
П 13

JEREMY PAXMAN

The English: A Portrait of a People

Перевел с английского И. А. Егоров

Иллюстрации Александра Яковлева,
обладателя Гран-при XVI Голландского фестиваля
карикатуры 2009 года

*Издательство выражает благодарность литературным
агентствам David Higham Associates Ltd и Synopsis
за содействие в приобретении прав*

**Защиту интеллектуальной собственности и прав
издательской группы «Амфора»
осуществляет юридическая компания
«Усков и Партнеры»**

Паксман Дж.

П 13   Англия: Портрет народа / Джереми Паксман ; [пер.
с англ. И. Егорова]. — СПб. : Амфора. ТИД Амфора,
2009. — 380 с. : ил. — (Серия «АМФОРА TRAVEL»).

ISBN 978-5-367-01086-2

Это умная, хорошо написанная, информативная книга-иссле-
дование об истории Англии.

УДК 82/89
ББК 84(4Вл)6

ISBN 978-5-367-01086-2

Джессике, Джеку и Виктории

Предисловие

Раньше быть англичанином было так просто. Из всех народов на земле узнать англичан было легче всего — и по языку, манере вести себя и одеваться, и по тому, как они ведрами пили чай.

Теперь все намного сложнее. Если мы по воле случая встретим человека, твердо сжатые губы, в меру дорогая обувь и домашний вид которого будут выдавать в нем англичанина, нашей первой реакцией станет удивление: ведь условности, характерные для англичан, канули в Лету, и, похоже, страну больше представляют певцы или писатели, а не дипломаты или политики.

Англичане времен империи имели британские паспорта — как и шотландцы, валлийцы и часть ирландцев, — но им не было нужды задумываться над тем, одно и то же быть «англичанином» и «британцем» или нет: эти термины были, в сущности, взаимозаменяемы. Сегодня ничто так не выведет из себя шотландца, как неточное употребление этих двух понятий, потому что кельтские соседи Англии все больше выступают самостоятельно. Как этого и следовало ожидать, о выборах в мае 1999 года в новый Шотландский парламент и Национальное собрание Уэльса, которые якобы укрепляют союз, больше всего трубила лейбористская партия (которая придумала и саму идею делегирования прав национальным парламентам). Возможно, это и так. Однако все, безусловно, переменилось. По крайней мере, Шотландия всегда была отдельной нацией, сохранившей свою систему законов и образования, гражданские и интеллектуальные традиции. Теперь у нее собственное правительство, и трудно представить политическое образование, которое после предоставления ему власти не захочет большего. Эти изменившиеся отношения стали отражаться и в языке. Если год-два назад о событиях в Шотландии говорили как о региональных, сейчас о них все чаще упоминают как о «национальных». Би-би-си даже выпустила инструкцию для сотрудников о том, что больше недопустимо называть Уэльс княжеством.

К тому же существует проблема Европы. Кто знает, к чему приведут коллективные амбиции или заблуждения, охватившие европейскую политическую элиту? Если все закончится успешно, то при Соединенных Штатах Европы Соединенное Королевство станет чем-то лишним.

Существует и разъедающее понимание, что ни Британии, ни любой другой стране в одиночку не справиться с притоками и оттоками капитала, а ведь это определяет, будут ли отдельные граждане сыты, или им нечего будет есть. В каждой стране основной заботой правительства все в большей степени становится культурный уровень своих граждан.

Эти четыре составляющие — конец империи, так называемое Соединенное Королевство, которое трещит по швам, давление на англичан, чтобы заставить их окунуться в Европу, и бесконтрольность международного бизнеса — заставляют задуматься: а что значило раньше быть англичанином?

Хотя все эти вопросы связаны с политикой, данная книга не о политике в узком смысле слова. Я решил попробовать докопаться, в чем истоки сегодняшнего беспокойства англичан о самих себе, и с этой целью совершить экскурс в прошлое, к тому, что создало мгновенно узнаваемый образ идеального англичанина и англичанки, которые несли свой флаг по всему миру. А потом попытался выяснить, что с ними стало теперь.

Определить некоторые из этих воздействий оказалось относительно несложно. Очевидно, одно из них то, что англичане живут на острове, а не на материке. Они родом из страны, где протестантская реформация твердо определила место церкви. Они унаследовали твердое убеждение в индивидуальной свободе каждого.

Другие влияния представляются более трудно понимаемыми. Почему, например, англичанам, похоже, нравится чувствовать себя такими гонимыми? Что стоит за английским увлечением играми? Каким образом у них выработалось такое странное отношение к сексу и пище? Откуда эти их невероятные способности к лицемерию?

Я искал ответы на эти вопросы, разъезжая по стране, разговаривая с людьми и читая книги. Прошло несколько лет, я стал чуть мудрее, и у меня теперь другой набор вопросов.

И еще я только что заметил, что пишу об англичанах «они», хотя всегда считал себя одним из них. Эти англичане непостижимы до последнего!

Глава 1   Край утраченной сути

> Спросите любого человека, кем по национальности он предпочел бы быть, и девяносто из ста ответят — англичанами.
>
> *Сесил Родз*

Когда-то англичане знали, кто они. Для этого всегда был наготове целый набор определений. Они вежливы, невозмутимы, сдержанны, и половую жизнь им заменяли бутыли с горячей водой: каким образом они заводили потомство, оставалось тайной для всего западного мира. Больше писатели, нежели художники, садовники, но никак не повара, они предпочитали действовать, а не размышлять. Их отличала классовая принадлежность и ограниченный кругозор, и они не могли выражать свои эмоции. Они выполняли долг. Их почти непостижимая стойкость вошла в пословицу. «Боже, у меня нет ноги!» — восклицает лорд Эксбридж под разрывы гранат на поле Ватерлоо. «Боже, что вы говорите!» — молвит в ответ герцог Веллингтон. Как гласит предание, от смертельно раненного солдата, лежащего в залитом водой окопе во время битвы при Сомме, можно было лишь услышать, что он «не должен жаловаться». Главное его достоинство — чувство чести. Они были надежны, и им можно было доверять. Слово английского джентльмена приравнивалось к документу, подписанному кровью.

1945 год. Война, которая, казалось, никогда не кончится, уже позади. Теперь все население Британии, просыпавшееся с мыслью о ней, может вздохнуть спокойно. В кварталах промышленных городов зияющие провалы рухнувших домов напоминают о рейдах «люфтваффе». В городках, оставшихся сравнительно незадетыми, на главной улице лепятся друг к другу, как в складной головоломке, витрины магазинчиков, большей частью мелкие частные предприятия, ведь англичане, по известному язвительному определению Наполеона, «une nation de boutiquiers» — нация лавочников. Работает обширная сеть розничной торговли, которая через несколько десятилетий вытеснит частных торговцев, но если вы зашли в одну из аптек фирмы «Бутс», то, вполне вероятно, чтобы купить продукцию для здоровья и красоты. Вечером можно сходить в кино.

Есть все основания согласиться с Черчиллем в том, что Вторая мировая война стала «блистательным часом» для его страны. Он вел речь о Британии и Британской империи, но ценности этой империи — это ценности, которые, по привычному представлению англичан, придумали они сами. Несомненно, во время войны и в первое послевоенное время англичане последний раз на памяти живущих имели четкое и положительное представление о том, кто они. Для них это отразилось в таких фильмах, как «Где мы служим», романизированном повествовании Ноэля Кауарда о гибели эсминца британских ВМС «Келли», потопленном немецкими пикирующими бомбардировщиками. Лежа в спасательном плотике, уцелевшие члены команды вспоминают историю своего корабля. На самом же деле они вызывают в памяти картину могущества Англии. Пусть капитана и личный состав разделяет акцент, с которым они говорят, объединяет их главное — вера в то, что представляет собой их страна. В ней все упорядочено и подчинено строгой иерархии, и война — это неудобство, как дождь в разгар сельской ярмарки, тут уж ничего не попишешь. Это страна, где люди строги и привыкли в чем-то себе отказывать, где женщины знают свое место, а дети, когда им говорят, что уже пора, покорно и тихо идут спать. «Успокойся, — говорит одна домохозяйка другой во время авианалета, — еще минута-другая, и выпьем чаю». Теща, провожающая унтер-офицера ВМС, спрашивает, когда он вернется.

— Все зависит от Гитлера, — отвечает он.

— Послушай, что он вообще о себе возомнил?

— В этом вся и штука.

«Там, где мы служим» — беззастенчивая пропаганда для людей, стоящих на пороге возможного исчезновения своей культуры, и по этой причине фильм очень показателен: становится ясно, какими хотят видеть себя англичане. На основе этого и многих других подобных фильмов составляется картина стоически переносящего испытания, привязанного к родному очагу, спокойного, дисциплинированного, самоотверженного, доброго, великодушного и обладающего чувством собственного достоинства народа, который предпочел бы infinitely (как антоним к definitely?) ухаживать за своими садиками, а не защищать мир от фашистской тирании.

Infinitely — без конца (англ.). — Здесь и далее примеч. пер.

Definitely — определенно (англ.).

Я всю жизнь прожил в той Англии, что восстала из-под нависшей над ней тени Гитлера, и должен выразить восхищение перед тем, какой она, похоже, была в те годы, невзирая на всю ее ограниченность, лицемерие и предрассудки. Вступив в войну, в которой, как ей неоднократно обещалось, она не должна была участвовать, страна на целые десятилетия ускорила потерю своего выдающегося положения в мире. Те, кто пытается переписать историю, утверждают, что многое из того, что считается успешными действиями британцев, во время войны выглядело далеко не так. Конечно же, англичане яростно цепляются за выдумки о героизме на этой войне, самые любимые из которых «малый флот» при Дюнкерке, победа «немногих» в «битве за Англию», а также мужество жителей Лондона и других городов во время «блица». Хорошо, роль «малого флота» преувеличена, «битва за Англию» выиграна благодаря и просчету Гитлера, и героизму «немногих» — летчиков-истребителей, а во время «блица» нам помогли выстоять отчаянные и беспощадные ответные налеты английских бомбардировщиков на Германию. Пусть заведомо ложны заявления о том, что англичане выиграли войну в одиночку: чтобы убедиться в этом, достаточно почитать об отчаянных усилиях Черчилля добиться вступления в войну Америки. Но факт остается фактом: летом 1940 года страна действительно выстояла в одиночку, и если бы не она, нацисты подмяли бы под себя остальную Европу. Если бы не огромное преимущество географического расположения, то, возможно, как и в остальной Европе, от Франции до Балтийского моря, в стране нашлись бы те, кто готов был действовать по указке нацистов. Однако география штука немаловажная: характер людей зависит о того, где они живут.

Сколько раз предпринимались попытки объяснить, чем стала Вторая мировая война для Британии? Тысячу раз? Десять тысяч? Однако ни одна не сумела подорвать уверенность в том, что в этой титанической борьбе англичане прекрасно понимали, за что сражаются и, соответственно, что они за люди. В отличие от гордости Гитлера за свой фатерлянд, это чувство было не таким масштабным, что ли, более личным и, как мне кажется, не таким демонстративным, но более сильным. Возьмите «Короткую встречу» — рассказ Дэвида Лина 1945 года о запретной любви. Двое встречаются в привокзальном буфете, где она ждет пригородный поезд, чтобы вернуться домой после похода по магазинам. В глаз ей попадает частичка угольной пыли, и галантный местный доктор, даже не представившись, приходит ей на помощь и удаляет пылинку. Последующие восемьдесят минут прекрасного фильма — это рассказ о том, как они все больше влюбляются и какое чувство вины каждый при этом испытывает. Тревор Говард, высокий и худощавый, с крупным носом и выдающейся челюстью, курносая и ясноглазая Селия Джонсон, казалось бы, воплощают собой идеальных англичанина и англичанку. Они порождение бесконечно респектабельного среднего класса, и при узости заведенного в нем порядка вещей «прилесным девушкам» хочется лишь стать «диствительно щисливыми».

Доктор начинает ее соблазнять в классическом английском гамбите — заговаривает о погоде. Чуть позже он уже говорит о музыке. «Мой муж не любитель музыки», — замечает она. «Ну и молодец», — отзывается доктор. Ну и молодец? Причем здесь «ну и молодец»? Звучит так, словно тому удалось побороть смертельную болезнь. «Ну и молодец», конечно же, потому, что так признается уготованное Богом право на мещанство и добродетель отдельных личностей, которые занимаются у себя дома чем им угодно. Так и развивается их знакомство на фоне звучащего то и дело Второго фортепьянного концерта Рахманинова, и время измеряется количеством чашек чая, выпитых в зале ожидания на вокзале в Милфорде. Муж Селии Джонсон из тех, кто называет жену старушкой, а свои чувства выражает приглашением разгадать вместе кроссворд в газете. «Наверное, живи мы в теплых и солнечных краях, все мы были бы другими, — задумывается она однажды про себя. — Мы не были бы такими замкнутыми, стеснительными и тяжелыми людьми». Как англичанка, она не испытывает неприязни к мужу, считая его «добрым и лишенным эмоций». В ловушку такого же брака без любви попал и Тревор Говард, который тоже относится к жене и детям без враждебности. Однако и он, и Селия Джонсон охвачены страстью такой силы, что еле сдерживаются. «Нам следует быть благоразумными, — таков их постоянный рефрен. — Если вести себя сдержанно, то еще есть время».

В конце концов, несмотря на все заверения в вечной преданности, их любовная история так ничем и не заканчивается. Он поступает здраво и уезжает в Южную Африку работать в больнице, а она возвращается к своему благопристойному, но скучному мужу. Конец фильма.

Что говорит об англичанах этот самый популярный английский фильм? Во-первых, как гласит бессмертное речение, «не для веселья мы на земле живем». Во-вторых, как важно для них чувство долга: в то или иное время военную форму носила бóльшая часть взрослого населения. Тревор Говард был лейтенантом Королевских войск связи, и для паблисити киностудии приписывали ему целый ряд просто-напросто выдуманных актов героизма. Селия Джонсон служила во вспомогательном корпусе полиции: оба знали все о том, как удовольствия приносятся в жертву чему-то более высокому. Самое главное: эмоции даны, чтобы их контролировать. Дело было в 1945 году. Но это вполне могло произойти и в 1955 или даже в 1965 году.

Могла измениться мода, но погода оставалась сырой,

а полицейские — такими же добродушными. Несмотря на послевоенную политику «государства всеобщего благосостояния», в этой стране каждый знал свое место. Люди в форме все так же привозили на тележках и ставили у дверей молоко и хлеб. Что-то было принято делать, а что-то не принято.

Кто-то может предположить, что это были благопристойные люди, и трудились они, сколько было нужно для удовлетворения сравнительно скромных амбиций. Они же привыкли представлять, что на них напал враг, что они держатся под его огнем и храбро противостоят ему. Это картина сражения при Ватерлоо, когда британские войска отражают решительную атаку французов, или купол собора Святого Павла в дыму и пламени от взрывов немецких бомб. В них было глубоко заложено понимание своих прав, но в то же время они могли с гордостью сказать, что их «не очень-то волнует» политика. Полный провал как левых, так и правых экстремистов на выборах в Парламент свидетельствует о том, с каким глубоким скептицизмом они воспринимают обещания земли обетованной. И действительно, они были сдержанны и склонны к грусти. Но ни в одном имеющем значение смысле они не были людьми религиозными, потому что англиканская церковь — изобретение политическое, и из-за этого определение «добрый малый» стало чем-то вроде канонизации. Они допускали, что веруют, в случаях, когда это было необходимо по требованиям бюрократии, могли поставить в нужной графе «C of E», то есть англиканская церковь, зная, что их не будут беспокоить требованиями посещать церковь или отдавать все, что есть, бедным.

В 1951 году газета «Пипл» («Народ») организовала опрос читателей. За три года Джеффри Горер получил более 11 000 ответов. В итоге он сделал вывод, что за последние 150 лет национальный характер изменился ненамного. Поверхностных изменений наблюдалось множество: население, жившее в беззаконии, стало блюсти закон; страна, где обожали собачьи бои, травлю медведей и публичные казни через повешение, стала человеколюбивой и щепетильной; повальное взяточничество в общественной жизни сменилось высоким уровнем честности. Однако

неизменным, похоже, остались глубокое возмущение надзором или контролем, любовь к свободе; сила духа; низкий по сравнению с большинством соседних стран интерес к сексуальной жизни; прочная вера в значение образования для формирования характера; внимание и деликатность по отношению к чувствам других и весьма крепкая приверженность к браку и институту семьи... Англичане поистине единый народ, более единый, отважусь отметить, чем в любой предшествующий период своей истории. Когда со всем тщанием прочитывал первую пачку полученных опросников, оказалось, что я постоянно делаю одни и те же заметки: сначала — «Какую же скучную жизнь, похоже, ведет большинство этих людей!», а потом — «Какие прекрасные люди!». Таких же суждений мне, похоже, стоит придерживаться и сегодня.

Причины подобного единения достаточно очевидны — страна только прошла через ужасную войну, во время которой каждому пришлось чем-то жертвовать. Населению Англии, по-прежнему сравнительно единородному, стали привычными неудобства дисциплины, и его не охватила массовая иммиграция. Они оставались островитянами, и не только в физическом смысле, но и потому, что средствам массовой информации еще только предстояло создать «всемирную деревню».

Это мир сегодняшних дедушек и бабушек. Это мир королевы Елизаветы и ее супруга, герцога Эдинбургского. Юная принцесса Елизавета вышла замуж за лейтенанта Королевского военно-морского флота Филиппа Маунтбаттена в 1947 году. В те суровые времена (по карточкам на человека давали по три фунта картофеля и по одной унции бекона в неделю) эта свадьба привнесла в однообразную атмосферу страны ощущение зрелищности и волшебства. Филипп был в военно-морской форме, а Елизавета сменила фуражку, в которой ее видели во время войны, на атласное платье, украшенное десятью тысячами мелких жемчужин. В духе Тревора Говарда и Селии Джонсон они могли полагать, что их ждет долгая совместная жизнь. И они прожили ее. Но стали последним поколением, придерживающимся этого кодекса. Как и четвертая часть семейных пар, заключивших союз в 1947 году, королевская чета праздновала в 1997 году золотую свадьбу, но к тому времени затруднительное положение, в котором оказались Селия Джонсон и Тревор Говард, стало чуть ли не антропологической редкостью: ожидалось, что такую марафонскую дистанцию пройдут менее одной десятой всех пар, сыгравших свадьбу в последующие пятьдесят лет. К тому времени женщины уже составляли более половины всего занятого населения — поразительная перемена, если принять во внимание ту безропотность, с какой пятьдесят лет тому назад большинство из них оставили места, где работали во время войны, чтобы на них могли принять демобилизовавшихся мужчин, которые требовали работы. Теперь ежегодно большинство из 200 000 браков заканчиваются разводом, причем на развод чаще всего подают женщины, которые уже больше не готовы считать, что «мы должны быть благоразумными». Ко времени празднования юбилея принца Филиппа и королевы Елизаветы трое из их четверых детей вступили в брак, и каждый из этих браков был расторгнут. Наследник престола развелся с женщиной, которую прочили в будущие королевы, и она встретила смерть в парижском подземном туннеле вместе со своим любовником-плейбоем Доди Файедом, отец которого, Мохаммед, владеет «Харродз», самым известным магазином в «стране лавочников», и завел обычай передавать деньги в коричневых бумажных конвертах членам парламента-консерваторам, заявляющим, что их партия зиждется на английских традициях неподкупности и чести. На похоронах Дианы происходили настолько «неанглийские» сцены публичного оплакивания — зажженные свечи в парке, бросание цветов на проезжающий гроб с ее телом, — что военному поколению оставалось лишь смотреть на все это как озадаченным путешественникам в своей собственной стране.

Бросавшие цветы научились этому из телевизионных программ, ведь это латинский обычай: могущество средств массовой информации трудно переоценить. Мода на еду, одежду, музыку и развлечения уже не устанавливается внутри страны. Даже обычаи, остающиеся подлинно местными, являются продуктом претерпевшего разительные перемены «английского» населения. Через пятьдесят лет после того, как в Тилбери пришвартовался пароход «Эмпайр Уиндраш» с 492 иммигрантами с Ямайки на борту, расовый облик страны полностью изменился. Средоточием массовой иммиграции в Великобританию стала Англия, и в большинстве городов, вне зависимости от размера, есть районы, где белые встречаются очень редко. В таких местах упоминание об иммигрантах как об «этнических меньшинствах» уже начинает восприниматься как преднамеренное извращение. К 1998 году меньшинством в средних школах местного самоуправления внутреннего Лондона стали белые дети, и даже в пригородах они составляли лишь 60 процентов от общего числа учащихся средних школ. Более чем у трети детей во внутреннем Лондоне английский язык даже не родной.

Если изменились англичане, видоизменились и города, в которых живет большинство из них. В эссе «Лев и Единорог», воспевающем типично английские черты военного времени, Джордж Оруэлл сумел отойти от надуманного правыми пасторального образа Англии как страны колючих изгородей и садиков. Стремясь представить страну, в большей степени соответствующую той реальности, в которой жило большинство ее граждан, он описывает почтовые тумбы красного цвета, ланкаширские деревянные башмаки — сабо, задымленные города, грубую речь и очереди у бирж труда. Картина получается такой же узнаваемой, как любая работа Л. С. Лоури, и, как и все картины Лоури, отображает свое время. С упадком текстильной промышленности дымящие текстильные фабрики закрылись, вместо очередей у бирж труда появились конторы по выдаче пособий со стеклянными перегородками, защищающими клерков от проявлений недовольства. Красные почтовые тумбы как были, так и остались, а вот другую красную достопримечательность тротуара, телефонные будки сэра Джорджа Гилберта Скотта, архитектора, снесли и заменили функциональными квадратными кабинками из стекла и стали. Если будка где-то и встречается, то лишь как элемент декора какого-нибудь «памятника культурного наследия», в то время как небольшие магазинчики один за другим превращаются в бары с гамбургерами и пиццерии. В таких мес-

На гербе Соединенного Королевства лев символизирует Англию, а единорог — Шотландию.

тах про мир, в котором живут англичане, уже решительно нельзя сказать «Made in England». Главные улицы или забиты автомобилями, или превращены в пешеходные зоны с новехоньким булыжником, осветительными фонарями из кованого железа и мусорными урнами: этакое не очень дерзновенное представление о том, как могло выглядеть это место во времена королевы Виктории, если вообще у людей того времени могли быть такие сомнительные развлечения, как бигмак. В городах, которые с наибольшим трепетом претендуют на то, что они — часть английской истории, таких как Оксфорд или Бат, прежние лавки, где можно было купить дюжину гвоздей, отведать пирожных домашнего приготовления или пошить себе костюм, закрылись, и на смену им появились заведения, где продают мягкие игрушки, футболки и дешевые сувениры. В других местах мелкие торговцы исчезли и их заменили филиалы сетей розничной торговли, которые могут специализироваться на чем угодно — от кухонных принадлежностей до товаров для детей. Нация лавочников превратилась в нацию кассиров-контролеров. Полицейские патрулируют улицы в машинах или сидят в фургонах, пока что-то не случится.

В другом эссе Джордж Оруэлл описывает идеальный городской паб под названием «Луна под водой». Он расположен в конце переулка, в нем достаточно оживленно, чтобы туда хотелось зайти, но и не чересчур шумно, чтобы нельзя было спокойно поговорить. Викторианская обстановка, без модернизации, приветливые официантки, которые обращаются к каждому посетителю «милый», подают мягкое, пенистое, темное разливное пиво, а наверху в зале — вкусный ланч. На стойке с закусками всегда можно было найти сэндвичи с ливерной колбасой, мидии и сыр с маринованными огурцами. Во дворе был большой сад, и там качались на качелях и скатывались с горки дети. В конце Оруэлл признает то, в чем его уже заподозрило большинство читателей: паба «Луна под водой» никогда не существовало. Зато он существует теперь. Таких пабов целых четырнадцать, и всеми ими владеет огромный пивоваренный холдинг со штаб-квартирой в Уотфорде. Манчестерская «Луна под водой» считает себя самым большим пабом в Британии: пивной зал площадью 8500 квадратных футов с тремя стойками на двух этажах. В нем работает 65 человек и имеется восковая фигура Ины Шарплз, персонажа телевизионной «мыльной оперы» «Коронейшн-стрит», которая витает над заведением как некая богиня плодородия. В баре царит невероятный гам, а в субботу вечером там полно молодых мужчин и женщин, которые так набираются импортного пенистого американского пива, что едва не лезут в драку.

Если взглянуть на Англию со стороны, она абсолютно не похожа на ту, прежнюю. Никто больше не посочувствует вам в ваших стараниях или страданиях, служба в вооруженных силах теперь в диковинку, а отсутствие излишеств воспринимается как воспоминание о чем-то давно прошедшем. Лишь незначительное меньшинство разделяет старинные добродетели, предписывающие не тратить деньги на личные развлечения или украшения.

Тем не менее это труднопостижимое, скрытое своеобразие — все, что осталось у англичан. В начале 90-х я испытал в этой связи страшное разочарование, когда мне пришлось отправиться в Южную Африку на похороны друга и коллеги, погибшего в автомобильной катастрофе: он очень торопился и его машина вылетела с дороги. Церковь располагалась в процветающем предместье, где живут белые, где парковки вдоль дорог уставлены автомобилями БМВ, и на колючей проволоке вокруг каждого дома висит табличка с надписью: «Огонь открываем без предупреждения». Службу проводил нестрогий священник-африканер, который, как я понял, был мало знаком с Джоном. Хор состоял из женщин, убиравшихся в доме, где у Джона был офис, бедных и босоногих (некоторые босиком в буквальном смысле слова). Но когда они запели «Нкози сикелели Африка», гимн чернокожего населения, их голоса наполнили гулкую пещеру церкви с претензией на готику страстной благозвучностью. Это была не просто радость от пения. *Они пели нечто, во что верили.* Затем священник произнес несколько простых слов в дань уважения и, повернувшись к ксерокопированному листочку, объявил следующий гимн. Это был «Иерусалим», необычное, британско-израильское стихотворение Блейка, которое начинается словами «Ступал ли Он встарь Своею ногой средь кущ английских холмов?»

«Пойте же, англичане, — загремел он с кафедры, — пойте!»

Мы застенчиво старались как могли. Однако той задушевности, той страсти, которую вкладывали в свое пение уборщицы, в нашем исполнении не было. «Иерусалим» — это самое близкое к гимну (волнующий мотив с малопонятными словами), что есть у англичан. Но мы не могли исполнить его с какой-либо долей убежденности. Думаю, нам было неловко, поскольку все дело в том, у англичан нет национальной песни, как нет и национального костюма: когда по условиям конкурса «Мисс Вселенная» потребовалось выйти в национальном костюме, «Мисс Англия» появилась в нелепом наряде бифитера.

Национальный день Англии 23 апреля проходит по большей части незаметно, в то время как придуманные *британские* церемониальные действа, такие как «официальный (?) день рождения королевы», отмечаются с артиллерийским салютом, вывешиванием флагов и приемами в посольствах Великобритании по всему миру. Самый близкий к национальному танцу англичан — моррис с неуклюжими телодвижениями, которые выделывают в пабах бородатые мужчины в протертых сзади до блеска брюках. Когда англичане играют с Уэльсом или Шотландией в футбол или регби, шотландцы могут спеть «Цветок Шотландии», валлийцы — «Земля моих отцов». Английской команде приходится раскрывать рот под звуки *британского* национального гимна, этого похожего на панихиду прославления монархии, задача которой — объединить несоединимые части все более и более ветшающего политического союза. На Играх Содружества организаторы приспособили под английский гимн песню «Земля надежды и славы». (Но когда в начале 1998 года футбольный клуб «Джиллингем» плелся во втором дивизионе после того, как им не удалось выиграть тринадцать игр подряд, и перед матчами с его участием по системе местного радиовещания для поднятия духа стали передавать «Земля надежды и славы», то посыпались яростные письма протеста от болельщиков, считавших, что эта песня может поднять дух лишь у фашистов.) Существует еще более пятисот чисто шотландских песен, многие из которых широко известны. Но зайдите в английский паб и попросите спеть «Пребудет Англия вовек», «Йомены Англии» или любую другую из старинных национальных песен, и ответом вам будет недоуменное молчание. Или того хуже. Единственное, что может с энтузиазмом исполнить толпа английских спортивных болельщиков, — это *спиричуэл* чернокожих американских рабов «Неси меня покойно, славная колесница» на матчах по регби и несколько устаревших попсовых песен, зачастую с непотребными словами, на футбольных встречах.

О чем говорит такое малое число национальных символов? Вы можете сказать, что это проявление какой-то самоуверенности. Любого англичанина приведет в смущение клятва верности, которую приносят каждый день в американских школах: подобное публичное изъявление патриотизма выглядит таким, ну, наивным. Когда в День святого Патрика ирландец появляется с пучком трилистника в петлице, англичане смотрят на него со снисходительной терпимостью: редко увидишь кого-то с розой в День святого Георга. Эту житейскую мудрость вскоре заменит общепринятое представление, что *любое* проявление национальной гордости не только просто наивно, но и в каком-то смысле предосудительно с точки зрения морали. Это подмечено Оруэллом еще в 1948 году. Он писал:

> среди левых всегда бытовало представление, что есть нечто слегка зазорное в том, что ты англичанин, и что нужно в обязательном порядке фыркнуть на каждое заведенное в Англии установление, будь то скачки или *пудинг на сале*. Странно, но это неоспоримый факт, что почти любому английскому интеллектуалу будет более стыдно вытянуться по стойке «смирно» при исполнении «Боже, спаси короля», чем украсть деньги из кружки для пожертвований.

Пудинг на сале — запеканка из муки, сухарей и почечного сала; подается со сладким соусом в качестве третьего блюда.

Теперь при звуках «Боже, храни королеву» больше не встает никто, и попробуй какой-нибудь директор кинотеатра возродить былой обычай исполнять национальный гимн, все зрители разбегутся еще до конца его исполнения. В то время, когда высказывал свое раздра-

26

жение Оруэлл, презрение левых интеллектуалов ничего не стоило, потому что англичанам не было нужды задумываться о символах своей национальной особенности: зачем это, когда живешь в господствующей империи мира. А так как Британия, по сути дела, политическое изобретение, необходимо было вовлечь в нее особенности составных частей Соединенного Королевства. Осажденное племя протестантских переселенцев, перемещенных на север Ирландии, яростно цеплялось за то, что они британцы, потому что ничего другого у них не осталось, но в других регионах «Кельтской окраины» традиционное самосознание могло без труда сосуществовать с британским, и англичане были счастливы признать этот факт, так как это вроде бы подтверждало их слова о том, что это союз отдельных территорий. Отсюда прозвища: шотландцы — джоки, валлийцы — таффи, а ирландцы — пэдди или мики. Заметим, однако — и это еще один показатель преобладания англичан, — что подобного прозвища для них не существует.

Авторы юмористического учебника истории «1066 год, и Все такое» заключают, что «Норманнское завоевание — дело хорошее, потому что с тех пор больше никто Англию не завоевывал, и она таким образом смогла стать ведущей нацией». Авторы признают, что история Соединенного Королевства — это история достижений Англии. Книга, написанная в 1930 году, заканчивается Версальским договором, которым завершилась Первая мировая война и в котором провозглашается, что «Англии следует позволить заплатить за эту войну» и что стран должно быть гораздо больше — «и это плохо, потому что по этой причине стало больше географии». Последнее предложение гласит: «Таким образом стало ясно, что высшая нация — Америка, и на истории была поставлена точка». Британцы стараются привыкнуть к этой точке уже три поколения.

Для шотландцев или валлийцев эта проблема стоит далеко не столь остро, потому что они так никогда полностью и не разрушили свое самосознание, хотя и отдавали себе отчет в том, что они британцы. Стать образцовым англичанином и англичанкой мог любой, кто хотел этого, поэтому школа Итон добилась такого успеха в соблазнении детей новых богачей, что, в свою очередь, вызвала появление массы подражаний Итону от Индии до Малави. Однако преуспевающий шотландец всегда мог обратиться (и то и другое совсем не обязательно взаимоисключают друг друга) к самосознанию предков, которое было совсем другим. Шотландия сохранила свою систему законов и образования. Возможно, в качестве компенсации за утрату независимости шотландцы сохранили живым чувство своей истории, «чувство тождества с умершими вплоть до двадцатого поколения», как пишет об этом Роберт Луис Стивенсон в незаконченном романе «Уир Гермистон». Их «традиционную» одежду, килт, изобрели для них заново как вариант пледа, который носили, прикрепляя к поясу, шотландские горцы (возможно, кстати, это сделал англичанин-квакер, владелец чугунолитейного цеха Томас Ролинсон, чтобы одевать своих рабочих). В то самое время, когда англичане становились все более регламентированными, чтобы отвечать требованиям развития промышленности и империи, сэр Вальтер Скотт воспевал дикий романтизм шотландских горцев. Чему тогда удивляться, что после распада империи шотландцам было на что оглянуться?

У англичан для спасения не было альтернативного самосознания. Неудивительно, что они восприняли крах британского могущества острее, чем бо́льшая часть населения, потому что остальные жители королевства раздраженно утешали себя тем, что англичане сами предназначили себе такое возмездие. Готовя сборник английских рассказов, романистка А. С. Байетт обратилась к недавно изданной серии эссе «Изучение культур Британии», которая пропагандирует различные интеллектуальные традиции Британских островов. Ссылки на шотландскую культуру она обнаружила на 55 страницах, на карибскую — на 20, на валлийскую — на 27 и на ирландскую — на 28. Об английскости упоминается лишь три раза в предисловии и в связи с вызовом «гегемонии Англии». «Возникает чувство, — замечает она, — что англичане существуют лишь для того, чтобы от них избавлялись за ненадобностью и бросали им вызов».

Что характерно, англичане приняли это презрение близко к сердцу, потому что в них от природы заложено много угрюмости. Нет нужды преувеличивать, насколько это важно для каждого: уровень самоубийств в стране один из самых низких в Европе, он составляет только малую часть от венгерского или даже швейцарского. Но, как гласит старая поговорка, «Каждый англичанин от рождения считает, что стакан наполовину пуст», и англичане утешают себя верой в то, что страна обречена. Как писала автор популярных романов Э. М. Делафилд, символ веры англичан состоит, по ее мнению, в следующем: во-первых, они считают, что «Бог — англичанин и, вероятно, учился в Итоне, во-вторых, все добропорядочные женщины, естественно, фригидны, в-третьих, лучше быть скромно одетым, чем наряжаться», и, наконец, что «Англию ждет полное разорение». Во время посещения Англии в 1955 году и беседы с одним политиком бенгальский писатель и критик Нирад Чаудхури отметил гостеприимность и цивилизованность страны. «Это вы еще видите ее в очень благоприятное время», — ответил ему тот в духе ослика Иа, приятеля Винни-Пуха. Бывший главный редактор сатирического журнала «Прайвит ай» Ричард Ингрэмс попытался составить антологию высказываний об Англии. При этом он был настолько поражен преобладающим пессимизмом, что решил, что с таким же успехом может составить сборник под названием «Летим ко всем чертям».

Этот народ долго не сможет оставаться таким же чрезвычайно склонным к уединению, неинтроспективным и полным пессимизма. Как выяснилось, им правит партия, организационные принципы которой привнесены из-за океана, а ее лидеры проводят собрания «к северу от границы». Англичане стали свидетелями предоставления форм самоуправления Шотландии и Уэльсу и [образования] самонадеянного Европейского союза, который считает, что будущее континента зависит не столько от национальных государств, сколько от комплекса взаимоотношений между федеральным центром и регионами. Распад империи докатился наконец и до Британских островов: колонии, образованные первыми, обретут независимость последними. В то же время нечего противопоставить и давлению извне Британских островов. «Вот мы и подошли к концу всего британского, — пишет автор из левых Стивен Хезлер. — Под натиском похожих друг на друга глобализации и динамики европейского единства тысячелетняя история самостоятельного развития страны (из которых в течение трехсот лет, или около того, она представляла собой сильную, обладающую самосознанием и невероятно успешную нацию-государство) в конце концов подходит к своему завершению».

ной традиции, в то время как их французские сверстники приводят целый набор подержанных лозунгов. Человек, настроенный более скептически, может спросить, почему считается, что отсутствие шовинистического джингоизма — это плохо, почему французские власти считают необходимым промывать мозги подрастающему поколению относительно величия Франции и можно ли считать, что страна более уверена в себе, если ей нужно это делать.

Однако для англичан характерно игнорировать светлые стороны действительности — «серебряную подкладку» и основное внимание обращать на тучу. Представление, что в Англии что-то подгнило, широко распространено: если людям десятилетиями говорят, что их цивилизация идет на убыль, это не может не оказать на них влияния. Обещания восстановить целостность и положение страны, которые одно за другим раздавали политические партии, оказались возмутительной ложью. На это было бы наплевать в Италии, где государству все равно никто не верит и где важные для итальянцев институты — семья, деревня, маленький городишко — живы несмотря ни на что. Англичане в институты веровали, но Британская империя исчезла из их числа, англиканская церковь зачахла, а Парламент все больше становится чем-то неуместным.

И ведь больше нет уверенности не только вне страны, похоже, не на что опереться и внутри нее. Когда я спросил однажды писателя Саймона Рейвена, что, по его мнению, значит быть англичанином, он ответил не очень-то утешительным толкованием: «Я всегда *надеялся*, что под этим подразумеваются благород-

Обыгрывается английская поговорка «Every cloud has a silver lining» — букв. «У каждой тучки есть серебряная подкладка», т. е. во всем плохом есть что-то хорошее.

33

ное поведение, крикет, любезные отношения между классами, отсутствие злобы по отношению к другим, честное обращение с женщинами и честное отношение к врагам. Но теперь уж и не знаю». Комик Джон Клиз, который все больше смахивает на грубых старых полковников, которых он когда-то пародировал, уже начинает и говорить как они. «Можно было бы делать какие угодно обобщения насчет Англии, беседуй мы с вами лет тридцать назад, — сказал он мне. — А в наши дни создается впечатление, что и предположить ничего невозможно». Эту филиппику развил искусствовед Рой Стронг, автор дневников и не очень удобный для общения садовод: «Семьи распадаются, религия дискредитирована. Так откуда же взяться нашему чувству самосознания? Что сплачивает страну? Не так уж и много, черт возьми!»

Начав размышлять об этой книге, я написал драматургу Алану Беннетту. На одной из пресс-конференций в Нью-Йорке его однажды представили как «то, что мы в Англии называем национальным достоянием», словно речь идет о садах Сиссингхерста или баночке домашнего малинового джема от Женского института. Если кто и разбирается в том, что считать типично английским, то это точно он. Такие пьесы, как «Сорок лет спустя», «Родина», «Англичанин за границей» и «Как к этому относиться», кажутся такими исключительно английскими — а также написанными *об* Англии — благодаря целым нагромождениям двусмысленностей, на которых они построены. (Меня особенно впечатлила сцена в пьесе «Родина», где Хилари, сбежавший в Москву шпион, размышляет об Англии: «Мы зачаты в иронии. Мы плаваем в ней начиная с утробы матери. Это околоплодная жидкость. Это серебряное море. Это воды, которые, как священник, смывают с нас и вину, и намерение, и ответственность. Шутя и не шутя. Заботливо и беззаботно. Серьезно и несерьезно». В этом одна из типично английских черт.

Так вот, я написал Алану Беннетту и спросил, не хотел бы он встретиться за ланчем или чаем, чтобы поговорить по этому вопросу. В ответ пришла открытка с видом горы Пен-и-гент.

Благодарю Вас за письмо. Хотя в таких делах я человек безнадежный. Если бы я мог выразить словами то, что считаю типично английским (и что мне в этом нравится и не нравится), я вообще бы ничего не написал, потому что мной двигали именно поиски того, как бы согласиться с этим. Я действительно ничем не могу помочь, но желаю Вам удачи. Тридцать лет назад я как-то останавливался в Вашей деревне. Надеюсь, в ней все так же.

Неужели он действительно считает себя «человеком безнадежным» «в таких делах»? В каких делах? Может, он лишь пытался вежливо послать меня подальше, говоря, что не хочет занимать понапрасну мое время, когда на самом деле считал, что потратит попусту свое? Был ли он искренен, утверждая, что не стал бы писать, если бы знал, что есть типично английское, ведь он потратил на анализ того, что это такое, всю жизнь? И это его заключительное замечание о деревне и выражение надежды, что она не изменилась: это тоже в высшей степени по-английски, молитва народа, шагающего в будущее задом наперед, для которого изменение — всегда изменение к худшему.

Вместо этого я начал с нуля, решив, что мы вполне можем исходить из того, что любить англичан не так-то просто. У них нет ни ирландского шарма, ни валлийской приветливости, ни шотландской прямоты. Нужно провести лишь пять минут в каком-нибудь баре за границей, где собралась группа англичан, чтобы в лучшем случае отнестись терпимо к их рабской зависимости от единственного языка, которым они владеют, а в худшем — испытать стыд за то, как они громко требуют принести еду и напитки: это напоминает им о своей стране. Даже если англичанин не будет так шуметь, за его показными манерами может скрываться безмерное презрение: если плохо знаешь соседей, остается лишь чувствовать себя выше их. Англичане напускают на себя превосходство не раздумывая и совершенно необоснованно, но при этом их футбольные болельщики — самые злостные хулиганы в Европе. Справедливости ради следует отметить, что в их характере есть и более привлекательные стороны. Они уже больше не позволяют себе агрессивных разглагольствований о своем образе жизни. И есть ли еще общество, в котором так ценят чувство юмора?

Если вам захочется выяснить, из-за чего англичане стали такими, какие они есть, вы быстро сделаете для себя два открытия. Первое — то, что этот расположенный недалеко от материка остров всегда был достаточно привлекательным для поразительно большого числа иностранных визитеров, которым не терпелось поделиться впечатлениями с остальным миром: они написали целые библиотеки воспоминаний и дорожных впечатлений. Во-вторых, совсем мало написано об английском национализме. В основном это объясняется тем, что, если в Эстонии или Эфиопии националистических движений пруд пруди, то в Англии их почти нет. О некоторых причинах этого явления можно догадаться без труда — страна никогда не подвергалась иностранной оккупации, и никто не предпринимал попыток уничтожить местную культуру. К тому же становится очевидным, что, за исключением матчей по футболу и крикету, такой страны, как Англия, почти не существует: национализм был и остается явлением чисто *британским*.

С упадком Британии из-под камней выползают самые разные гадости. Не так давно я получил конверт из плотной коричневой бумаги. Адрес был написан большими квадратными буквами, почерк не очень разборчивый, и писал человек явно не очень грамотный. На почтовом штемпеле значилось — «Гулль». К счастью, я открыл этот конверт кончиком шариковой ручки. И хорошо сделал. К верхнему краю единственного находившегося внутри листа бумаги были пришиты бритвенные лезвия. На одной стороне листа оказался намалеван английский солдат в каске времен Второй мировой войны, лежащий в узком окопе с винтовкой у плеча. Внизу той же рукой было нацарапано: «Ни с места, черномазый». На другой стороне листа — виселица с петлей. Внутри петли стояли мои инициалы. Внизу листа огромные буквы уведомляли: ГОРД ТЕМ, ЧТО БРИТАНЕЦ. Что стало причиной этого «наезда», точно не помню. Примерно таким же отвратительным душком попахивало и от других полученных мной посланий с антисемитским настроем от какого-то болвана, решившего, что я часть всемирного еврейского заговора, направленного на то, чтобы извести британское государство. Ничего исключительно британского в этих сравнительно «невинных» деяниях нет, что может подтвердить каждый испытавший на себе нетерпимость немцев, французов или швейцарцев. Я хочу лишь подчеркнуть, что подобные предрассудки связаны с представлением о Британии, а не об Англии.

Некоторое время после принятия Закона об объединении кое-кто — это отражено даже в принятых Парламентом законах — называл Шотландию и Англию соответственно Севером Британии и Югом Британии, сознательно обращаясь к тому времени, когда Англии еще не было. Наиболее амбициозные стали называть Ирландию Западом Британии. Вопрос это политический, и сейчас об этих названиях почти никто не знает: северные британцы называют себя шотландцами, а южные британцы — это как бы англичане или валлийцы, или, скорее, это англичане или валлийцы, которые как бы британцы. Единственное место, где это правило неприменимо, — север Ирландии. Там католики скажут вам, что они ирландцы, а протестанты будут заявлять, что они британцы. Но для них это тоже вопрос политический. Получается, что марши оранжистов в Северной Ирландии — эти ежегодные шумные, чванные шествия 12 июля — чуть ли не единственное народное празднество на Британских островах, на котором отмечается принадлежность к Британии. (Остальные — это официальные мероприятия вроде «Церемонии выноса знамени» или полуофициальные сборища с размахиванием флагами, как последний концертный вечер «Промс».) Но остальной Британии ни о чем не говорит это зрелище, когда пожилые люди с поджатыми губами в котелках и оранжевых лентах через плечо маршируют под оркестры с барабанами и волынками. В том и парадокс, что, желая таким помпезным изъявлением своей сопричастности показать, что в каком-то глубинном смысле они такие же, как и все остальные англичане, эти ольстерские лоялисты выглядят в глазах англичан совершенно другими.

Английский национализм, если вам удастся обнаружить его проявления, имеет тенденцию принимать другие формы. Они не такие четкие, потому что англичане уже не могут с уверенностью сказать, почему они стали такими, какие они есть: заглянуть в себя не позволяла самоуверенность имперских времен. Национализм этот не поддается определению, потому что не имеет четких национальных или религиозных границ. Это национализм упрямый и делающий все наперекор, скрытый, зачастую очень личный и в глубине души может принимать разные формы. Но что-то там все же шевелится. В 1995 году фирма «Клинтонз», торгующая поздравительными открытками, начала выпускать первые открытки ко Дню святого Георга. Через два года магазинчики этой фирмы продавали ежегодно в апреле более 50 000 штук. А летом 1996 года заметно большее число английских болельщиков на чемпионате Европы, Евро-96, предпочитали рисовать на лицах флаг Англии, красный крест на белом фоне, вместо обычного «Юнион Джека». К апрелю 1997 года к этому поветрию присоединилась и газета «Сан», напечатавшая во всех своих английских изданиях крест святого Георга на полполосы и обратившаяся к читателям с просьбой вывесить его из окна. Придумка в моду не вошла, но интересен сам факт, что в империи Руперта Мердока — который разбогател не из-за того, что перенапрягал возвышенные способности своих клиентов, — кто-то смог заметить, куда вроде бы ветер дует. На следующий год Английский совет по туризму уже организовал по всей стране целую неделю мероприятий под названием «Святой Георг вторгается в Англию» на том основании, как объяснил представитель Совета, что «люди стесняются того, что они англичане». На проходившем тем летом чемпионате мира по футболу флагов с крестом святого Георга было, похоже, больше, чем флагов Содружества. Когда наступил День святого

Георга в 1999 году, «Сан» отметила его, поместив на четырех страницах врезки «100 причин, почему так здорово быть англичанином». Среди этих причин были названы: погода (23), *свиные хрусты* (28), *девицы с третьей страницы* (45), Чарльз Диккенс (55), *автострада М25*, самая большая в мире круговая пробка (71), Агата Кристи (88), и «Дейдра» — колонка с советами этой самой газеты (95).

Так что же отмечать англичанам? Джон Фаулз, автор романов «Волхв» и «Женщина французского лейтенанта», много раздумывавший над тем, в чем разница между британцем и англичанином, делает вывод, что в то время как цвета Британии, в преданности которой клянутся марширующие лоялисты, — красный, белый и синий, цвет Англии — зеленый. На вопрос «Что такое красно-бело-синяя Британия?» он отвечает:

Это Британия Ганноверской династии, викторианской и эдвардианской эпох; Британия эпохи империи; Британия *деревянных стен* и *тонкой красной линии*; времени гимна «Правь, Британия, морями» и маршей Элгара; Британия Джона Буля; Британия Пуны и Соммы; Британия старой системы телесных наказаний и прислуживания старшим соученикам в частных школах; Британия Ньюболта, Киплинга и Руперта Брука; Британия клубов, сводов законов и ортодоксальности; Британия неизменного статус-кво; Британия джингоизма в своей стране и надменного по-

«Свиные хрусты» (pork scratchings) — свиной бекон с хрустящей корочкой и солью, обычно подается в пабах как холодная закуска.

Фото обнаженных красоток, которые долгое время помещала на третьей странице газета «Сан».

Длина окружной автострады М25 вокруг Лондона составляет 117 миль (188 км).

Термин «деревянные стены» применялся для описания военно-морского флота страны.

«Тонкая красная линия» — знаменитый бой, в ходе которого 93-й горский полк британской армии отражал атаки русской кавалерии 25 октября 1854 года при Балаклаве во время Крымской войны.

ведения за границей; Британия отцов семейств; Британия кастовости, ханжества и лицемерия.

Для Фаулза это не имеет значения, а вот апологеты достижений империи, без сомнения, могли бы приводить эти его слова как длинный список всего положительного — господство закона, географические и научные открытия, проявления личного мужества, филолог и авантюрист Бертон и исследователь Африки Спик, миссионер Ливингстон, медсестра Флоренс Найтингейл и исследователь Южного полюса капитан Скотт — для ответных аргументов. Но на два вопроса ответа, похоже, нет. Первое — то, что Британия (противопоставленная Англии, Шотландии и Уэльсу) — политический вымысел. И второе — как только она была изобретена, она постоянно стремилась найти обоснования своему существованию, распространяя везде свое влияние. Успех этого предприятия подтверждают развевающиеся на флагштоках от Оркнейских островов до островов Фиджи красно-бело-синие флаги. Зеленая Англия — нечто совсем другое. По мнению Джона Фаулза, благодаря тому, что Англия, по сути дела, остров, появились люди, «глядящие с севера по-над водой», люди, которые предпочитают практическим опытам наблюдение. А в силу своей географии они были вольны быть пионерами в законе и демократии.

Однако сначала нужно определить, о чем мы говорим. Кое-что из того, что свойственно лишь англичанам, остается неизменными веками, другое изменяется навсегда. Англичан уже не определить по языку, невозможно подобрать им определение как нации: я считаю себя англичанином, хотя я на четверть шотландец и бог еще знает кто, если проследить всю мою родословную. Но каждый из нас, англичан, может составить целый список не хуже Джорджа Оруэлла. В мой собственный — из того, что первым пришло в голову, — вошли бы слова «Я знаю свои права», деревенский крикет и композитор Элгар, магазины «Сделай сам», панки, уличная мода, ирония, энергичная политика, духовые оркестры, Шекспир, свиная кумберлендская колбаса, двухэтажные автобусы, композитор Воэн Уильямс, поэт Донн и писатель Диккенс, *колышащиеся тюлевые занавески*, помешанность на размере женской груди, викторины и кроссворды, деревенские церкви, *стены сухой кладки*, садоводство, архитектор Кристофер Рен и телешоу «Монти Пайтон», добродушные приходские священники англиканской церкви, «Битлз», плохие гостиницы и прекрасное пиво, колокольный звон с церквей, художники Констебль и Пайпер, представление об иностранцах как о людях забавных, драматург Дэвид Хейр и радикальный политик Уильям Коббетт, невоздержанность в возлияниях, Женские институты, блюдо навынос фиш-энд-чипс, карри, любезность и грубость речений, бег по пересеченной местности, портящие вид стоянки туристских трейлеров на прекрасных утесах, оладьи, «бентли», трехколесные «рилайэнт робин» и так далее. Возможно, все это не есть нечто исключительно английское, но главное, в отличие от критериев чего-то истинно британского, которые сейчас непременно разукрасят, распланируют и проведут с размахом, что три-четыре из этих вещей, взятые вместе, тут же дадут представление о некоей культуре, такой же трудноуловимой, как запах костра в октябрьские сумерки.

Задернутые колышащиеся тюлевые занавески у англичан символ закрытости и пристрастия пошпионить за соседями.

Стены или изгороди из камней без крепления цементирующим раствором.

Так что, прежде чем англичане снова погрузятся в уныние, стоит отметить как нечто положительное тот факт, что они не тратят много энергии на обсуждение того, кто они такие. Это показатель уверенности в себе: до сих пор англичане не занимались этим, потому что им это было ни к чему. Есть ли в этом необходимость сейчас? В ответ могу лишь сказать, что, похоже, им этого больше не избежать по изложенным выше причинам. У стран, больше всех преуспевающих в мире — процветающих и живущих в безопасности, — должно быть отчетливое ощущение своей собственной культуры.

Глава 2   Смешные иностранцы

> По моему разумению, лучшее из того, что есть между Англией и Францией, — это море.
>
> *Дуглас Джерролд*

Сошедшая на берег в Кале в 1836 году романистка миссис Фрэнсис Троллоп так передает случайно услышанный разговор одного молодого человека, который первый раз отправился во Францию, с более опытным путешественником, умудренным в делах мирских дальше белых утесов Дувра.

— Какой жуткий запах! — поморщился непосвященный новичок, зажимая нос вынутым из кармана платком.

— Это запах континента, сэр, — ответил человек бывалый.

Так оно и было.

Как гласит поговорка, история — следствие географии. Но если существует такая вещь, как национальная психология, то, возможно, она тоже вытекает из географии. Разве жил бы во французах неизменный страх перед Германией, если бы германские армии не переходили так часто границы их страны? Разве смогла бы Швейцария продолжать свое аморальное процветание, не будь она страной горной? Само отсутствие географии у евреев породило сионизм, одно из самых мощных идеологических течений XX века. На англичан первое и глубокое воздействие оказывает тот факт, что они живут на острове.

А вот как они почитали своих ближайших соседей на континенте. Неприличные картинки назывались «французскими открытками» или «французскими гравюрами». Проституток называли «французская консульская гвардия» (считают, что изначально так называли проституток, разгуливавших у консульства Франции в Буэнос-Айресе). Они могли носить свободное нижнее белье — «французские панталоны». Пользовавшийся их услугами «брал уроки французского». Если в результате он подхватывал сифилис, это называлось заразиться «французской болезнью», «французской подагрой», «французской оспой», «французскими шариками», «французским прахом» или говорили, что ему сделан «французский комплимент». Он мог заполучить «французскую корону», характерные опухлости которой назывались «французской свинкой». Если эти «французские» дела принимали особенно скверный оборот, из-за этой болезни он мог лишиться носа, в результате чего начинал дышать через «французский фагот». Чтобы уберечься от этой напасти, следовало надевать «французское письмо», или «французский сейф», или просто «француза» (ну а сами французы пользовались *capote anglaise*).

Однако на сексе все не заканчивалось. Существовала всеобщая тенденция приписывать французам почти *любое* необычное или плохое поведение. На вопрос, как ему приготовить говядину, англичанин мог ответить «под француза», имея в виду ненадежность этой нации — то есть все время переворачивая и переворачивая. Доктор Джонсон уверял даже, что встречал некий труд, в котором предпринималась попытка доказать, что для формы флюгера — «сделанного руками человека петушка, который укрепляется на вершине шпиля и показывает своим вращением направление ветра» — выбран французский национальный символ. «Французским вразнос» торговцы называли воровской жаргон. О подстрелившем фазана, когда охота на них была запрещена, говорили, что он «убил французского голубя». В крикете 1940-х годов «французским» называли бросок, при котором мяч хоть и срезался с ребра биты бэтсмена, но все же проскальзывал мимо пытающихся поймать его полевых игроков. Даже в 1950-х годах англичане, выругавшись, по-прежнему, извиняясь, просили «прощения за свой французский» (говорят, это выражение использовал премьер-министр Джон Мейджор даже в 1990-х), а отлучку без разрешения называют «уходом по-французски». Объятия с щекотанием миндалевидной железы — по-прежнему «французский поцелуй», словно ни одному англичанину никогда бы и в голову не пришло сунуть язык в рот другому, не придумай этого французы.

Все эти отличия сыпались на французов как из ведра, потому что из поколения в поколение они были заклятыми врагами. Одно время, когда Англия воевала с Испанией, сифилис называли «испанской оспой», а разврат — «испанскими штучками». К тому времени, когда основными соперниками в торговле стали голландцы, англичане начали изобретать такие выражения, как «вдвойне голландский язык», для обозначе-

Одно из английских именований флюгера weathercock переводится также как «непостоянный, ненадежный человек».

Галльский петух ассоциируется с Францией из-за похожести латинских слов Gallus («галл, обитатель Галлии») и gallus («петух»). Стал особенно популярен во время Великой французской революции и с тех пор является национальной эмблемой страны.

ния тарабарщины или «смелый как голландец» для драчливости во хмелю. Подобные образцы можно найти по всей Европе в зависимости от того, на кого была направлена враждебность местного населения. В Польше сифилис был известен как «немецкая болезнь», а в Португалии как «голландская оспа». Но соперничество англичан и французов — нечто особенное. У французов в ответ припасены такие выражения как *le vice anglais* — «порка», *les Anglais ont débarqué* — «менструация», *filer à l'anglaise* — «уходить по-английски» или *damné comme un Anglais*. Хотя сдается, что у них абсолютно такой же инстинктивной враждебности как-то не наблюдается: французам есть еще о ком позаботиться, у них существуют и другие соседи на континенте. Враждебность же английских выражений отражает некую странную шизофрению по отношению к французскому народу.

Le vice anglais — английский порок *(фр.)*.

Les Anglais ont débarqué — англичане высадились *(фр.)*.

Damné comme un Anglais — проклятый, как англичанин *(фр.)*.

Представители английского среднего класса обожают французскую еду, вино и климат. Каждый год 9 миллионов англичан упаковывают чемоданы и отправляются во Францию. Многие везут с собой, как обетованное подношение, тушеную фасоль, мармайт, мармелад и чай, а цель их путешествия — Прованс, Дордонь или Бретань. Поев на своих виллах по-английски, они возвращаются домой нагруженные сырами, винами и патé, то есть продуктами, которые, как они божатся, дома им не купить. Они могут с презрением относиться к страху французов перед Германией, но обожают французское *savoir-faire* — умение, сноровка, — хотя для этого выражения их собственный язык смог произвести лишь деклассированное и не совсем адекватное *ноу-*

хау. Англичане могут до сих пор время от времени испытывать отвращение к французскому понятию *terrain* — сопротивляемость организма, — из-за чего французы реже моются и больше тратятся на духи (накануне возвращения во Францию из египетской кампании Наполеон писал Жозефине: «Ne te lave pas, j'arrive», то есть «Не мойся, я приезжаю»), но втайне завидуют тому, что это общество вроде бы «ближе к естественному порядку вещей». Если у них есть свое мнение о политике Франции, их бесит и в то же время в глубине души восхищает нескрываемая забота этой страны о собственных интересах и вопиющее игнорирование мнения всего остального мира и государственных договоренностей, что и движет политикой правительства. Они мучительно переживают из-за того, что в Англии нет кафе, которые заполняют интеллектуалы, курящие, попивающие кофе и развивающие непрактичные пути переустройства вселенной. Франция, на которую уповают эти честолюбивые лотофаги-мечтатели, — место, где живут до невозможности стильные женщины, светит солнце и легкий ветерок доносит запах лаванды.

Так было всегда. Гран-Тур, предшественник современного туризма, в некотором смысле представлял собой комплекс неполноценности с дорожными документами, имевший целью познакомить богатых англичан с изысками европейской жизни: встречи англичан с континентом походили на поведение дальних родственников из провинции, приглашенных на большой бал в городе. Многим отправлявшимся в это путешествие Гран-Тур ничего не давал просто потому, что они были слишком молоды, чтобы оценить свой опыт. А многие из тех, кто был достаточно зрел для его восприятия, не упускали случая выразить отвращение ко всему начиная с «континентальной» пищи и кончая уборными. Основоположник готического романа Гораций Уолпол описывает Париж как «грязный городишко с еще более грязной сточной канавой, называемой Сеной... а нечистый поток, в котором все стирается, но не становится от этого чистым, грязные дома, уродливые улицы, еще более уродливые лавки и церкви, в которых полно непристойных картинок». Но даже доктор Джонсон, этот великий англичанин, считал, что не побывавший на континенте «всегда ощущает неполноценность, не видев того, что должен увидеть каждый». Приехав в Париж в 1775 году в возрасте шестидесяти шести лет, он сменил свой обычный коричневый сюртук, черные чулки и простую рубашку на белые чулки, новую шляпу и замысловатый французский парик. Он твердо решил не переживать из-за своего скверного французского и объяснялся исключительно на латыни.

Предполагалось, что благодаря Гран-Туру английская элита станет более терпимой к заморским идеям: ведь всегда легче писать пасквили и насмехаться на расстоянии. И действительно, к концу XVIII века появились жалобы, что офранцуживание становится в Англии условием для продвижения по службе. Такие драматурги, как Корнель и Расин, вызывали большее восхищение, чем Шекспир, а английские поэты Поуп и Э. Р. Эддисон стали подражать стилям французского стихосложения. Однако остальные англичане думали абсолютно иначе. Короче говоря, очень многие из них всегда терпеть не могли французов. И это чувство было взаимным. В Англии нет, наверное, ни одного самого крошечного городишки, который не обзавелся бы французским «побратимом» для достижения лучшего понимания между двумя культурами. Но это пустое занятие: несмотря на все эти взаимные визиты членов городских советов, *vins d'honneur* — угощений в чью-либо честь — и поездок школьников, глубокие разногласия и взаимные подозрения представителей обеих культур остаются. Это тонко уловил в 1973 году французский министр культуры писатель Морис Дрюон, который сказал, что «у элит наших стран наблюдается тенденция восхищаться друг другом, а у народов — относиться друг к другу с презрением».

Целые столетия враждебности трудно преодолеть посредством нескольких тостов и спичей, произнесенных почтенными людьми среднего возраста. Всем нам необходимы враги, а французы — вот они, совсем под рукой, да еще с такой очевидностью плюющие на интересы кого бы то ни было еще. Две нации теперь не уступают друг другу ни в экономике, ни в военной силе и представляют друг для друга удобный фон для противопоставления: обе стороны могут относиться к другой свысока, но им друг без друга не обойтись. И все же французы по-прежнему предоставляют англичанам поводы презирать их. Никто не сомневается, что, если бы Гитлеру удалось вторгнуться в Британию, откуда-нибудь непременно взялось бы правительство типа вишистского. Но в том-то и дело, что этого не произошло, поэтому моральный капитал, накопленный за последнюю мировую войну, у англичан остался. А предпринятые позже неблагодарными французами попытки исключить Британию из Европейского экономического сообщества лишь подтверждают, что враждебность между нациями не случайна.

К пониманию того, что *Entente Cordiale* — пустой звук, пришли солдаты, воевавшие на Западном фронте во время Первой мировой войны. Они в полной мере ощутили на себе, на что способны французские крестьяне, за которых

Entente Cordiale — сердечное согласие (*фр.*).

они якобы сражались и которые в обмен на одно яйцо готовы были лишить их всего денежного довольствия. Когда после окончания войны поэт, ученый и романист Роберт Грейвс вместе с другими демобилизованными пехотными офицерами приехал в Оксфорд, он заметил, что

антифранцузские настроения среди бывших солдат становились чуть ли не манией. Эдмунд в те времена, бывало, говорил с нервной дрожью в голосе: «Нет, воевать больше не пойду ни за какие деньги! Если только с французами. Вот если будет война с ними, пойду тут же...» Некоторые студенты даже считали, что мы сражались не на той стороне: наши естественные враги — французы.

Нечто подобное довелось увидеть и Джорджу Оруэллу. «Во время войны 1914–1918 годов, — писал он, — у английского рабочего класса была редкая возможность контакта с иностранцами. В результате единственное, что они из этого вынесли, — это ненависть ко всем европейцам, кроме немцев, мужеством которых они восхищались. За четыре года, проведенных на земле Франции, они не приучились даже пить вино».

Вряд ли скажешь, что правнуки и правнучки ветеранов Первой мировой придерживаются более умеренных взглядов. Англия остается единственной европейской страной, где от вроде бы интеллигентных людей можно услышать выражения вроде «присоединение к Европе было ошибкой» или «мы должны оставить Европу», словно ее можно прицепить к машине, как караван, в выходные дни. В анализе британского рынка в 1996 году, составленного для Французского бюро по туризму, с некоторой долей презрения говорится, что «несмотря на развитое чувство юмора и умение посмеяться над собой, они остаются консерваторами и шовинистами. В британцах глубоко заложено чувство независимости и островной изолированности, они постоянно разрываются между Америкой и Европой». И они правы: когда живешь на острове, появляется ощущение, что весь остальной мир где-то за морем.

Существует предание о заголовке, с которым однажды вышла одна из английских газет и который объяснит вам все, что вы хотите узнать об отношениях страны с остальной Европой.

ГУСТОЙ ТУМАН В КАНАЛЕ — КОНТИНЕНТ ОТРЕЗАН

Вот ведь не повезло живущим на материке европейцам: как они зависят от милости погоды.

Для ментальности англичан трудно переоценить значение того факта, что они островитяне. Это в полной мере выражено в словах старого герцога Джона Ганта в пьесе Шекспира «Ричард II», когда он говорит:

Противу зол и ужасов войны
Самой природой сложенная крепость,
Счастливейшего племени отчизна,   Акт II, сцена 1. Пере-
Сей мир особый, дивный сей алмаз   вод Мих. Донского.
В серебряной оправе океана,
Который, словно замковой стеной
Иль рвом защитным ограждает остров...

При таком понимании Англии ее первейшая привилегия состоит в том, что она изолирована от остальной Европы. Это давало очевидные практические выгоды. Когда живешь на острове, границы четко определены; линии на картах — условны, а пляжи и утесы —

нет. В Англии немало мест с ярко выраженными региональными особенностями; но всех — и жителя Манчестера, и лондонского кокни, и сомерсетского фермера, и пивовара из Бартона на Тренте — объединяет морская граница. Живущие по одну и другую сторону сухопутной границы мало отличаются по характеру, поэтому живущие на материке больше отдают себе отчет в существовании других народов и в условности того, какой у тебя паспорт. Когда Джон Гант произносил свои слова, англичане уже присоединили Уэльс и собирались заключить союз с Шотландией. Настоящих границ не было, и они не думали устанавливать их, потому что это не сулило никакой выгоды. Периметр Англии определяет море, и вследствие этого англичане выработали в себе то, что писатель Элиас Канетти в 1960 году назвал «самым незменным национальным чувством в мире». Вокруг море, и править нужно им: «Англичанин видит себя капитаном корабля с небольшой группой людей на борту, вокруг него и под ним море. Он почти один; как капитан, он во многом изолирован даже от своей команды».

Тем не менее до XVI века англичан вряд ли можно было назвать нацией мореходов. До этого времени все великие путешествия и открытия совершали моряки с континента. Англичане любили землю, а море вокруг, как отмечает Джон Гант, воспринимали скорее как крепостной ров, чем как что-либо еще: где герои-моряки в произведениях Шекспира? Правду сказать, к тому времени, когда он их создавал, англичане уже восприняли иную манеру поведения, которая позволила им построить величайшую в мире империю. Но выходили они в море больше как гангстеры: кем еще считать такую личность, как сэр Фрэнсис Дрейк? Только по мере роста богатства и амбиций англичане поняли, что море, всегда служившее им защитой, дает еще и уникальные возможности. В сущности, Англия единственная из крупнейших стран Европы не нуждалась в регулярной армии на случай возможного вторжения. И если страны с сухопутными границами могли направить через них свои армии, лишь заключив альянс или объявив войну, военно-морской флот, защищавший Британские острова, мог отправиться куда угодно. Вверив себя морю, англичане стали склонны видеть в остальной Европе лишь источник беспокойства, отсюда и трения между морской и континентальной стратегиями, которые веками присутствовали в британской оборонительной политике. Как однажды выразился Черчилль в палате общин:

> В то время как любой европейской державе приходится прежде всего содержать огромную армию, нам, живущим на этом счастливом острове, повезло, и мы в силу географического положения избавлены от этой двойной ноши и можем обратить безраздельные усилия и внимание на флот. С какой стати мы должны жертвовать игрой, в которой нас ждет несомненный выигрыш, в пользу игры, в которой мы обречены проиграть?

И каким же впечатляющим оказался этот выигрыш! Тем, кто мыслил как Черчилль, Английский канал казался шире Атлантики. Когда вокруг море, до ближайшего соседа так же далеко, как и до самого удаленного торгового партнера, оно и отделяет от ближнего соседа, и связывает с самым дальним. Для планированного вторжения в Англию требовался целый комплекс организационных мер, множество судов и спокойная погода: это не просто перейти границу. Кроме того, в условиях изоляции можно было вступать в войны, заключать союзы и плести интриги избирательно. Как только у англичан стала расти империя, до всех уголков которой можно было добраться по морю, запутанная ситуация на европейском континенте стала казаться чем-то неуместным. В 1866 году через десять дней после сражения под Садовой, где прусская армия Бисмарка нанесла сокрушительное поражение австрийцам, положив начало германской империи, политик Дизраэли высказался в том духе, что «Англия переросла европейский континент». Он считал, что «воздержание Англии от любого ненужного вмешательства в европейские дела есть следствие не умаления, а усиления ее могущества. Англия уже не просто европейская держава; она — метрополия великой морской империи... на деле, она больше держава азиатская, чем европейская».

Синдром островитянства глубоко овладел сознанием англичан, поэтому в воспоминаниях о Второй мировой войне такое значение придается эвакуации из Дюнкерка в мае 1940 года. Двести двадцать тысяч британских и сто десять тысяч французских солдат сумели избежать окружения армиями нацистов, и это подается как замечательное достижение и вместе с «битвой за Англию» и «блицем» почитается как одно из самых значительных событий Второй мировой войны. После эвакуации последних солдат газета «Нью-Йорк таймс» ликовала: «Пока существует английский язык, слово „Дюнкерк“ будут произносить с почтением... это великая традиция демократии. Это будущее. Это победа». На самом деле это было следствием катастрофы. Это «победоносное» отступление, прославленное в речах, на картинах и в стихах, надолго остается в памяти, потому что была задействована целая армада судов — рыбацких одномачтовых суденышек, прогулочных пароходиков, парусных яхт и небольших катеров, которые вырывали британских солдат из пасти смерти, в то время как в небесах над ними летчики союзников отражали воздушные налеты немцев. Элементы мифа приукрашены: например, преувеличена роль «малого флота». Но дело не в этом. Эта история так привлекательна для англичан по трем причинам. Во-первых, она свидетельствует об их чувстве отделенности: в тот момент Британия в конце концов оказалась один на один с нацистами. Король Георг VI даже сказал матери: «Лично меня больше устраивает, когда у нас теперь нет союзников, с которыми нужно любезничать и им потакать». Во-вторых, это рассказ об успешных действиях «немногих» против превосходящего врага. В-третьих, это подтверждает для англичан вековую истину: европейский континент — это место, где ждут одни неприятности, а залог наибольшей безопасности — тысячи миль изрезанной береговой линии вокруг их *дома-острова*.

Интересно, что это видение англичан признавали и Наполеон, и Адольф Гитлер: оба представляли себе, что в послевоенном мире они будут править континентальной Европой, а британцы сохранят свою заморскую империю. Как Гитлер говорил фельдмаршалу фон Рундштедту, «Германия будет господствовать в Европе, а Англия — в всем остальном мире. — *Примеч. автора.*

Идея острова занимает в воображении англичан особое место. Начинается все в детстве с приключений на «острове Кирин» в «Великолепной пятерке» детской писательницы Энид Блайтон, развивается в «Острове сокровищ» Роберта Луиса Стивенсона (автор романа, как известно, шотландец, но план отправиться на поиски спрятанных сокровищ рождается в головах англичан из Западного края) и так далее. «Путешествия Гулливера» Джонатана Свифта имеют успех, потому что считается, что где-то там могут быть другие острова, еще более необычные по сравнению с теми, что уже открыты английскими мореплавателями. (Свифт родился и вырос в английской «черте оседлости» в Ирландии, и, вероятно, отсюда у него, сына колониального класса, так остро выражена островная ментальность.)

Захватила воображение англичан и поразительная история Александра Селькирка, никчемного моряка, высаженного на необитаемый остров в Тихом океане у берегов Южной Америки. Поссорившись с капитаном корабля, Селькирк предпочел остаться у берегов Чили на одном из островов Хуан-Фернандес, и его вызволили оттуда лишь 31 января 1709 года, когда еще один английский капер бросил якорь неподалеку от острова для ремонта и лечения больных после перехода вокруг мыса Горн. Перед изумленной командой предстал одетый в козьи шкуры человек, который говорил по-английски, хоть и с трудом. Он провел в одиночестве четыре года. Описание капитаном спасения Селькирка в «Путешествии вокруг света» сразу получило отклик у английских читателей. Этот рассказ появился в «Англичанине» эссеиста сэра Ричарда Стила (Селькирк, между прочим, еще один шотландец) в 1713 году. Шесть лет спустя повествование о том, как Селькирк охотился на диких коз, как он сделал ножи, а потом сшил одежду из козьих шкур, легло в основу «Робинзона Крузо» Даниеля Дефо, который стал одним из первых романов всех времен и народов и пользуется неизменным успехом.

Эта безопасность в окружении морей рано выработала у англичан уверенность в себе, а сравнительная изолированность привела к возникновению идиосинкратической интеллектуальной традиции, породившей таких весьма необычных гениев, как Блейк и Шекспир. Возможно, эта традиция как-то связана с тем, что Англия дала миру так много прекрасных писателейпутешественников. Свобода от страха внезапного вторжения способствовала и развитию личных свобод: страны, не имевшие такой защиты, стремились к сильным, контролирующим все снизу доверху системам правления, позволявшими в считанные дни собрать целую армию. Тем фактом, что Англия — остров, продиктовано и устройство английских городов: с такой естественной защитой, как море, не нужно было окружать города стенами, и в результате они строились как бог на душу положит. Не существовало плана застройки такого города, как Лондон, он рос по мере прирастания к нему окружающих деревень. С другой стороны, ввиду отсутствия необходимости окружения города стенами, отцы города могли по своему усмотрению прирезать к центру любые открытые пространства.

Не ослаб этот заложенный в англичанах островной синдром и после создания империи. В 1882 году было положено под сукно предложение о прокладке железнодорожного туннеля под Ла-Маншем. Казалось бы, страна строителя Изамбарда Кингдома Брюнеля (еще одного ненатурального англичанина — отец у него был француз) должна ухватиться за этот смелый полет инженерной мысли. Вместо этого журнал «Девятнадцатый век» организовал петицию против этой идеи на том основании, что «с прокладкой такой железной дороги возникнет военная угроза и зависимость, от которых страна, как остров, была до сего времени счастливо избавлена». Это не был глас из деревенского захолустья: письмо вскоре подписал архиепископ Кентерберийский, поэты Теннисон и Браунинг, биолог Т. Г. Хаксли, философ Герберт Спенсер, пять герцогов, десять графов, двадцать шесть членов парламента, семнадцать адмиралов, пятьдесят девять генералов, двести священнослужителей и шестьсот других выдающихся деятелей.

Островное положение давало англичанам великую уверенность в себе, но никак не способствовало их совершенствованию. Трудно не прийти к выводу, что в глубине души англичанам вообще-то наплевать на иностранцев. Раньше заморским визитерам приходилось относиться к Британской империи с почтением, и они, один за другим, отмечали невероятное тщеславие англичан. В 1497 году один венецианец писал, что «англичане великие любители самих себя и всего, что им принадлежит; для них нет других людей, кроме англичан, и другого мира, кроме Англии; а случись им увидеть иностранца приятной внешности, они тут же говорят «выглядит как англичанин» и «как жаль, что он не англичанин». Описывая визит в Англию герцога Вюртембергского Фридриха в 1592 году, немецкий автор добавляет, что «жители... чрезвычайно надменны и заносчивы... им мало дела до иностранцев, они лишь издеваются и смеются над ними». Перечисляя особенности английского характера, надменность отмечает еще один путешественник, голландский купец Эммануэль ван Метерен. «Этих людей отличает смелость, мужественность, пылкость и жестокость на войне, но они же весьма переменчивы, опрометчивы, тщеславны, легкомысленны, обманчивы и очень подозрительны, особенно по отношению к иностранцам, которых презирают». Итальянский врач, совершивший поездку по острову в 1552 году, решил, что надменность населения такова, что они рассматривают среднего пришельца как «презренное существо, что-то вроде получеловека». Как похвалялся Мильтон, «не дайте первенства английского забыть в науке нациям, как надо жить».

К середине XX века картина почти не изменилась. В 1940 году Джордж Оруэлл, обративший внимание на то, как незначительно воздействовала на рядовых солдат во время Первой мировой войны культура других стран, обратился к журналам для мальчиков «Джем» и «Магнет». В них ему не понравилось почти все, начиная с консервативной политической направленности и кончая абсурдной, устаревшей мизансценой.

> Как правило [писал он], исходя из того, что иностранцы из любой страны мало чем отличаются друг от друга и с большей или меньшей точностью соответствуют следующим стереотипам:
> ФРАНЦУЗ: носит бороду, дико жестикулирует.
> ИСПАНЕЦ, МЕКСИКАНЕЦ и т. п.: злобен, вероломен.
> АРАБ, АФГАНЕЦ и т. п.: злобен, вероломен.
> КИТАЕЦ: злобен, вероломен. Носит косичку.
> ИТАЛЬЯНЕЦ: легко возбудим. Играет на шарманке или носит с собой стилет.
> ШВЕД, ДАТЧАНИН и т. п.: добродушен, недалек.
> НЕГР: комически выглядит, отличается верностью.

Horizon («Горизонт»), май 1940 г. — *Примеч. автора.*

Обратите внимание, что американцев в этом списке смешных стереотипов нет. Ведь они говорят по-английски, значит, не совсем чтобы иностранцы. Фрэнку Ричардсу, автору этих историй, этих бесхитростных карикатур, которые пользовались невероятным успехом и о которых с презрением пишет Оруэлл, это не сошло бы с рук, не отличайся англичане таким дремучим незнанием иностранцев.

Просматривая подшивки этих журналов за тридцать лет, Оруэлл решил, что Фрэнк Ричардс — *nom de plume* целой команды писак. Он недооценил этого автора: однажды Ричардс за день написал 18 000 слов,

Nom de plume — литературный псевдоним (*фр.*).

а все написанное им за жизнь — это примерно тысяча романов среднего объема. К изумлению Оруэлла, после появления его статьи Фрэнк Ричардс (настоящее имя которого Чарльз Гарольд Сент-Джон Гамильтон, и ему было всего шестьдесят четыре года) потребовал предоставить ему возможность ответить. Вот что он написал по поводу стереотипов: «Относительно того, что иностранцы смешны: мистер Оруэлл, наверное, будет шокирован, но я должен сказать ему, что иностранцы *на самом деле* смешны. У них нет чувства юмора, этого особого дара нашего, избранного народа: а люди без чувства юмора всегда, сами того не желая, ведут себя смешно».

Изоляция развила у англичан странное и весьма рискованное для иностранцев двойственное отношение: их необычность могла вызвать и восхищение, и презрение. В XVIII веке английский национализм во многом черпал свою силу в том, что благовоспитанное английское общество было склонно лебезить перед тем, что считалось заморской изысканностью. Когда в Лондон приехал Вольтер, «его принимали чуть ли не как прибывшую с визитом царственную особу». В живописи и музыке английские таланты задыхались от засилья иностранных гениев, таких как художник сэр Годфри Неллер (урожденный Готтфрид Книллер) и композитор Джордж Хэндел (Георг Фридрих Гендель). Как ни странно, это убеждение, что англичане, к сожалению, могут лишь рукоплескать мастерству иностранцев, оказалось весьма долговечным. Сэр Рой Стронг, список достижений которого — от руководства Музеем Виктории и Альберта до публикации книг о садовых шпалерах — занимает целых четыре дюйма в справочнике «Кто есть кто», плакался мне однажды, что «меня принимали бы более серьезно и я достиг бы гораздо большего, будь у меня фамилия Стронгски».

С другой стороны, ненависть к иностранцам, в частности к иностранцам, которые более всего под рукой — к французам, вероятно, впитывалась чуть ли не с молоком матери. Нельсон однажды вызвал к себе в каюту гардемарина и стал учить трем основам выживания в Королевском военно-морском флоте. «Первое, вы должны безоговорочно выполнять приказы, не пытаясь составить собственное мнение о том, насколько они уместны; второе, вы должны считать своим врагом любого, кто дурно отзывается о вашем короле; и третье, вы должны ненавидеть каждого француза, как ненавидите дьявола». И похоже, что это не просто джингоистская реплика, оброненная этим великим человеком на шканцах, чтобы приободрить юношу. Его письма пестрят нападками на французов. «*Долой, долой* этих негодяев французов, — писал Нельсон в одном из них. — Прошу простить мне эту горячность; но кровь моя закипает при одном упоминании французского имени... Можете быть спокойны: никогда в жизни я не доверял французам... Ненавижу их всеми фибрами души».

Насмешки над французами имели очевидные политические выгоды: ведь это основные противники империи, значит, шансов встретиться на поле боя у рядовых граждан и той и другой страны столько же, сколько на встречу в любом другом месте. Они иностранцы, значит, им можно приписать неестественные физические характеристики. Объектом этих насмешек не мог не стать Наполеон. Тут были и пресловутые «дефекты консульской конституции», которые якобы стали причиной неоднократных ночных разочарований Жозефины — этакий образчик пропаганды типа «у Гитлера лишь одно яйцо». Английские карикатуристы настолько привыкли изображать Наполеона желтокожим карликом с огромным носом, что приехавший в Париж священник британского посольства с изумлением обнаружил, что Наполеон «хорошо сложен, имеет приятную наружность» и совсем не похож на человека, о котором газета «Морнинг пост» писала 1 февраля 1803 года: «Не знаешь, как его и назвать: полуафриканец, полуевропеец, мулат средиземноморский».

Поразительно, но нелестные заблуждения относительно французского народа, похоже, пронизали среднего англичанина до глубины души. Даже в мирное время в самом безоблачном уголке мира они могли хранить самые невероятные представления о французах. Прекрасный пример — капитан Генри Байэм Мартин, командир корабля «Грампус». В 1840-е годы его задачей было дрейфовать по Полинезии, где французы закладывали основы империи, и делать все возможное для установления британского влияния. Лишь сравнительно недавно был найден и опубликован его личный дневник, в котором он писал: «Французы обнаруживают, что их планы рушатся, потому что симпатии склоняются в пользу англичан. Они знают, что на Таити их никто терпеть не может: мужчины — за несносное высокомерие, а женщины — за нечистоплотность и непоправимое уродство».

Это его «непоправимое уродство» — просто блеск. Эти слова демонстрируют, как глубоко заложено предубеждение против французов. Так же слепо англичане не замечают ничего про себя самих и не в состоянии признать, что они и есть тот самый «вероломный Альбион», о котором Наполеон сказал: «Англичане договоров не соблюдают. В будущем на них должен лежать черный креп». Английские морские волки, такие как Байэм Мартин, считали себя людьми прямыми и заслуживающими доверия, и они с гораздо большим удовольствием имели дело с экзотическими островитянами, которых, как они ничтоже сумняшеся считали, они могут понимать. А вот с французами, людьми ненадежными и не поддающимся пониманию, они иметь дела не желали.

Убедить англичан в том, что им необходимо иметь более тесные связи с европейскими соседями, было непросто потому, что у них всегда под рукой была альтернатива в виде дружбы с Соединенными Штатами. Это не отношения равного с равным, и так ведется уже не одно поколение, но английский правящий класс, получавший в школе все блага классического образования, утешал себя классическим примером. В годы Второй мировой войны консерватор Гарольд Макмиллан так объяснял суть этих отношений лейбористу Ричарду Кроссмену, руководившему тогда психологической войной в Алжире.

> Мы, мой дорогой Кроссмен, [начал он], в этой американской империи — греки. Ведь американцев — почти так же, как греки римлян, — мы считаем людьми великими, крупными, вульгарными, шумными, более энергичными, чем мы, и в то же время более праздными, людьми, обладающими большим числом неиспорченных достоинств, но и более безнравственными. Мы должны управлять штабом союзных сил так же, как греки-рабы управляли деятельностью императора Клавдия.

Это одно из предубеждений, которое в Макмиллане ценили больше всего, его устраивало, что его исподволь опекают, и он занимался самообманом на всех уровнях — от политики до личной жизни: хоть Макмиллан и выглядел воплощением джентльмена эдвардианской эпохи, отец его матери был лишь простым доктором из Индианаполиса.

Дружба с Америкой стала спасением для англичан в то время, когда страна осталась одна. Читаешь, как Черчилль описывает свои попытки склонить Соединенные Штаты к вступлению в войну против Гитлера, и поражаешься, насколько глубоко он верил, что из-за такого множества общих представлений обеих стран у них *должна* быть и общая судьба. Эти чувства прослеживаются в рассказе Черчилля о встрече с президентом Рузвельтом в августе 1941 года на борту английского линкора «Принц Уэльский» в Пласентия-Бэй близ острова Ньюфаундленд, на которой была достигнута договоренность об Атлантической хартии. Они провели совместную религиозную службу, гимны для которой, в том числе «Вперед, христолюбивое воинство» и «Господь, подмога прошлых дней», подобрал Черчилль.

Эта служба стала для нас трогательным выражением единения веры двух наших народов, и все, кто принимал в ней участие, никогда не забудут это действо, проходившее солнечным утром на запруженном людьми квартердеке — наш «Юнион Джек» и американский звездно-полосатый флаг, символично свисающие рядом с кафедры; английский и американский капелланы, попеременно читающие молитвы; высшие чины флота, армии и авиации Великобритании и Соединенных Штатов, стоящие вместе за президентом; тесно сомкнутые ряды английских и американских моряков, стоящих вперемешку с одинаковыми молитвенниками и усердно поющих вместе молитвы и гимны, знакомые и тем и другим... Душу волновало каждое слово. Это был великий момент в моей жизни. Почти половине из певших тогда моряков суждено было вскоре погибнуть. [В декабре того же года «Принц Уэльсский» был потоплен при налете восьмидесяти четырех японских торпедоносцев.]

Нельзя отрицать ни силы этой сцены, ни исторических, культурных и языковых уз, оказавших такое сильное влияние на Черчилля. Военное сотрудничество между двумя странами принесло великолепные результаты, во-первых, в деле освобождения Европы, а кроме того, в сотрудничестве по созданию атомной бомбы и, в период холодной войны, обмену развед-данными, в частности данными электронного подслушивания. Каков бы ни был экономический дисбаланс, англичане всегда убеждали себя в том, что вносят в общее дело некий особый вклад. Среди членов британской делегации, посланной в Вашингтон для обсуждения условий выплаты американцам военного займа, ходила следующая записка:

Лорду Кейнсу в Вашингтоне
Шепнул лорд Галифакс:
«Мешки с деньгами все у них,
Зато умы — у нас».

Конечно, без налаженных отношений с Соединенными Штатами никто не поручился бы за успешный исход войны. Но в последующие годы этот альянс позволял англичанам верить, что они остаются независимой державой. Что характерно, эта «независимость» Англии была лишь независимостью от остальной Европы. А в отношениях с Соединенными Штатами это была свобода поступать как заблагорассудится, только если Вашингтон не будет против, и британцы открыли это для себя в 1956 году, когда попытались вторгнуться в Египет, чтобы оставить за собой Суэцкий канал, без одобрения американцев. Но к тому времени жребий уже был брошен; Британия связала свою судьбу с якобы близкими по духу англосаксами по другую сторону Атлантики. В контексте британской истории это можно было понять так: Европа — это война, а Америка — помощь, с которой война закончилась. Однако цена британской сверхзависимости от Соединенных Штатов выразилась в том, что страна закрывала глаза еще на многое из того, что происходило в Европе, увеличив свою отстраненность от европейского сообщества, приема в которое она с запозданием стала добиваться. С тех пор упущенное было уже не наверстать. К 1990-м годам, когда европейский континент уже не был поделен на коммунистические и демократические страны, когда «особые отношения» с Великобританией уже значили для Соединенных Штатов гораздо меньше, ее оставили в подвешенном состоянии.

Отношения с США остаются «особыми» до сих пор. Это демонстрируют необычные личные связи, которые могут устанавливаться между политическими лидерами, которые и в буквальном, и в переносном смысле говорят на одном языке — между Тэтчер и Рейганом или Блэром и Клинтоном. Гарольду Вильсону удалось не допустить вовлечения Великобритании во вьетнамскую катастрофу, а вот другие правительства всегда были готовы послать войска, чтобы сражаться вместе с американцами (вместо них) в послевоенных конфликтах — от Кореи до Косово, и с гордостью говорят об этом. Об этом свидетельствует огромный объем британских инвестиций в Соединенных Штатах (гораздо больший, чем в любой европейской стране); взаимопроникновение английского и американского кинематографа, где определенный тип отрицательного героя всегда говорит с английским акцентом; Союз англоговорящих, Атлантический совет и десяток других клубов; то, что путешествующих из Англии в Северную Америку в два раза больше, чем тех, кто пересекает Атлантику, направляясь в любое другое государство Европы или из него. И действительно, количество пассажиров-англичан превосходит лишь число путешественников из Германии, Франции и Нидерландов, вместе взятых.

Сравнение с Древними Грецией и Римом слышны теперь гораздо реже, ибо для англичан становится яснее, чем когда-либо, что весь мир «сделан в Америке». Как объяснить стране, одетой в джинсы, футболки и бейсбольные кепки, что они — часть культуры, давшей миру такой универсальный предмет гардероба, как мужской костюм? Никак. Это уже не имеет никакого значения.

> Когда говорят «Англия», иногда имеют в виду Великобританию, иногда — Соединенное Королевство, иногда — Британские острова, но под этим никогда не подразумевается Англия как таковая.
>
> Джордж Майкс. Каково быть чужим

Характерно, что англичанам присуща бездумная готовность смешивать понятия «Англия» и «Британия», и это приводит в бешенство другие живущие на острове народы. Послушать иных англичан, так можно подумать, что шотландцев и валлийцев просто не существует или они лишь мечтают влиться в некую основную народность, которая всегда контролировала свою предопределенную Богом судьбу. Англичанам пошло бы на пользу, если бы они следили за тем, что говорят.

В отличие от Англии, которую полностью или частично покоряли римляне, викинги, англосаксы и норманны, Шотландию, пока она не стала частью Соединенного Королевства, не завоевывал полностью *ни один* иностранный захватчик. Как трактуют свою историю шотландские националисты, Закон об объединении, объединивший страну с Англией, подписали подкупленные шотландские аристократы. В Северо-Шотландском нагорье *до сих пор*, почти через два столетия после «очисток земель», приходят в ярость при упоминании об этом «шотландском холокосте», когда

71

с целью освободить место для широкомасштабного овцеводства со своих земель были согнаны целые семьи. Как выразился в разговоре со мной один шотландский националист, это была «наиболее эффективная этническая чистка в Европе, осуществленная вождями кланов и лендлордами, этими англизированными содомитами, с помощью полиции, армии, шотландской церкви и членов парламента, чтобы создать величайшую пустыню в Европе». Он утверждал также, что наградой за непомерно большие жертвы, понесенные жителями шотландских островов во время Второй мировой войны, стал самый высокий в Соединенном Королевстве уровень безработицы и эмиграции. «Если бы в войне победил Гитлер, они жили бы лучше: по крайней мере, в обезлюдевших сегодня деревнях кто-то бы еще оставался», — яростно заключил он.

Верно и то, что шотландцы стали и основными создателями Британской империи: когда их мечты о собственной империи рухнули после безуспешной попытки основать колонию на Панамском перешейке в 1698 году, они с большим отличием служили в британской армии, строили дороги и мосты, становились великими купцами и владельцами огромных состояний. Знаменитый сигнал в Трафальгарском сражении — «Англия ожидает, что каждый исполнит свой долг» — якобы поднял Джон Робертсон, уроженец Сторноуэя на острове Льюис, Шотландия. «В британских сеттльментах от Дунедина до Бомбея на каждого разбогатевшего англичанина, поначалу мало что имевшего за душой, приходится десять шотландцев, — пишет в 1869 году политик сэр Чарлз Дилк. И с озорством добавляет: — Странно, что Соединенное Королевство в народе еще не называют Шотландией». Весьма показательны в этом отношении последние слова генерал-лейтенанта сэра Джона

Мура, шотландца из Глазго, смертельно раненного картечью в сражении при Ла-Корунья в 1809 году. У него, конечно, не было сомнений, кому он служил, и он умер со словами: «Надеюсь, народ Англии останется доволен. Надеюсь, моя страна воздаст мне должное».

Основой того, что историк-медиевист Джон Гиллингэм называет настоящим «тысячелетним рейхом» — в границах Британии, — являются представления англичан о своем моральном превосходстве чуть ли не со времен их обращения в христианство. А вот Вильям Мальмсберийский в своем труде «История английских королей» указывает на иную причину самопровозглашенного превосходства, а именно на женитьбу в VI веке короля Этельберта I на Берте, дочери *rex Francorum*. Именно «в силу этой связи с французами варварский когда-то народ стал отходить от своих диких порядков и склоняться к более благообразному образу жизни».

Rex Francorum — король франков (*лат.*).

В данном толковании именно французское влияние положило начало цивилизации англичан. Несомненно и то, что хотя норманнские завоеватели явились пять столетий спустя непрошеными, как только они установили власть над страной, англичане проявили необычайную склонность к восприятию идей континентальной Европы. Изменилось все — законы о браке, частной собственности, войне и половых отношениях. Браки между местными жителями и новыми правителями стали обычным делом, и к 1140-м годам представители английской элиты умели писать (на латыни) и называли свою страну (по-французски) «вместилищем справедливости, обителью мира, вершиной благочестия, зерцалом веры», в то время как Уэльс для них был «краем лесов и пастбищ... где изобилуют олени и рыба, вдоволь молока и пасутся многочисленные стада, но люди там живут звериного обличья». Рассказывая о шотландцах, Вильям Ньюбургский называет их «ордой варваров». «Это бесчеловечное племя посвирепее диких зверей, им доставляет удовольствие перерезать горло старикам, убивать малых детей, вспарывать животы женщинам». Ирландцы, по мнению хрониста Джеральда де Барри, «такие варвары, что у них и культуры нет никакой... народ это дикий, образ жизни имеют скотский и ничуть не отошли от допотопных обычаев примитивного земледелия». Хронист Ричард Гексемский приходит в ужас от того, как по-варварски ведут войну шотландцы:

> [Они] убивали мужей на глазах жен, а потом забирали женщин с собой вместе с остальной добычей. С них — вдов и девственниц — срывали одежду, связывали вместе веревками и ремнями и уводили прочь под прицелом лучников, подгоняя остриями копий... Этим скотоподобным людям все нипочем — супружеская неверность, кровосмешение и другие злодеяния, — и когда им наскучивало забавляться со своими жертвами, они или оставляли их себе как рабынь, или продавали другим варварам в обмен на скот.

Чувствовать свое превосходство англичан заставляло не только то, как они трудились на земле и воевали, но и как относились к половой жизни. В описании Иоанна Солсберийского — одного из священников, ставших свидетелями убийства святого Томаса Беккета в Кентерберийском соборе, — валлийцы живут «как скоты»: «кроме жен у них есть и наложницы».

Во всяком случае, по этим комментариям видно, что выражение «Бремя Белых» придумано не в XIX веке. В веке XX англичане хоть и научились избегать обобщений относительно обитателей Вест-Индии или Азии, но все же не стеснялись делать огульные утверждения о ближайших соседях. Детский стишок

Таффи был валлиец, был этот Таффи вор;
Он в дом ко мне забрался и мое мясо спер;
Пошел я к дому Таффи, а Таффи дома нет,
Он в дом ко мне забрался, и в доме нет котлет

исключен из большинства детских антологий, но в магазинах старой книги его по-прежнему можно найти. Скорее всего, речь идет о грабительских набегах во времена, когда между Уэльсом и Англией существовала граница. Но даже в наши дни, когда все воспринимается более болезненно, англичане по-прежнему представляют валлийцев в карикатурном виде, считая их льстивыми, двуличными пустозвонами, исполненными фальшивой сентиментальности. В 1997 году телевизионный обозреватель «Санди таймс» (один из многих шотландцев, отправившихся пытать счастья в Лондон), критикуя изобилующие в английских «мыльных операх» стереотипы и посчитав, что Уэльс в рамках союза — нечто незначительное, написал, что «относительно Уэльса существует целый ряд предрассудков. Всем известно, что валлийцы — словоохотливые лицемеры, безнравственные лгуны, низкорослые, узколобые, подлые, уродливые, драчливые тролли». Позже он понял, что многих валлийцев от таких стереотипных представлений давно уже просто тошнит: они направили эту статью Рэю Сингху, комиссару Уэльса по расовому равноправию.

Английские предрассудки в отношении Шотландии не так оскорбительны. Над шотландцами подшучивают за их посредственность и угрюмость: в том смысле, что, как отмечал П. Г. Вудхаус, «совсем не трудно различить, где обиженный шотландец, а где — солнечный лучик». Валлийцев, когда про них вообще говорят что-то доброе, восхваляют за их «кельтские» качества — как поэтов и певцов, — а шотландцам, особенно не горцам, воздают должное как докторам, юристам, инженерам и бизнесменам. В продолжение этих общих представлений англичане считают, что шотландцы — народ упрямый, вздорный и прямодушный (если не наберутся). Еще бы, ведь оба величайших морализатора английского общества XX века — и архиепископ Козмо Ланг, и первый босс Би-би-си Джон Рейт — были шотландцами.

Игра слов: помимо значений «прямодушный», «открытый», *upstanding* означает и «прямостоящий».

Конечно, вполне возможно, что и тот и другой набор общих характеристик существует по той простой причине, что они верны. Но то, какими англичане видят своих соседей, должно раскрыть нам нечто и о самих англичанах. И Шотландию, и Уэльс Англия, по сути дела, аннексировала. Однако шотландцы *явно* видели себя в этом союзе равными партнерами, став свидетелями того, как король Шотландии Яков VI взошел на английский трон как король Яков I (хотя некоторые из них до сих пор обижаются, когда нынешнюю королеву называют Елизаветой II: у них не было Елизаветы I). Они сохранили и сохраняют по сей день свою судебную и образовательную систему, а также собственную интеллектуальную традицию. Отношения же между Англией и Уэльсом, наоборот, никогда даже близко не походили на отношения равных. Княжество Уэльс стало придатком Англии еще в начале XV века, сразу после подавления восстания Оуэна Глендоуэра против колонизаторов. Генрих VIII хоть и отменил уголовный закон, запрещавший валлийцам иметь землю в Англии (он был принят после восстания Глендоуэра), но, невзирая на валлийскую кровь в своих жилах, требовал от представителей тамошней власти говорить

Выражением весьма предвзятого отношения королевского двора и к шотландцам был указ Генриха считать преступлением даже продажу лошади англичанином шотландцу. — *Примеч. автора.*

на английском. Несмотря на эти запреты, те продолжали общаться между собой на родном языке, и считается, что даже в 1880-е годы на нем предпочитали говорить трое из четырех валлийцев. Возможно, благодаря этому они оставались более или менее самостоятельным народом. Но самое главное, у них не было ни столицы, чтобы претендовать на что-то, как Эдинбург, ни своих судебных, образовательных или (пока не пришло время нонконформизма, когда уже было слишком поздно) религиозных институтов.

В течение двух веков после объединения королем Яковом Англии и Шотландии отношение англичан к шотландцам, похоже, менялось от враждебности — из-за «предательства» во время Гражданской войны, а также при якобитских восстаниях 1715 и 1745 годов — до равнодушия. «Шотландия... это просто клоака земная» — вот как писал один вельможа в письме после сражения при Каллодене. Герцог Ньюкаслский, брат тогдашнего премьер-министра, отвечал ему: «Что до Шотландии, я отношусь к ней так же пристрастно, как и любой другой... Но приходится считаться с тем, что она находится в пределах нашего острова». Поневоле создается впечатление, что и враждебность, и подчеркнутое равнодушие свидетельствуют об одном и том же: в глубине души англичане относятся к шотландцам скорее с уважением. Самое знаменитое выражение английского презрения по отношению к шотландцам принадлежит доктору Джонсону, по мнению которого, «глядя на Шотландию, видишь ту же Англию, но похуже». Босуэлл вспоминает реакцию Джонсона, когда ему сказали, что в Шотландии «великое множество величественных видов дикой природы»: «Я верю, сэр, что у вас их великое множество, — ответил этот человек. — В Норвегии тоже есть величественные виды дикой природы; и Лапландия отличается необыкновенно величественными видами дикой природы. Однако позвольте заметить, сэр, что самый величественный вид, когда-либо открывавшийся шотландцу, это дорога, которая приведет его в Англию». Даже сам Джонсон был не в силах объяснить свое предубеждение, но шотландцы могут утешать себя тем, что, по крайней мере, им удалось задеть его за живое: об Уэльсе он нашелся сказать Босуэллу лишь, что этот край «так мало отличен от Англии, что не дает путешественнику никакой пищи для размышления».

Но к началу XIX века, когда англичане познакомились с романтикой шотландских горцев и Георг IV приезжал в Эдинбург, одетый с головы до ног как горец, представление о шотландцах как о кровожадных изменниках стало уступать место проявлениям положительного энтузиазма. Шотландия сохраняет некий социальный статус через связи с монархией и аристократией, непреходящее глупое стремление стать владельцем имения в Шотландском нагорье и тот факт, что половина богемного Челси заявляет о принадлежности к тому или иному клану. Если сюда добавить и неявных шотландцев — таких как Эндрю Бонар Лоу, Гарольд Макмиллан и Тони Блэр, — то получается, что со времени восшествия на престол Георга III эта страна дала 11 из 49 премьер-министров, что абсолютно несоразмерно ее доле населения. Другое дело валлийцы. Они дали лишь одного достопамятного премьер-министра, Дэвида Ллойд Джорджа, но он, по крайней мере, стоит на голову выше многих, кто занимал этот пост в XX веке. Радикальной валлийской традиции не давали заглохнуть такие фигуры, как валлиец Аньюрин Бивен, но валлийцам не давали выдвинуться не только потому, что такое множество англичан, за редкими исключениями в истории, являются, по сути, консерваторами, но и потому, что им так трудно заставить себя доверять валлийцам. Когда лейбористу Нилу Кинноку не удалось привести лейбористскую партию к победе на выборах 1992 года, партия поняла, что отчасти это результат недоверия англичан к валлийцам, и тут же заменила его шотландцем Джоном Смитом. Смит обладал теми скучными шотландскими достоинствами, которые англичанам нравятся. Эти качества, присущие равнинным шотландцам, перечисляет историк Ричард Фабер — «усердие, расчетливость, упрямство, осторожность, педантичность, аргументативность, недостаток юмора». Последнее, несомненно, к Смиту, не относится. Если бы не сердечный приступ, он, конечно же, стал бы первым лейбористским премьер-министром шотландского происхождения после Рамсея Макдональда в 1930-е годы.

Одним из следствий того факта, что с Британией и Британской империей связано столько валлийских и шотландских амбиций, является то, что ни в Уэльсе, ни в Шотландии не так много националистских движений, которые шли бы дальше лозунга «Мы ненавидим англичан». На каждого лидера шотландских и валлийских националистов, налаживающего согласованные связи с остальной Европой, приходится тысяча тех, кто просто таит горькую обиду на англичан. Они все еще пребывают на той стадии, которую Дуглас Хайд, ставший впоследствии первым президентом Эйре, описывал сто лет назад как «притупленную, неизменную неприязнь» по отношению к Англии, отчего они «печалятся, когда она процветает, и радуются, когда ей причинен ущерб». Один известный шотландский репортер даже назвал команды стран, играющих против Англии в крикет — боже мой, в *крикет*! — «почетными шотландцами». Так Вест-Индия у него — «черные джоки», Индия — «темно-коричневые джоки», Австралия — «перевернутые вниз головой джоки», а Новая Зеландия — «перевернутые вниз головой, закрытые по воскресеньям джоки». При таком воинственном отношении к миру уже не важно, кто победит, — лишь бы проиграла Англия. В 1996 году один мой приятель-шотландец, во время отпуска отправившийся в плавание на яхте, старался быть в курсе чемпионата Европы по футболу. В небольшом порту Странрэр на юго-западе Шотландии он зашел в бар, чтобы посмотреть полуфинальную игру между Англией и Германией. После дополнительного времени счет был ничейный — 1:1. В конце послематчевых пенальти вратарь немцев отразил удар центрального защитника сборной Англии Гарета Саутгейта и таким образом развеял мечты англичан о завоевании титула чемпионов Европы. «Весь бар словно взорвался, — вспоминал он. — В углу сидел какой-то старик. Я видел его первый раз в жизни. И мы с ним расцеловались. *Вот* как страстно нам хотелось, чтобы англичан побили».

К единственному своему соседу, уже переросшему эту стадию, англичане относились хуже всего: это не Шотландия, не Уэльс, а Ирландия. Видимо, из-за того, что вмешательство не принесло англичанам ничего кроме неприятностей, их отношение может круто меняться от терпимости до неприязни. Ирландцы в ходе почти всей своей истории гораздо более остро ощущали себя угнетаемым народом, и народ Ирландии хранит живую память о целом ряде совершенных англичанами жестокостей, от убийства пленников в XII веке, ужасной резни во время кампаний Оливера Кромвеля, официального безразличия к голоду в 40-е годы XIX века и до расстрела британскими солдатами безоружных мирных жителей в Лондондерри во время «кровавого воскресенья» 1972 года.

Английское господство в Ирландии всегда было более шатким, чем где бы то ни было на Британских островах, и именно поэтому англичане вели себя там с величайшей надменностью. (Герцог Веллингтон родился в Дублине, но, когда ирландцы попытались заявить свои права на него, заметил, что «человек не становится лошадью только из-за того, что родился в конюшне».) Отношения между сторонами всегда были глубоко противоречивыми и изобиловали конфликтами. Викторианской Англии страстно хотелось отметить важность того, что в жилах «английского народа» течет кельтская кровь, и в то же время она дрожала при одной мысли о том, каким потенциалом обладает эта неукротимая Ирландия за пределами колониальной черты оседлости. То, как доктор Джонсон поддразнивает шотландцев, просто семечки по сравнению с грубыми оскорблениями, которые англичане бросали в лицо ирландцам. Вот образчик из журнала «Панч» 1860-х годов, в котором провозглашается, что в некоторых районах Лондона и Ливерпуля якобы обнаружено «недостающее звено» в эволюции человека — «ирландский йеху»:

> Когда говоришь с ему подобными, они несут какую-то чепуху. К тому же это животное может забираться на высоту, и иногда можно видеть, как оно поднимается по приставной лестнице с лотком кирпичей. Ирландский йеху обычно обитает в пределах своей территории и покидает их, лишь чтобы добыть себе пропитание. Иногда, правда, это животное вдруг впадает в возбуждение и нападает на цивилизованных человеческих существ, вызвавших у него эту ярость.

«Шутка» эта характерна для того времени: как нам станет ясно, англичане находились в плену иллюзии, что они существа более высокой организации. Из этого следовало, что те, кто отвергает объятия империи, — существа низшего порядка. Однако сам факт того, что Ирландия была явной колонией, где класс английских колонизаторов принадлежал к иной религиозной конфессии и за ними стояла оккупационная армия, в конце концов пошел Ирландии на пользу. Как только колонизаторы упаковали чемоданы, Ирландия сумела сформировать индивидуальный образ в Европейском союзе, используя возможности членства в нем с гораздо большей готовностью, чем остальные части Британских островов, которым приходилось шагать в будущее не без колебаний, таща за собой груз уже не существующей империи.

Как получалось, что англичанам сходили с рук все их предвзятые мнения? Во-первых, они, бесспорно, доминировали на островах, и их мало интересовало, что думают другие. Во-вторых, к XIX веку они владели самой преуспевающей империей в мире, которая ярко демонстрировала, каких результатов можно добиться благодаря практичности и самодисциплине англосаксов: отсюда следовало, что лучший выход для эмоциональных кельтов — выработать в себе эти качества, а не носиться с сентиментальными экскурсами в историю некоего изолированного народа. И в-третьих, у многих кельтов был комплекс неполноценности по отношению к родным местам. «Земля моих отцов, — говорил валлийский поэт Дилан Томас, — отцам пусть остается». Отвращение к самому себе — вещь живучая. В романе «На игле» один из наркоманов Ирвина Уэлша говорит другому:

> Чего винить англичан в том, что они сделали нас своей колонией. Я ничего против англичан не имею. Они просто болваны. А мы не сумели даже выбрать приличную, здоровую нацию, чтобы она нас завоевала. Мы не смогли даже этого. Нами правят изнеженные болваны. И во что мы превращаемся? В самых что ни на есть, ети его, подонков. В самых жалких, презренных, убогих и несчастных высерков, которых когдалибо производили на свет божий.

Англосаксонской империи кельты могли противопоставить лишь исчезающие культурные достижения: древняя цивилизация, к которой они якобы принадлежат, была культурой устной, и каких бы вершин ораторского искусства они ни достигли, их унесли с собой в могилу друиды. Шотландцы, вероятно, до сих пор не оправились от страшного удара, уязвившего их гордость, когда выяснилось, что герой кельтских мифов Фингал из «Песен Оссиана», которые якобы обнаружил Джеймс Макферсон, путешествуя по Шотландии в 1760 году, и которые, по утверждению историка Гиббона, свидетельствовали, «какую новизну природных добродетелей можно найти в простодушных каледонцах», — искусная подделка. Они остались с теми же изъявлениями чувств, что и у поэта У. Б. Йейтса, который в «Кельтских сумерках» пишет о «великой кельтской фантасмагории, значение которой не открыл ни один человек и не явил ни один ангел». Тем не менее сам Йейтс говорил, писал и читал по-английски и признавал, что «все, что я люблю, пришло ко мне через английский язык».

На каждом псевдодруидском празднике валлийской народной поэзии и песни — *айстедвод* (которые проводятся чуть ли не с 1792 года) огромное число валлийцев вовлекается в англосаксонскую реальность. Это смешение приняло такой большой размах, что просто невозможно проверить, сколько еще существует чистокровных кельтов. Их история неумолимо движется вспять: последний носитель корнуэльского языка умер в 1777 году, последний носитель гэльско-мэнского — в 1974-м, последний носитель дисайдско-гэльского — в 1984-м. В Северной Ирландии гораздо больше носителей китайского, чем тех, чей родной язык ирландский. Эти языки сохраняют остатки жизненных сил лишь благодаря идеологии и субсидиям английских налогоплательщиков, о чем свидетельствуют телеканал, на котором вещание ведется на валлийском языке, и большое число носителей ирландского языка среди заключенных, бывших членов Ирландской республиканской армии.

Этим древним культурам англичане, похоже, противопоставили культуру, которая оказалась культурой мирового класса. И именно благодаря тому, что англичане доминировали в организации, которая доминировала над большей частью мира, слова «Англия» и «Британия» скоро стали употреблять как взаимозаменимые. Монументальный труд экономиста и политика Уолтера Бейджхота о взаимоотношениях между парламентом, королевской властью и судами Соединенного Королевства — который до сих пор считается классическим введением в данный предмет, несмотря на то что ему уже более ста лет, — называется «Английская конституция». Эндрю Бонар Лоу, канадец шотландско-ольстерского происхождения и поэтому, можно было бы подумать, человек чувствительный к такого рода вещам, нисколько не возражал в 1920-е годы, когда его называли «премьер-министром Англии». В 1930-е годы появились первые тома «Оксфордской истории Англии»; в них рассказывалось о шотландских университетах под началом английского образования и о внутренних делах колоний, как части английской истории.

Однако искусственность любого убеждения в чистоте англосаксонской расы становится очевидной, если обратиться к корням английского народа. Коренные обитатели страны, похоже, не отличались развитой цивилизацией. У некоторых амулетов, ножных колец и браслетов, дошедших до нас от кельтской Британии, есть некоторый незамысловатый шарм. Но жрецы кельтов поощряли принесение в жертву людей и каннибализм. Наиболее искушенное племя белгов в Кенте выращивало пшеницу и лен, но, не умея разводить скот, они, по всей видимости, не научились делать сыр и ничего не знали о садоводстве. Таков был уровень «английского» развития до появления римлян, и чем дальше от южного побережья, тем более «нецивилизованными» были племена. Нет нужды составлять долгий список тех благ, что принесло римское владычество, так как свидетельства этому можно найти на любой карте Англии. Установив границу от реки Тайн до залива Солуэй-Ферт, римляне включили «Англию» в пределы цивилизованного мира, а Шотландию оставили вне его. Таким образом, своим существованием как отдельного государственного образования Англия обязана иностранному вторжению.

Сами римляне, конечно, под классификацию «англичан» не подпадают. Мы не знаем, сколько из них осталось, когда по прошествии 400 лет было принято решение, что больше нет смысла защищать эту колонию от нападений саксов, ирландцев и пиктов, но в чисто этническом смысле, их, конечно же, нельзя считать частью английской расы, что бы она собой ни представляла. Согласно историкам VIII века, первые «английские» англичане прибыли в Англию на трех небольших суденышках, которые уткнулись в покрытый галькой берег Пегуэлл-Бей в графстве Кент в середине V века. Они тоже были воинами. Две-три сотни солдат, сошедших на берег, то ли были (в соответствии с одним повествованием) приглашены кельтским королем Британии Вортигерном для отражения набегов пиктов, то ли были изгнанниками, и им было предложено убежище. Как бы то ни было, первое, что узнаешь об англичанах, это то, что они совсем не англичане — в том смысле, что они не из Англии. Они прибыли из Ютландии, Ангельна и Нижней Саксонии. «Английский народ», если он вообще существует, — это народ германский.

Эти первые англичане действительно обнаружили характеристики, которые время от времени проявлялись на всем протяжении английской истории. Во-первых, у них рано дал себя знать порыв все крушить, который то и дело охватывает страну, выражаясь то в разрушении монастырей, то в сносе городских центров в 1960-х годах. В случае англов, саксонцев и ютов это было разрушение городов, возведенных за время римского владычества, когда они сносили каменные строения и возводили деревянные, устраивая их вокруг структур феодального клана. К их значительным достижениям нужно отнести развитие сельского хозяйства — внедрение вспашки и севооборота. Но сказочкой о том, как папа Григорий I восхитился приятной наружностью англичан, увидев на уличном рынке в Риме выставленных на продажу мальчиков-рабов («Они не англы, они ангелы»), не завуалировать того факта, что Августин и сопровождавшие его миссионеры, которым было поручено обратить этих «ангелов» в христианство, считали, что отправляются туда, где кончается цивилизация.

Эти захватчики были уже хорошо известны по своим грабительским набегам на побережье. Вортигерн, вероятно, хотел сделать их своими союзниками, пообещав участки земли и стада скота, но по прошествии девяти лет они уже успели проявить вторую характерную черту, за которую презирают англичан их враги, и коварно перешли на сторону противника. Вортигерн предложил их предводителю Хенгисту в качестве откупа Кент. Захватчики поняли, что здесь легко можно поживиться, их прибыло еще большее число, они и поделили страну между собой. Западные саксонцы (the West Saxons) захватили район, известный как Уэссекс (Wessex), восточные саксонцы (the East Saxons) взяли себе Эссекс (Essex), южные саксонцы (the South Saxons) — Сассекс (Sussex), а средние саксонцы (the Middle Saxons) то, что сейчас называется Миддлсекс

(Middlesex). Севернее лежало королевство Мерсия, восточнее основались англы, а дальше на север было расположено королевство Нортумбрия.

Следующая волна захватчиков, из Норвегии и Дании, прошлась по всей Англии и оставила след в виде примерно 1400 городов и деревень со скандинавскими названиями. Около 400 из них остается в Йоркшире, где такие места как Wether*by* и Sel*by* включают слово *by*, означающее на датском «деревня». Триста местечек в Линкольншире, а кроме того, в Норфолке и Нортхэмптоншире имеют в своем названии — подобно Mable*thorpe* и Scun*thorpe* — слово *thorps*, «хутор» по-датски. Таким образом, ко времени самого знаменитого вторжения — норманнов в 1066 году — по степени самобытности английский народ можно было сравнить разве что с рагу: тут и кельтские бритты (даже кое-где докельтские), и римляне, и англы с саксонцами и ютами, и скандинавы. Норманнское завоевание смогло лишь добавить немного приправы.

В течение почти 900 лет после норманнского нашествия население оставалось на удивление стабильным. В Европе границы постоянно перекраивались. Например, Франция обрела официальный суверенитет над Ниццей лишь в 1860 году, а область Эльзас-Лотарингия с 1871 по 1918 год и еще раз с 1940 по 1945 год была под немцами. Англия, которая со времен норманнского завоевания управлялась из центра и имела контролируемые границы на тех небольших отрезках, где они не были определены морем, представляла собой гораздо более устойчивую государственную единицу. Таким образом, ей удалось остаться в глубоком неведении относительно других народов. Отцы города Хартлипула до сих пор пытаются как-то загладить ту историю, когда в ходе наполеоновских войн к берегу прибило обезьянку с погибшего корабля, и местные жители соорудили на пляже виселицу и повесили ее, решив, что она французский шпион, раз не отвечает на вопросы.

А будь на месте этой обезьянки глухонемой англичанин, что спасло бы его от повешения? Разве определишь в человеке англичанина, если его раздеть догола? Еще задолго до появления саксонцев, викингов, норманнов и всех остальных Тацит отмечал физическое разнообразие оккупированного римлянами острова: он считал, что это отражает разнящуюся генетическую наследственность их корней. Тем не менее мы по-прежнему рассуждаем о том, что валлийцы не такие высокие и светлокожие, как англичане, в частности, более светловолосые жители страны из тех районов острова, где наиболее плотно селились саксонцы и скандинавы, или что рыжие волосы есть свидетельство кельтского происхождения. Портреты некоторых англичан, достаточно богатых, чтобы обессмертить себя на живописном полотне, похоже, на самом деле доносят некоторые характерные черты, несмотря на то как неуважительно отзывался о лице англичанина Оскар Уайльд («Увидишь один раз и не вспомнишь»). У женщин, хоть и не очень красивых, длинные шеи, а вот мужчинам больше хотелось похвастать своими домами или лошадьми. Но ведь задача художника и состоит в том, чтобы угодить заказчику, и мы все равно не можем быть уверены, в какой степени фамильные портреты отражают истину. Приезжающие из других стран один за другим отмечают, что из-за влажного климата английские женщины поразительно хорошо выглядят; а что касается их недостатков, постоянно указывается, что вроде бы у многих слишком большие ноги.

Один американский этнолог ничтоже сумняшеся сделал рискованное и самонадеянное заявление о том, что «хотя форма лица у британцев довольно разнообразна, существуют особенности, по которым иностранец может отличить их: это длинная и узкая форма головы и лица, краснота лица и длинный и узкий выступ носа. Вот уж совсем не Джон Буль, если не считать румяного лица. В 1998 году патологи из Манчестерского университета составили по скелету каменного века первую реконструкцию лица «чеддарского человека», умершего в Чеддарском ущелье в Сомерсете около 9000 лет назад. По их заключению он был почти шести футов ростом, со «слегка неравномерной головой, широкоскулым лицом, округлым лбом и носом картошкой». Как выразился руководитель этой научной группы, «чеддарский человек», то есть пещерный, «вероятно, был здорово похож на сегодняшнего завсегдатая любого сомерсетского паба». Эти слова вызвали острый протест владельцев сомерсетских пабов. Проживший двадцать лет в Англии немецкий эмигрант Николаус Певзнер, который занимался изучением английского портрета, делает вывод, что «английскому народу» можно уверенно приписать физические характеристики:

На сегодняшний день [писал он] в Англии можно различить два отличных друг от друга типа. Один — высокорослый, с удлиненной формой головы и вытянутыми чертами лица, на котором мало что отражается, и ограниченной жестикуляцией, а другой — круглолицый, более живой и активный. Вошедший в пословицу краснолицый и обладающий отменным здоровьем англичанин, который в свободное время делает все в доме, в саду и в гараже своими руками и обожает игры на свежем воздухе, принадлежит ко второму типу. В народной мифологии этот тип носит имя Джона Буля.

Эта картина написана очень широкими мазками: существует с десяток и других архетипов. И если лет пятьдесят или сто назад действительно можно было распознать англичанина по некоторым особенностям лица и тела, это в большей степени вывод о принадлежности к определенному классу общества, чем о чем-либо ином. Богачи питались хорошо, и у них был цветущий вид. Бедняки недоедали, и это отражалось на их внешности. Это подмечено у худощавого старого итонца Джорджа Оруэлла, который с этакой огульной снисходительностью, на которую способны лишь люди его круга, писал, что «преобладающий физический тип не соответствует тому, что мы встречаем на карикатурах, потому что считающийся традиционно английским тип высоких людей с сухопарым телосложением встречается почти исключительно среди высшего класса: рабочие, как правило, люди довольно невысокие с короткими конечностями и резкими движениями, а женщины этого типа имеют тенденцию раздаваться вширь еще до достижения среднего возраста». (Здесь можно подметить опасную близость к карикатуре Джона Глэшана, на которой две разодетые женщины проходят мимо группы рабочих, копающих яму в земле. «Я считаю, рабочий класс — люди замечательные», — говорит одна. «Да, — соглашается вторая, — обожаю, как они стреляют вокруг своими остренькими звериными глазками».)

Специалисту по евгенике пришлось бы сделать вывод, что, если рассматривать народ как таковой, англичане — тяжелый случай. Несмотря на длительный период сравнительной изоляции, у них по-прежнему не найти отличительных черт. Три столетия тому назад у Даниеля Дефо было куда более верное представление об этническом происхождении англичан. Услышав, что англичане презирают иностранцев за то, что у них испорченная кровь, он дал описание «самого подлого народа из всех, что когда-либо жили на земле», — англичан.

Среди насилья и страстей зачат,
Где бритт узорный — сват, шотландец — брат.
Поклоны отпрыску его дались без мук,
Он телок стал гонять под римский плуг.
С тех пор дворнягой племя и живет.
Где слава, где наречье, где народ?
И настоялся в жилах «англичан»
Замес крутой и саксов, и датчан.
Блюли заветы шлюхи-дочки их. Могли
Принять умело жеребца любой земли.
Но воздадим сей гнусной своре честь:
От чистых англичан в них капля есть.
...Так «чистокровный» англичанин — это что ж?
Издевка на словах! На деле — ложь!

К составленному Дефо списку из прошлого можно было бы добавить еще немало. Это и иммигранты из Фландрии в XIV и XVI веках, гугеноты, бежавшие от преследований во Франции в XVII веке, или, позже, еврейские беженцы из Восточной Европы. Если подойти к истории здраво, любой вынужден будет признать, что говорить о чистоте расы для англичан все равно что свистеть на ветру; в стране вряд ли найдется семья, в жилах членов которой не течет кельтская кровь, не говоря уже римлянах, ютах, норманнах, гугенотах и всех остальных, кто внес свой вклад в кровь народа. Дефо был прав. Англичане — нация нечистокровная, и нужно было расширить общины живущих в Англии, которые отличаются и визуально, чтобы это продемонстрировать.

Глава 4 «Настоящие англичане» и другие выдумки

> Мог он стать французом, русским,
> Турком или немцем прусским,
> Итальянцем тож!
> Но, презревши все соблазны
> Перейти в народы разны,
> Англичанин все ж!
>
> Уильям Швенк Гилберт.
> *Фрегат ее величества «Пинафор»*

Берни Гранта, одну из самых колоритных личностей среди чернокожих британских парламентариев в послевоенные годы, однажды пригласили на прием для парламентариев Содружества. Он уже пять лет представлял в парламенте Тоттенхэм, неспокойную часть центрального Лондона, где живут малоимущие, заработал за это время репутацию человека, который рубит с плеча и благодаря этому стал одним из самых известных «заднескамеечников» в Парламенте. Политиков обходила королева с герцогом Эдинбургским и здоровалась со всеми за руку. Около Гранта первым оказался герцог.

— А вы кто? — осведомился он в своей обычной бесцеремонной манере.

— Я — Берни Грант, член Парламента, — последовал гордый ответ.

— А Парламента которой страны? — поинтересовался герцог.

Грант воспринял неведение герцога Эдинбургского благосклонно, но это было симптоматично. Даже замкнутому в Букингемском дворце принцу-консорту следовало бы иногда выглядывать из окна или читать газеты и знать, что около шести процентов населения Англии не белые и о них уж никак не скажешь, что они принадлежат к «народу» Англии, Шотландии или Уэльса. (Ни того, ни другого ему, конечно, не дано: после женитьбы на принцессе Елизавете принцу Филиппу было официально предложено отказаться от претензий на греческий трон и больше не использовать титул династии Шлезвиг-Гольштейн-Зонденбург-Глюксбург.) Но на собрании политиков со всего мира ему и в голову не могло прийти, что его собственную страну, которую он выбрал своей родиной, может представлять чернокожий. Можно себе представить, что говорил герцог, умение которого делать бестактные замечания уже стало притчей во языцех, рассказывая эту историю от себя в исключительно белых кругах Букингемского дворца: вне сомнения, он сумел доказать, что «все они на одно лицо».

Королева, надо отдать ей должное, когда ее представили, повела себя гораздо лучше: она тут же спросила, великолепно поменяв роли: «Вы Берни Грант, верно? Я видела вас по телевизору».

Грант, когда-то телефонист и профсоюзный активист, попал в палату общин в 1987 году, сначала набравшись опыта в муниципальных советах Лондона, благодаря ловким кулуарным интригам, в результате которых человека, который должен был унаследовать это теплое местечко лейбористской партии от Тоттенхэма, «прокатили» свои же. Гранту суждено было стать объектом ненависти всего правого крыла не столько из-за цвета кожи, сколько из-за того, что он *разделяет взгляды* чернокожего сообщества. Ему до смерти не забудут, как он прокомментировал бесчинства группы молодежи, в подавляющем большинстве чернокожей, в жилом микрорайоне Бродуотер-Фарм: «Полиции там врезали славно». Один из полицейских, капрал Кейт Блейлок, погиб ужасной смертью: обезумевшая толпа нанесла ему множество колотых и резаных ран. Этого высказывания было достаточно, чтобы от Гранта все отвернулись, а газета «Сан» за ультралевые политические взгляды окрестила его «сбрендивший Берни».

Если от кого-то и можно было ожидать, что он станет воплощением того, что значит быть чернокожим и британцем, то это Бернард Александр Монтгомери Грант. Два средних имени он получил от переживших войну родителей, которые хотели таким образом почтить память двух британских фельдмаршалов. Для родителей он всегда был Монти. Став первым чернокожим главой муниципалитета в Великобритании, Грант вознамерился соответствующим образом отметить свой приход в Парламент. На одном из первых официальных открытий сессии Парламента, когда весь британский истеблишмент появляется в традиционных мантиях и забавных головных уборах, он договорился с двумя другими чернокожими членами Парламента, что все придут в традиционных африканских нарядах. Но в тот самый день им, как выразился Грант, «оказалось слабó», и он единственный из парламентариев-мужчин явился не в костюме с галстуком, а в роскошном хлопчатобумажном одеянии ярких расцветок, какие носят в Западной Африке. Вряд ли можно было более недвусмысленно заявить, что отныне Великобритания — многорасовое общество. Если другие члены Парламента смотрели на это сверху вниз, то спикер, Бернард Уэзерхилл, похоже, в этом не сомневался. Он написал записку и послал ее вниз, на скамьи. В ней говорилось: «Поздравляю! Вы выглядите великолепно».

Однако сменившая его на посту спикера Бетти Бутройд, член Парламента от лейбористской партии, чувствовала себя не так уверенно. Когда на одном из приемов ее представили Гранту, она стала непринужденно болтать с ним, нисколько не подозревая, что он — ее коллега-парламентарий и даже член той же партии. Позже Шарон, белая помощница Гранта, встретила Бутройд в женском туалете, куда та зашла на быстрый перекур. «Вы ведь не узнали, кто это, верно?» — спросила Шарон. «Конечно узнала, — ответила спикер. — Это бывший верховный комиссар из Сьерра-Леоне».

Присутствие в Англии Берни Гранта — это наследство империи. Никакого кризиса национального самосознания, подобного этому, не случилось бы, не исчезни Британская империя. Здесь не место для еще одного патологического словоизъявления в имперском духе; англичане уже привыкли оглядываться на свое бывшее величие так же, как путешественник созерцает две огромные ноги в пустыне — все, что осталось от статуи Озимандии, царя царей. «Глядите, что содеял я, владыки, и смиритесь!» — взывают письмена с пьедестала, а вокруг «безмолвие песков простерлось к небесам». Что и говорить, упадок власти земной оказался стремительным. В 1900 году половина судов, бороздивших моря, была зарегистрирована в Британии, и страна контролировала около трети мировой торговли. К 1995 году эта доля упала до пяти процентов. По всей Европе короли пытались в подражание британскому монарху построить свою империю: бельгийцы захватили один из немногих зловонных уголков Африки, который не застолбили для себя ни англичане, ни французы; немецкий кайзер Вильгельм II приступил к строительству флота, способного соперничать с Королевскими военно-морскими силами. Даже в 1935 году Муссолини осыпал бомбами и травил ядовитыми газами средневековую армию Абиссинии в надежде создать империю, которая, по его мнению, дала бы Италии моральное право сравняться с британской.

Однако власть и влияние англичан были больше чем власть земная. В той или иной степени они придумали многое из того, что есть в сегодняшнем мире. «Мы все родились в мире, „сделанном в Англии", и мир, в котором наши правнуки с годами станут почтенными стариками, будет таким же английским, как эллинский мир был греческим, а вернее, афинским» — так писал об этом один ученый. Англичане придумали существующие по сей день формы футбола и регби, тенниса, бокса, гольфа, скачек, альпинизма и лыжных гонок. Со своим Гран-Туром и первым групповым туром от Томаса Кука они стали родоначальниками современного туризма. Они придумали первый современный пятизвездочный отель (это отель «Савой» с электрическим освещением, шестью лифтами и семидесятью номерами). В 1820-х годах математик Чарльз Бэббидж создал первый в мире компьютер. Шотландец Джон Лоджи Бэрд у себя на чердаке в Гастингсе стал одним из изобретателей телевидения. Первую публичную демонстрацию своего изобретения он провел в лондонском Сохо. Сэндвичи, рождественские открытки, бойскауты, почтовые марки, современное страхование и детективные романы — все это продукты с маркой «Made in England». Когда итальянскому писателю Луиджи Барзини понадобилось как-то образом продемонстрировать преобладание английской культуры, он просто отметил, что, приняв в третьем десятилетии XIX века похоронный черный цвет в качестве основной расцветки мужских костюмов, остальная Европа отдавала ей

97

дань уважения. Это было не только признанием политической и военной мощи империи и экономического воздействия британского пара, угля и стали, это стало свидетельством восприятия британских добродетелей — честности, рассудительности, патриотизма, самоконтроля, честной игры и мужества, — которые сделали эту нацию великой.

В самые мрачные минуты своей жизни англичане склонны полагать, что от всего, что они дали миру, остается лишь малая толика: названия нескольких гранд-отелей — «Бристоль», «Кембридж», «Гранд Бретань»; международные стандарты времени и места, фатомы и униформы и тот факт, что английский стал языком третьего тысячелетия. Теперь *le style Anglais* мелькает лишь стенографическим знаком моды:

Le style Anglais — английский стиль (фр.).

если встретишь человека в сшитом у портного твидовом костюме, это скорее всего богатый немец, который занимается станкостроением. Даже в школах, где старались производить в массовом порядке английских джентльменов и где царил дух непрофессионализма, теперь проповедуется, что единственный способ пробиться в обществе, где положение человека определяют его способности, — это профессионализм.

В общем и целом англичане перенесли конец империи достойно, склоняясь перед неизбежным, спуская флаг и упаковывая чемоданы без особого ажиотажа. Но им понадобилось гораздо больше времени на то, чтобы совладать с его психологическими последствиями внутри самих себя. Им было бы гораздо легче справиться с этим, если бы во все это предприятие не была заложена такая необычная моральная установка.

Для создания империи требовалась инициатива, жадность, мужество, массовое производство, сильная армия, политический замысел и уверенность в своих силах. Технически развитая страна с ограниченными природными ресурсами нуждалась в обширном рынке. А с развитием техники подчинение «примитивных» народов становилось неизбежным. В сердцах патриотов запечатлен образ последних минут генерала Гордона, командира мужественного английского гарнизона, который, стоя на ступеньках форта в Хартуме, руководит его защитой от превосходящих сил диких язычников. На самом деле то, с помощью чего Британия смогла править миром, было наглядно продемонстрировано двенадцать лет спустя в сражении при Омдурмане в Судане. Хотя об этом сражении в основном знают из-за неудачной атаки 21-го уланского полка — в котором служил молодой офицер Уинстон Черчилль, — его исход решили оказавшиеся у англичан шесть пулеметов «максим». Как только войско дервишей ринулось на их позиции, пулеметчикам оставалось лишь взять верный прицел. Красноречивее всего цифры потерь: 28 человек у англичан против *11 000* у дервишей. «Это было не сражение, а расстрел, — писал один свидетель. — Тела не громоздились друг на друге — такое вообще бывает редко: они ровным слоем покрывали вокруг обширное пространство».

Не буду отрицать мужества и энергии многих строителей империи. Речь лишь о том, что история империализма — это союз своекорыстия и технических достижений. Но питало веру Британской империи в свои силы неверное представление о том, что ею движет моральная установка, что есть долг перед Богом, призывающий отправляться и колонизировать места, где люди, к несчастью для себя, родились не под британским флагом. Предпосылка превосходства стала предметом веры. После того как в 1898 году Соединенные Штаты аннексировали Филиппины и стало складываться впечатление, что эта страна начинает строить свою империю, Киплинг сделал ей комплимент, включив в число тех, кому суждено нести «Бремя Белых» и посылать «лучших своих сыновей» «служить» тем, кто еще «полудьяволы-полудети».

Империя дала англичанам шанс почувствовать себя благословенным народом. И чем больших успехов они достигали в ее создании, тем больше уверялись в этом. К концу XIX века все британское (читай — английское) во всем остальном мире считали образцом для подражания. Приезжавших в Лондон поражало само царившее там изобилие, и они нередко проводили связь между процветанием и нравственностью замысла. «Для политической и моральной организации Европы Англия составляет то же, что сердце для физического строения человека, — изливал свои чувства перед порабощенными соотечественниками один польский изгнанник. — Богатство Англии давно стало притчей во языцех; ее денежные ресурсы неограниченны; громадные размеры капиталов, которые составляют ее собственность, или во что-то вложены, или плавают по морям, не поддаются воображению». В результате англичане, которые, естественно, исходили из того, что все описываемое в действительности и есть перечень чисто английских черт, начинали верить, что все остальные народы только и мечтают, что стать англичанами и англичанками.

Задолго до того, как англичане стали накапливать владения во всем мире, приезжавшие в страну иностранцы уже отмечали их отличительные особенности. В силу жизни на острове и изолированности от событий, происходивших в остальных странах Европы, они не могли не стать другими: к тому времени, когда пронесшийся над континентом шквал идей пересекал Ла-

Манш, он уже выдыхался и превращался в этакий ласковый зефир, веющий непонятно куда. Самодостаточность дала англичанам возможность изменяться по своему усмотрению. Но вот они стали повелителями величайшей в мире империи. Неудивительно, что это вскружило головы. «Родиться англичанином, — заявил как-то однажды Сесил Родс, — это все равно что выиграть первый приз в жизненной лотерее». И они уверовали, что на них возложена миссия, ниспосланная свыше. Этому поддались даже те, кто, как теоретик искусства Джон Рёскин, лелеял мечты о социальной реформе в своей стране (одно время он пытался создать некую английскую Утопию, собирая сторонников в гильдию под крестом святого Георга). Вот как он выразился в одной из лекций, прочитанных в Оксфорде в 1870 году:

Теперь же нам открылось высочайшее предназначение — не сравнимое с судьбой любой другой нации — быть принятыми или отвергнутыми. В наших жилах смешалась лучшая северная кровь, и мы еще не вырождаемся как нация. Англии во что бы то ни стало нужно как можно быстрее обзавестись колониями в самых отдаленных уголках земли и привлечь к этому своих наиболее энергичных и достойных представителей... их первейшей задачей должно быть усиление мощи Англии на суше и на море.

Сесил Родс пошел еще дальше, выдавая за явный и неоспоримый факт то, что «так уж вышло, мы — лучшие люди на земле и несем самые высокие идеалы благопристойности, справедливости, свободы и мира». Из этого логически следует, что, как отметил в 1884 году политик Розбери, империя — «величайшее из известных человечеству земных средств творить добро». Подобные высокопарные заявления пренебрежительно игнорировали пару простых истин относительно этого имперского предприятия, а именно то, что строилась империя не по какому-то мессианскому плану, а была создана благодаря усилиям отдельных молодых людей, видевших в этом путь к приключениям и богатству.

Больше того, какие бы неуместные представления о своем превосходстве ни лелеяли молодые строители империи, у них были те же эмоциональные и физиологические потребности, что и у молодежи в любой другой стране. Вера в то, что они «лучшие люди на земле», — если она у них была — ничуть не мешала им скидывать брюки. Например, приезжавшие работать в торговой Компании Гудзонова залива в Канаде вскоре не преминули воспользоваться местным обычаем оказывать радушный прием в постели. Многие заводили местных «жен»-индианок, жили с ними и обеспечивали, когда возвращались в Англию по окончании срока службы. У сэра Джеймса Брука, который чуть ли не в одиночку установил английское влияние на Сараваке, для чего он просто отправился туда, купив корабль, и поставил дело так, что стал раджой, был личный секретарь и местная любовница, и он не скрывал, что стремится к «смешению рас». Брук активно уговаривал белых жен не ехать с мужьями к месту их назначения. Падение морали, быстро проявившееся в колониальном обществе Восточной Африки, оставалось его отличительной чертой аж до 1930-х годов. Прибывший туда в 1902 году Ричард Мейнерцхаген стал свидетелем того, что большинство его собратьев–офицеров разведки — «полковые изгои, по уши в долгах; один беспробудно пьянствует, другой предпочитает женщинам мальчиков и нисколько этого не стыдится. По приезде сюда меня удивляло и поражало, что все они приводили в офицерскую столовую своих местных женщин».

Некоторые попавшие на Восток военные тоже вскоре решали, что теперь, когда они достаточно далеко от английского общества, правила уже другие. Получивший назначение в Индию в 1830-х годах капитан Эдвард Селлон обнаружил, что восточные куртизанки

> в совершенстве разбираются в искусстве и хитростях любви, способны угодить любому вкусу, а по внешности и фигуре превосходят всех женщин на земле... Мне не описать наслаждение, испытанное в объятиях этих сирен. Были у меня и англичанки, и француженки, и немки, и польки из всех слоев общества, но они не идут ни в какое сравнение с этими сладострастными сочными гуриями.

Нелегко, если не сказать больше, соотнести это повествование об удовольствиях имперской службы с убежденностью сэра Чарльза Дилка, что естественную «антипатию по отношению к народам с другим цветом кожи англичане проявляют повсеместно».

Похоже, случилось вот что: чем больше построением Британской империи стало заниматься правительство, а не отдельные авантюристы, тем более остро стала осознавать необходимость содержания англичан в «чистоте» правящая бюрократия. По мере накопления владений за границей в стране утверждался морализм. Для очистки английского общества от распущенности XVIII века немало сделали в начале XIX века евангелисты, а после волны пуританства, прокатившейся по стране в 1880-е годы, добродушная терпимость прежних дней отошла в историю. В январе 1909 года после скандала в Кении, связанного с тем, что белый чиновник якобы злоупотреблял официальным положением, государственный секретарь по делам колоний лорд Кроу издал циркуляр, который стал известен как «Доклад о нравственности» или «Циркуляр о наложнице». В этой директиве практика белых колониальных служащих заводить местных любовниц была охарактеризована как «весьма непристойное поведение» и, кроме того, говорилось, что

поощряя подобную практику, любой чиновник администрации не может не упасть в глазах туземцев и не умалить свой авторитет... он обязан быть примером почтительности для всех, с кем входит в контакт.

То, как относились к этому французы, составляет просто разительный контраст. Власти в Париже заключили, что наиболее легкий и здоровый способ решить эту проблему в их владениях в Западной Африке — поощрять временные браки своих служащих с местными женщинами. В 1902 году директор по африканским делам французского министерства колоний обращал внимание молодых людей, отправляющихся на службу в тропиках, на совет некоего доктора Баро, который считал, что при невозможности соблюдать воздержание в течение двух или более лет безопаснее всего жениться на местной женщине. Эта мера служила французскому чиновнику защитой от «алкоголизма или половой невоздержанности, которые так распространены в жарких странах». С туземной женой белый получал еще одно преимущество: он пользовался большей популярностью среди местных жителей, которые уже не боялись, что он уведет у кого-нибудь из них жену. Приводились и соображения в духе «реалполитик»: «Не следует забывать, что большинство договоров, подписанных с великими негритянскими вождями, ратифицировалось посредством женитьбы белого мужчины на одной из их дочерей». Постоянства такого альянса не предполагалось («При возвращении во Францию молодая женщина отсылается обратно родителям после вручения ей подарка, с которым она тут же найдет другого мужа»), но были предсказуемы последствия таких браков. Французское правительство выделило средства на две школы, предназначенные для детей от смешанных браков, признавая таким образом слова этого мудрого доктора о том, что «именно созданием расы мулатов мы без особого труда офранцузим Западную Африку».

Лорд Кроу, который на досуге увлекался селекционным разведением шортгорнской мясной породы скота, без сомнения, отверг бы этот совет, как еще один пример низкого уровня морали французов. Спору нет, в Индии, в самом большом английском владении, действительно появился целый класс смешанного англо-индийского населения, который стали рассматривать как буфер между правителями и «туземцами». Но в целом британская элита оправдывала для себя существование империи некоей религиозной миссией. В 1912 году политик лорд Хью Сесил заключил, что призвание Британии свыше в этом мире состоит в том, чтобы «осуществлять правление огромными нецивилизованными массами людей и постепенно выводить их на более высокий уровень жизни». Очевидное решение данной проблемы состояло в том, что жены должны были сопровождать своих мужей, когда им давали назначение в отдаленные уголки империи: когда мем-саиб были на месте, ставни на окнах открывались. Как выразился один австралиец, ставший свидетелем того, что произошло в Новой Гвинее, «вероятно, настоящая погибель для империй — это белая женщина».

На этой стадии англичане были смертельно заражены верой в то, что они обладают неким уникальным даром Божьим. Как писал американский поэт-сатирик Огден Нэш,

Задумаемся — кто такие англичане?
Что еле сдерживают трепет и волненье,
как про себя задумаются сами.
Ведь англичанин — каждый убежден —
Персона, входящая в клуб избранных персон.

Свидетельств их превосходства было хоть пруд пруди. Британская империя была величайшей империей в мире. Управляли ею из Англии. Следовательно, англичане стояли выше других народов. Не будь это «клуб избранных персон», не окажись английский идеал так тесно связан с необходимостью строительства империи, англичанам, видимо, не так тяжело было бы смириться с понижением статуса своей страны в мире. Сам конец империи, казалось, говорил о том, что англичанину или англичанке больше нет места в мире.

Майкл Уортон, псевдоним Питер Простак, из «Дейли телеграф» сидит в углу гостиной своего загородного дома, а за окном ветер шумит в листве букингемширских березок. Начав свою колонку уже сорок лет тому назад, он по-прежнему еженедельно посылает в газету материал для нее, далеко не тайно подозревая, что колонку сохраняют как свидетельство целой эпохи, как некое утешение для редеющей группы пожилых читателей, которые помнят газету того времени, когда Англия была другой. Эта колонка, причудливая смесь новостей, комментариев и фантазии, появляется во все более неприметных уголках газеты, похожих на комнатушку особняка, выделенную чудаковатому престарелому родственнику молодой четы, которая этот особняк унаследовала. Он плохо представляет, кто в наши дни читает его колонку, если ее вообще читают. Время от времени ему пересылает письма секретарь из высотки в районе лондонских доков, куда сейчас изгнана газета. «В основном их пишут выжившие из ума люди. Они считают, что я за возвращение смертной казни через повешение и телесных наказаний. И они ненавидят ирландцев».

Пишущие ему фанатики чувствуют в Питере Простаке родственную душу. Его представление об Англии — это чистой воды нытье заблудшего народа. Типичное для него стенание звучит следующим образом:

За последние 50 лет они [народ Англии] стали свидетелями того, как все, отличающее англичан, подавляется и высмеивается. У них на глазах все зло, проистекающее из трущоб Америки, — мерзкие развлечения, дегенеративная поп-музыка, феминизм, «политкорректность» — заражает их страну.

У них на глазах искажаются их благопристойные манеры и обычаи. Они стали свидетелями того, как власти стали более уважительно относиться к сексуальным отклонениям, которые даже получили официальное одобрение. У них на глазах отдельные части страны колонизированы иммигрантами, а закон запрещает свободно высказываться о возможных последствиях этого.

Все это причиняет им страдания, но они еще не сказали об этом вслух. С тем, чтобы заговаривать об этом сейчас, они уже запоздали. В прошлом случались и более безобразные вещи; но не в таких масштабах.

Во плоти этот всадник апокалипсиса кажется больше озадаченным, чем неистовым, он вежлив и ведет себя как джентльмен. Когда мы познакомились, я спросил, что он думает о сосуществовании различных культур.

«Сосуществование различных культур? Об этом постоянно твердят политики, епископы и им подобные, но для большинства англичан это пустой звук. Это чепуха, идея, которую нам навязали, но никто ее не принял. Просто англичане — народ послушный и добродушный, поэтому, я считаю, так и вышло».

В этот момент в комнату проковылял его старый слепой лабрадор и наткнулся на телевизор, накрытый большой коричневой накидкой.

Англия в представлении Питера Простака — это, по сути дела, Англия сэра Артура Брайанта, самого популярного историка-националиста XX века. (Он написал сорок книг, и они проданы общим тиражом более 2 миллионов экземпляров.) От брайантовской Англии — Англии помещиков, приходских священников, фермеров и по-старинному изящно пьющего сидр деревенского люда, причем у всех у них лица желтовато-белого оттенка — совсем недалеко до неизбежного убеждения, что допускать в страну людей любого другого цвета кожи — неправильно. Вклад в английскую культуру беженцев из Европы Артур Брайант признавал. Но они, конечно же, тоже желтовато-белые. Совсем другое дело — массовая иммиграция из стран с другими культурами. В марте 1963 года Брайант поведал читателям «Иллюстрейтед Лондон ньюс», что «наплыв... мужчин и женщин других рас, усугубляемый ярко выраженным различием в цвете кожи и чертах лица, а также в привычках и верованиях» был бы весьма нежелателен.

Из людей влиятельных мало кто обращал внимание на Брайанта. Каждую осень конференцию консервативной партии и так захлестывал поток обращений из графств с требованиями «что-то сделать», чтобы остановить иммиграцию. Каждый год эти иерархи собирались на свои совещания и каждый раз игнорировали эти обращения. В 1963 и 1968 годах этим самым иерархам все же пришлось пойти на уступки и пообещать сдерживать иммиграцию. В 1968 году к этому их подтолкнуло зажигательное выступление правого политика Эноха Пауэлла, в котором он предвосхитил некий апокалипсис: «Я заглядываю в будущее, и меня переполняют дурные предчувствия. Подобно одному римлянину, мне кажется, что „...Тибр берега наводнил, переполнен кровью...“». Возможно, ссылка на «Энеиду» Вергилия прошла для большинства слушателей незамеченной, но его речь, которую окрестили речью «о реках крови», вызвала бурю негодования, в результате чего Пауэлл оказался в политической пустыне, и это стало, как выразился один из его последователей, проявлением заговора представителей либерального истеблишмента, у которых один сумбур в голове, направленного на то, чтобы игнорировать действительность.

Только глупец станет отрицать тот факт, что значительная часть населения Англии по-прежнему разделяет мнение Пауэлла о том, что наплыв значительного числа представителей чуждых культур является ошибкой. По их мнению, иммиграционный вопрос и есть объяснение того, что страна летит ко всем чертям. И все же по большому счету межрасовые отношения в Британии не так плохи. Хотя их страна не зависима от Великобритании, 2 миллиона живущих в Англии ирландцев сохранили право на голосование. Ирландское же правительство не вводит такую же привилегию уже 70 лет. Многие граждане Ирландии сражались в рядах английской армии во время Второй мировой войны, этого катаклизма, который у ирландского правительства с его ярко выраженным «нейтралитетом» престранно именовался не более чем «чрезвычайным положением». Но конечно же, когда люди обсуждают межрасовые отношения, речь идет не об ирландцах. Ирландцы — белые, а Брайанта, Пауэлла и остальных тревожил приезд людей с другим цветом кожи.

Они, естественно, были правы относительно внезапности произошедшего. В 1951 году общее число выходцев из стран Карибского бассейна и Южной Азии в Британии составляло 80 000 человек, и по большей части они жили в нескольких городах и портах. Через 20 лет эта цифра достигла 1 500 000. Сорок лет спустя, по результатам переписи населения в 1991 году, число представителей этнических меньшинств превысило 3 000 000. Это был просто взрыв. Больше того, иммигранты не рассредоточились по всему Соединенному Королевству, а сконцентрировались в Англии — там этнические меньшинства составляют более 6 процентов населения, — и их почти нет в Шотландии и Уэльсе. Более двух третей представителей этнических меньшинств сосредоточено на юго-востоке Англии и в Уэст-Мидлендс. Отдельные районы таких городов, как Лондон, Лестер или Бирмингем, по своему облику вроде уже и не имеют никакого отношения к Англии Артура Брайанта. В этих местах сосуществование различных культур — это гораздо больше, чем благочестивый лепет из уст епископов и политиков. Это жизненная реальность, где вместо англиканской церкви — мечети или храмы, а старинные лавки со всякой всячиной на углах улиц сменили мясные халяльные, то есть разрешенные, лавки и магазины по продаже сари. В округе Спиталфилдс к востоку от Лондона, где бежавшие от преследований гугеноты наладили в конце XVII — начале XVIII веков шелкопрядение, 60 процентов населения теперь — бангладешцы. В некоторых районах Брэдфорда более половины населения — выходцы из Пакистана. И все же азиаты, африканцы или уроженцы Вест-Индии почти никогда не занимают эти городские районы полностью. По всей Англии лишь в трех округах местного самоуправления на пять человек населения приходится меньше одного белого (самая высокая концентрация небелого населения — 90 процентов — наблюдается в Илинге, в составе Большого Лондона). Нигде в Англии не достигнут уровень Соединенных Штатов, где в городах есть целые районы с исключительно чернокожим населением.

Законы о гражданстве тоже сравнительно либеральны: британским гражданином может стать любой родившийся в Британии у проживающих там по закону родителей. Совсем иное положение в Германии. К началу 1997 года там проживало 7 200 000 иммигрантов — 9 процентов всего населения. Однако пытавшиеся оформить свой статус встретились с тем, что надо прожить в стране не менее пятнадцати лет, чтобы только получить право на подачу заявления на получение гражданства, и потратить еще больше лет, чтобы получить его. Причина в том, что даже через столько лет после дискредитации этой идеи Гитлером немецкие власти по-прежнему придерживаются представления, что действуют от имени некоего «Volk» — «народа», и принадлежность к этому народу определяется кровью. Ваша семья могла прожить в Казахстане не одно поколение, но если у вас фамилия Шмидт или Мюллер, вы можете тут же получить немецкий паспорт: гражданство определяется генетически.

В целом англичане могут гордиться своими достижениями в области межрасовых отношений. Внезапная иммиграция в крупных масштабах не была чем-то хорошо продуманным, и если бы не желание свести к минимуму реальные проблемы, с которыми до сих пор могут столкнуться члены общин этнических меньшинств, обстановка могла быть гораздо более напряженной. Избежать этого помогло многое. Региональный акцент в английском языке настолько ярко выражен, что не поймешь, какого цвета кожи манчестерец, ливерпулец или бирмингемец, с которым говоришь по телефону, особенно если вы одного поколения. Процветающая в стране молодежная культура на цвет кожи внимания не обращает. Помогала и свойственная англичанам щепетильность: Роберт Тейлор, теперь процветающий фотограф, живо вспоминает, как его, волнующегося юного хориста, пригласили петь в хоре собора в Хирфорде. Хор проходил по проходу между сиденьями, когда в соборе появилась жена епископа, которая пыталась поймать маленькую черную собачку. «Сюда, *Самбо*, — громко приказала она и, подняв глаза, увидела в составе хора чернокожего ребенка. — О, прошу прощения», — извиняющимся тоном тут же выпалила она.

Слово «самбо» считается оскорбительным по отношению к афроамериканцу, негру или выходцу из Южной Азии по ассоциации с вышедшей в 1898 году детской сказкой Хелен Баннерман «История маленького черного Самбо».

Однако по-прежнему обращаешь внимание, что при знакомстве люди часто называют себя «чернокожими британцами» или «бенгальскими британцами», но редко кто скажет, что он «черный англичанин». Берни Грант называет себя британцем потому, что британцы — «это и другие угнетенные народы, такие как уэльсцы или шотландцы. Попробуй я назвать себя англичанином, так это слово застрянет у меня в глотке». Другие скажут вам, что британцами они могут ощущать себя, будучи иммигрантами, но чтобы считать себя англичанином, нужно родиться в этой стране. Такое отношение применимо как к белым иммигрантам, так и к чернокожим и азиатам. Получается, что «британец» — понятие многозначное: можно быть шотландцем или валлийцем и одновременно британцем, а можно быть британцем сомалийским или бангладешским.

Расовые предрассудки, конечно, существуют. Но что поражает во многих из этих иммигрантов, это бьющий через край оптимизм по отношению к своему новому дому. Дело не только в том, что очень немногие строят по планы по возвращению в страну, которую они покинули, а в том, что весьма многим, похоже, очень нравится то, что они обрели в Англии. Когда в январе 1998 года газета «Дейли телеграф» решила выяснить, как прижились иммигранты, ответы были на удивление положительными. Доктор Заки Бадави, председатель Союза имамов и мечетей, считает, что для мусульманина лучшего места в мире просто нет: ему страшно нравится, что страна умеет смеяться над собой. Суриндера Гилла, лавочника из Оксфордшира, приятно поразил тот факт, что полицейских нельзя подкупить. Музыковед Аби Розенталь, бежавший из Германии, считает, что такие качества, как справедливость и свобода поступать по своему выбору, сделали Англию «гораздо более цивилизованной страной по сравнению с той, откуда я приехал». Омния Мазук, консультирующий педиатр из Ливерпуля, полагает, что «замечательно жить в стране, где ценят заслуги и не работают дети». Преподаватель Хари Шукла, индус, уехавший из Кении в 1973 году, заявил, что хотя сейчас различные культуры сосуществуют в большинстве стран Европы, ни одна из них не достигла такого уровня интеграции.

Как это далеко от мира Питера Простака, многие из читателей которого, как я подозреваю, вероятно, никогда и не встречались с выходцами из Азии или Вест-Индии, разве что с владельцем лавки на углу или кондуктором в автобусе. Они были готовы к тому, что приезжающие в Англию черные или азиаты будут выполнять работу, от которой отказываются англичане. Им и в голову не приходило, что те приедут в таком количестве и привнесут с собой свою культуру, а предполагали они, похоже, что это будут люди, которые хотели бы быть англичанами, не случись так, что родились они не в Англии.

Их отношение, если бы только они отдавали себе в этом отчет, не так далеко ушло от веры Берни Гранта в свою «британскость». Глубоко внутри у них заложено убеждение, что англичанин или англичанка — «свобод-норожденный» человек в свободном обществе. Натурализовавшийся гражданин может быть «британцем», но это нечто совсем другое. Больше всего им претит то, что некоторые вещи стало нельзя произносить вслух, например, изъявлять сомнение в сосуществовании различных культур, поэтому их лишь цедят сквозь зубы по углам или рявкают разукрашенные татуировками громилы в больших кожаных ботинках. Отличающиеся терпимостью представления правящей элиты, которая постаралась поставить дискриминацию вне закона, по большей части восторжествовали. Сидя за кальвадосом в центре Лондона, писатель Саймон Рейвен откликнулся на эту тему с раздражением:

> Это просто абсолютно не по-английски говорить, что ты не можешь что-то сказать. Свобода слова — часть интеллектуальной жизни нашей страны. Когда я учился в Кембридже, у нас было двое или трое чернокожих — принцы или что-то в этом духе. Но они были джентльменами. В целом англичане были рады видеть чернокожих, а также рады видеть, как они уезжают.

Последняя фраза могла быть взята напрямую из колонки Питера Простака. И все же есть нечто необычное в этом чудаковатом презрении Майкла Уортона к новой Англии, которое прослеживается в течение полувека существования этой его колонки. Ибо страшная тайна этого чистокровного на вид англичанина кроется в том, что сам Уортон наполовину немец, а его предки —

евреи, преуспевшие в торговле шерстью в Брэдфорде. Такая же история и со многими другими, кто громче всех кричит о своей английскости. Покойный отец журналиста Перегрина Уорстхорна, в колонках которого в «Санди телеграф» в 1980-х годах раздавались предупреждения об опасности, грозящей целостности Англии, с гордостью говорил, что он — полковник Кок де Горейнд. Стивен Фрай, сделавший артистическую карьеру, играя самого что ни на есть английского хитроумного дворецкого Дживса, — наполовину венгр, наполовину еврей. Фамилия «самого английского» из популярных поэтов, Джона Бетчемана, — немецко-голландская; «самый что ни на есть английский» архитектор Лютьенс происходит из шлезвиг-гольштейнской семьи. Многие из консерваторов, громче всех призывающих защитить Англию от захвата Европейским союзом, такие как политик Майкл Хауард и журналист Майкл Портильо, вышли из семей иммигрантов. А строки об англичанине, который остался «англичанин все ж», положил на музыку сэр Артур Салливан, мать которого родом из старинной итальянской семьи.

Вот таким окольным путем мы пришли к выводу, что чувства, отраженные в песенке У. Ш. Гилберта, верны, если речь идет о сопротивлении соблазну перейти в другие народы. Быть или не быть англичанином — *действительно* дело выбора.

Глава 5   Мы, горстка счастливцев

> Больше всего народ Англии радуется, когда ему
> говорят, что все пропало.
>
> *Артур Мюррей*

Если быть англичанином — состояние
души, возникает вопрос, что, по мнению англичан, делает их такими, какие они есть. Чтобы выяснить это, я
первым делом отправился в Челтенхэм, в офис самого
немодного в стране ежеквартального журнала.

Основанный в 1967 году под слоганом «ОСВЕЖАЕТ,
КАК ЧАШКА ЧАЯ!», журнал «Наша Англия» заявил о
стремлении «отражать в каждом номере истинный дух
Англии». Позаимствовав название из лирической речи
умирающего Джона Ганта из «Ричарда II» Шекспира
(«Англия, священная земля, взрастившая великих вен-
ценосцев, могучий род британских королей»), журнал
ненавязчиво провозгласил, что будет полезным, простым и благородным. В своих материалах журнал многократно использовал классический оплакивающий за-
чин «сто лет назад... а сейчас», изобиловал иллюстра-
циями в подражание американскому художнику
Норману Рокуэллу и обещаниями — «надеемся, вам
придется по вкусу наш выбор серии книг... история,
в которой действие происходит до Первой мировой
войны и где нахальный кокни по имени Эдвардс пуска-

117

ется в откровения о том, как он работал приходящим садовником!»

При таком удивительно вялом настрое журнал ждал потрясающий коммерческий успех, и каждый выходящий раз в квартал номер расходился тиражом четверть миллиона экземпляров. Спустя тридцать лет продажи каждого номера превышали совокупные продажи каждого номера журналов «Спектейтер», «Нью стейтсмен», «Кантри лайф» и «Татлер», вместе взятых. Вдохновленный своей интуицией, редактор и создатель журнала говорил, что его издание читают «не только герцоги, но и замечательные мусорщики, пенсионеры из Ист-Энда, судьи, моряки с паромов, жены священников в отдаленных миссионерских приходах, члены королевской семьи и продавщицы, юноши и девушки в Ланкашире и во всем мире... благопристойные, богобоязненные, открыто говорящие обо всем общественные активисты, независимо от того, носят ли они митры или мини-юбки». Ответ из столицы на это преднамеренно громкое заявление провинциалов появился в колонке «Аттикус» газеты «Санди таймс»: «для замечательных мусорщиков это то, что надо. У них есть чудное место, куда это дело пристроить».

В журнале научились не обращать внимания на подобные насмешки, их утешала стабильность цифр в колонке «продажи», прибыльные дополнительные товары, в том числе галстуки, зажимы для них, значки на петлицу с крестом Святого Георга и письма, приходившие мешками каждую неделю. На первый взгляд могло показаться, что это письма читателей, никто из которых не обременен изучением журналистики. Это многочисленные воспоминания о военной поре, изъявления патриотического энтузиазма в отношении королевской семьи, описание народных обычаев и сельской жизни. Однако за спокойным стилем журнала, оформленного в духе коробки шоколадных конфет, и баннером «самый прелестный журнал Британии» кроется изумительная сила духа редактора. За якобы сентиментальной оболочкой скрыты целые потоки возмущения. Пробившись через все эти заковыки, делаешь удивительное открытие: если это действительно Англия, которая говорит сама с собой, то страна не только все время обращается к прошлому, ей *нравится* ощущать себя гонимой. Утешать должны фотографии: множество овец, пасущихся перед деревенскими церквями, ручьи, журчащие через деревушки на юге, бифитеры в алых с золотом камзолах. А вот этот номер несет весть гораздо более апокалиптическую: Англия скоро исчезнет навсегда.

Нас окружает задуманный много лет назад и тщательно спланированный заговор, нацеленный на создание европейского супергосударства, которым можно будет легко управлять как социалистической республикой. Это значит, что будет одно общее, но не выборное правительство, один марионеточный парламент, одна федеральная армия, авиация и флот, один центральный банк, одна валюта и один верховный суд. Нашу любимую монархию заменит президент на континенте, «Юнион Джек» будет запрещен в пользу отвратительной голубой тряпки с этими двенадцатью мерзкими желтыми звездами, и всем нам придется распевать новый еврогимн на мотив бетховенской «Оды к радости»... за тем исключением, что в действительности его название будет означать «Прощай, Британия».

Те, кто осуществит эту катастрофу, — наши собственные политики, наши «квислинги». Однако на этом ощущение боевой готовности к гонениям не заканчивается. В регулярно появляющемся разделе журнала «Наши английские герои» рассказывается о таких людях, как принявший бой в одиночку и награжденный посмертно Крестом Виктории мальчик-матрос. Помещаются тревожные новости о попытках Еврокомиссии объявить английского бульдога незаконной породой, потому что им «больше по душе французский пудель, этот пушистый коротышка, который выполняет все, что ему прикажут». У журнала есть свой «Серебряный крест святого Георга», им награждают героев, которых называют сами читатели, таких как, например, розничный торговец, продолжающий наперекор установлениям продавать парафин галлонами, а не литрами. Журнал выражает беспокойство в связи с тем, что Би-би-си никак не отметила День святого Георга. Даже о «битве за настоящие графства Британии», кампании за возвращение старинных названий графств, написано языком запугивания, когда кругом всемогущие враги — «официальные власти, почтовая служба, политики, журналисты, учителя, дикторы телевизионных новостей», — которые поддались ошибочному представлению, что местное правительство реорганизовано. «Беззащитных перед таким натиском школьников взяли за руку учителя и отправили в графства „Кливленд“, „Мерсисайд“ и „Уэст Мидлендз“». Звучит так, словно их отвели в газовую камеру.

Конечно, настоящий враг журнала — само течение времени: ни одна статья в нем не обращена в будущее. Журнал неплохо зарабатывает на записях Эрика Коутса («Мастера английской легкой музыки»), «солдатской любимицы» Веры Линн, Билли Коттона, Виктора Сильвестера, Генри Холла и десятках других, которые он рекламирует вместе со своим бестселлером — кассетой «Для нас это было самое славное время», «уникальным тройным альбомом, в котором собраны воспоминания и мелодии, вдохновлявшие британский народ на победу во Второй мировой войне». Небольшое число объявлений, если не считать нескольких предлагаемых услуг («ПОТЕРЯЛИ СВОИ МЕДАЛИ? МЫ МОЖЕМ ТУТ ЖЕ ВРУЧИТЬ ВАМ НОВЫЕ!», «НАПИСАЛИ СВОИ МЕМУАРЫ? МОЖЕМ ОРГАНИЗОВАТЬ ИХ ПУБЛИКАЦИЮ»), — это в основном обращения от благотворительных военных фондов и приютов для животных с просьбой читателям упомянуть их в своих завещаниях.

Когда я приехал на встречу с Роем Фейерсом, человеком, придумавшим эту необычную, но, как ни странно, успешную формулу, он сидел за столом у себя в викторианском особняке в Челтенхэме и жевал кусок фруктового пирога от Женского института. Найти его дом не составило труда, потому что на всей улице лишь на нем с крыши свешивался британский флаг. Не знаю, кого я ожидал увидеть, наверно, некую смесь Г. К. Честертона и Чингисхана. На ум пришло письмо, напечатанное в одном из номеров прошлых лет, в котором читатель писал, что журнал его устраивает и что хотелось бы иметь возможность встретить его в каждой школе, библиотеке, больнице страны, потому что он усматривает в «Нашей Англии» «британский эквивалент „Майн кампф" Гитлера, но, разумеется, основанный на христианских принципах». Но вместо Адольфа Гитлера я обнаружил седоватого, приветливого и добродушного человека. Если не считать неожиданных восклицаний типа «О, королева-мать! Мы все любим ее...», он был спокоен, задумчив и мил.

Три государственных флага и английский с крестом святого Георга на книжных полках, фотография королевы на стене и множество книг об оркестрах танцевальной музыки. Когда он обмолвился, что одно время был репортером по рыбной ловле газеты «Гримсби ивнинг телеграф», это не вызвало удивления.

Рой Фейерс пришел также к выводу, что быть англичанином не значит принадлежать к определенному народу. Двадцать тысяч экземпляров журнала продается в одной Австралии и гораздо большее число тысяч в других уголках бывшей империи, и он, конечно, взывает к чувствам соотечественников, живущих за границей, потому что хранит воспоминания о той более спокойной, неторопливой стране, которую они оставили. Однако, по убеждению Фейерса, чтобы быть «англичанином», необязательно англичанином родиться. «Актер Джеймс Стюарт, например, был американцем, но что-то в нем было от англичанина. Он не похвалялся своими успехами. Он не был человеком бесцеремонным. Он всю жизнь прожил с одной женой. На него можно было положиться в денежных вопросах. Это по-английски». Англичанам действительно нравится считать, что они такие и есть — галантные, прямодушные, скромные, абсолютно надежные и обладающие безукоризненными манерами. Это идеал английского джентльмена. Однако по сути это не ответ на вопрос, что такое «английскость». Ясное дело, что вопрос не просто в классовой принадлежности.

«Многие годы Джордж Формби был самым преуспевающим исполнителем в Британии. Он никогда не кичился славой и не любил выставлять напоказ свое богатство. А его жена наоборот — никакой скромности. Он был англичанином. А она — нет». Я видел, к чему он клонит, хотя меня поразило, насколько это несправедливо по отношению к этой женщине. Ведь комедийного актера Джорджа Формби наградили орденом Ленина за популярность у русского пролетариата, а она

как истинная англичанка была чемпионкой мира по

танцам в башмаках на деревянной подошве. «Ну так и что такое английскость?» — спросил я.

«Английскость — это нечто сокровенное. Это дух, дух святого Георга. А святой Георг понимается как борьба со злом».

Верно это или нет, в любом случае мысль интересная. Даже потому, что никто не знает, каким образом святой Георг стал святым покровителем Англии. Мнение историка Эдуарда Гиббона, отзывавшегося о нем как о продажном поставщике бекона для римской армии, который впоследствии стал архиепископом Александрийским, а потом был убит толпой, ныне объявлено несостоятельным. В католическом календаре он изображен в более выгодном свете — протест против убийства братьев-христиан римским императором Диоклетианом, жуткие пытки и мученическая смерть. В Англии его, похоже, почитали за мужество задолго до норманнского нашествия. Но популяризировали миф о Георгии и драконе — вероятно, христианскую версию легенды о спасении Персеем Андромеды от морского чудища — именно возвращавшиеся из крестовых походов рыцари. К нему испытывали настоящее благоговение: в середине XIV века Эдуард III сделал Георгия святым покровителем ордена Подвязки и построил в Виндзоре часовню Святого Георга. До 1614 года в честь этого святого 23 апреля надевали синие камзолы. Но Георгий никогда не был на земле Англии, он выступает и как святой покровитель Португалии, а также в то или иное время побывал хранителем Мальты, Сицилии, Генуи, Венеции, Арагона, Валенсии и Барселоны. Это неясная, ничем не примечательная фигура, и его духовная или теологическая значимость невелика.

Однако понять, почему святой Георг оказался подходящим святым покровителем, можно из того, какими англичане любят себя представлять. Отождествив себя с выбранным героем, они могли принять его славу отваги и чести. Поразительное множество решительных сражений в английской истории — от разгрома испанской Непобедимой армады в 1588 году до «блица» в 1940 году — изображалось как противостояние Давида и Голиафа. Историк Ангус Кальдер составил целый список противопоставлений, демонстрирующий, какими англичане представляли себя и немцев в годы Второй мировой войны:

АНГЛИЯ	ГЕРМАНИЯ
Свобода	Тирания
Импровизация	Расчет
Добровольческий дух	Муштра
Дружелюбие	Жестокость
Терпимость	Гонения
Вневременной пейзаж	Механизация
Терпение	Агрессивность
Спокойствие	Неистовство
Тысяча лет мира	Тысячелетний рейх

Независимо от того, соответствует ли это действительности или нет, для англичан, похоже, главным была вера в то, что их, как святого Георга, вырвали из буколической идиллии на бой с чудовищами.

Самым известным боевым кличем в английском языке стали слова, с которыми Генрих V у Шекспира посылает воинов в атаку на крепость Гарфлер «Господь за Гарри! Англия и святой Георг!» Это самый экономичный патриотический квадривиум из всех возможных — Бог, родина, монарх и ощущение духовного предназначения. Однако на самом деле Гарфлер, осажденный англичанами во время вторжения во Францию в сентябре 1415 года, пал, когда его защитники не вынесли мук голода. Когда после этого Генрих V повел войско к английскому гарнизону в Кале, между селениями Азинкур и Трамекур на их пути встали значительно превосходящие силы противника. Английская пропаганда, хорошо знакомая Шекспиру, вероятно, преувеличила превосходство французов, однако, по современным оценкам, английской армии числом около 6000 человек противостояло войско, насчитывавшее от 40 до 50 тысяч. Накануне сражения при Азинкуре герои Шекспира рассуждают о мужестве перед лицом значительного перевеса сил. Прибыв на совещание своих старших офицеров, Генрих слышит, как они с беспокойством говорят о численном превосходстве врага. Французов не только больше, у них свежие силы, а англичане измотаны битвой. Уэстморленд вздыхает, мечтая о подкреплении:

> *О, если б нам*
> *Хотя бы десять тысяч англичан*
> *Из тех, что праздными теперь сидят*
> *На родине!*

Вмешавшись, Генрих заявляет, что ему не нужно ни одного дополнительного солдата, потому что чем больше людей, тем меньше почестей достанется каждому. Пусть «всякий, кому охоты нет сражаться» сейчас же оставляет войско — все его издержки будут оплачены — и возвращается в Англию; рядом с такими король не хочет идти в смертельный бой. Каждый, кто останется, будет возвеличен, всякий, кто прольет кровь вместе с королем, станет ему братом. В контексте иерархических отношений конца XVI века это весьма впечатляющее заявление. Призыв к оружию «Мы горсточка счастливцев, братьев (We few, we happy few, we band of brothers)» стал кличем, воплощающим представления англичан о героизме.

Азинкур стал для англичан славной победой. Зажатые меж двух холмов, они тем не менее предприняли атаки с обоих флангов, а их лучники непрерывно осыпали стрелами противника, в рядах которого не было ни координации, ни дисциплины. Менее чем за три часа все было кончено. Французы потеряли трех герцогов, почти дюжину графов, 1500 рыцарей и до 5000 воинов. В английских повествованиях о сражении потери англичан составляют меньше сорока человек, хотя по более современным оценкам общая цифра потерь скорее человек двести-триста. Многих пленных Генрих приказал перебить, то ли опасаясь прибытия французских подкреплений, то ли по каким-то другим соображениям. Епископ Бофорт заявил в парламенте, что поражение французов — кара Божья.

В наши дни понятие «горстки немногих» снова ввел в обиход Уинстон Черчилль в своей знаменитой речи 20 августа 1940 года, прославляя летчиков-истребителей, участников «Битвы за Англию». В конце июня того года немцы захватили английские острова в Ла-Манше, и вскоре Гитлер отдал приказ о подготовке вторжения в Англию (операция «Морской лев»). В первую очередь «люфтваффе» должны были нейтрализовать Королевские ВВС и захватить передовые аэродромы, с которых англичане могли нанести контрудар. Геринг считал, что эту задачу можно осуществить за четыре дня. В его распоряжении было почти 3000 самолетов, которые базировались на побережье Франции и могли в течение двадцати пяти минут нанести удар по Англии, поэтому его заявление не выглядело неумеренным хвастовством.

В первый день немцы встретили гораздо более сильное сопротивление, нежели ожидали, и потеряли 75 самолетов против 34 самолетов английских ВВС. Но волны атак продолжали накатываться одна за другой. Чаще всего за ходом сражения Черчилль следил с командного пункта 11-й группы истребительной авиации. Вспоминая о его приезде туда 16 августа, генерал Исмей пишет, что

> был момент, когда в воздух поднялась вся группа; не оставалось никакого резерва, а на лежавшей на столе карте было видно, как все новые волны атакующих пересекают побережье. От страха меня подташнивало. Когда к вечеру бой утих, мы сели в машину и поехали в имение Чекерс. Сначала он попросил: «Не заговаривайте со мной; я никогда так не волновался». Минут через пять он наклонился ко мне: «Никогда еще в истории мировых сражений одни столь многие не были столь многим обязаны другим столь немногим». Эти слова навсегда врезались в мою память.

Что ж, это не могло не врезаться в память: таких пронзительных слов во время Второй мировой войны больше не сказал никто. Свои речи Черчилль составлял чуть ли не неделями, когда, по выражению его секретаря Джона Колвилла, он «обогащал фразу». Но хотя на оттачивание остальной части речи, произнесенной в парламенте 20 августа 1940 года, ушел не один день, эти слова остались неизменными. Эти слова не нуждались в обработке, ими сказано все: они не только воздают должное храбрости летчиков, сражавшихся на своих хрупких истребителях, но и вызывают яркий образ маленького острова, который не склонил голову перед нависшей угрозой. На самом деле, даже если брать голые цифры, «харрикейны» и «спитфайры» выпускались английской авиационной промышленностью под руководством министра лорда Бивербрука в три с лишним раза быстрее, чем «мессершмитты» в Германии. Как отмечает историк Джон Киган, «при всем великолепии риторики Черчилля, английские истребители сражались в „Битве за Англию" почти на равных. На протяжении этого периода в строю ежедневно было 600 „спитфайров" и „харрикейнов"; „люфтваффе" никогда не удавалось сосредоточить против них более 800 „Мессершмиттов-109"».

Но тем не менее все висело на волоске. 30 августа в результате прекращения подачи электричества вдоль 130 километров побережья вышли из строя семь радарных установок, и предупредить заранее о приближении противника могли лишь визуально и на слух наблюдатели. Бомбовым ударам подверглись аэродромные ангары и командные пункты, самолеты уничтожали на земле, повреждения получили авиационные заводы. В воздухе англичанам не хватало не самолетов, а пилотов. Гитлер говорил по секрету своим генералам, что не начнет вторжение, пока не убедится, что оно станет победоносным. Но, как известно, продолжать бомбить аэродромы он не стал, а изменил тактику, и здесь мы увидим еще одно характерное проявление представления англичан о самих себе.

В ночь с 24 на 25 августа немецкие самолеты бомбили Лондон. В отместку был предпринят налет на Берлин. Вместо того чтобы продолжать попытки уничтожить английскую военную машину, нацисты решили сровнять с землей столицу страны и таким образом сломить волю народа продолжать войну. «Блиц» начался 7 сентября и продолжался пятьдесят ночей подряд, однако бомбежки дали абсолютно обратный эффект, чего совсем не ожидал Геринг: вместо того чтобы ослабить волю народа, они укрепили ее. Дети уже были эвакуированы в сельскую местность, жители получили 2 000 000 укрытий Андерсона, которые устанавливались в двориках за домами, и каждый работодатель со штатом более тридцати человек должен был выделять одного наблюдателя, чтобы по ночам отслеживать возникновение пожаров: бомбежки стали испытанием воли. Листовка под названием «Адольф Гитлер. Последний призыв к благоразумию» с переводом выступления Гитлера в рейхстаге 19 июля, которую сбрасывали с немецких самолетов, вызывала просто смех. Как сообщала газета «Таймс», одна женщина нашла применение этой вражеской пропаганде: она продавала листовки как сувениры в пользу Красного Креста.

Когда на Лондон обрушился «блиц», наряду с этой скромно одетой, практичной сборщицей средств из Женского института еще одним полюбившимся всем образом стала сама непобедимая столица и ее несломленные жители. Как подчеркивала газета «Ивнинг ньюс», «сколько бы ни сбрасывалось ночью бомб, каждое утро возобновляется работа лондонского транспорта, доставляются письма, к дверям приносят молоко и хлеб, кондитеры получают свои товары, полны и витрины фруктовых лавок». Газета «Дейли телеграф» послала одного из своих репортеров выяснить, кто эти люди, творящие эти чудеса снабжения. Один житель Лондона ответил на его вопросы о бомбежках тирадой, достойной Министерства информации:

Вот что я скажу, господин хороший, и я не шутки шучу, потому что ты, вижу, из газеты: народ вокруг — первый

129

сорт, и это точно. Никакого нытья, черт побери, ни от кого не услышишь. Один малый — а ранен он был очень тяжело — только и хотел узнать, все ли в порядке с женой. А вот эта дама, пожилая такая, из дома 51: дом рухнул, ее вытащили из подвала и повезли в больницу. Так не хотела ехать. Говорила, что чувствует себя вполне нормально. Недурно, да, а ведь ей за семьдесят!

Этого развязного кокни и скромно одетую деревенскую женщину объединила вера в то, что что-то делать хорошо, а что-то — плохо. В это трудно поверить, но к пониманию элементарной вежливости отчасти пришли, похоже, даже те, кто сбрасывал на них бомбы. Немецкий летчик-истребитель, сбитый на юге Англии, приблизился с поднятыми руками к работнику на ферме и вежливо попросил сигарету и чашку чая. Как сообщала «Дейли экспресс», к другому пилоту, лежавшему на земле недалеко от своего «мессершмитта», подошли миссис Тайли и мисс Джин Смитсон. На груди летчика был Железный крест, и он первым делом спросил: «Вы меня сейчас расстреляете?» «Нет, — ответила миссис Тайли, — мы в Англии такими вещами не занимаемся. Может, выпьете чаю?»

На Второй мировой войне стоит остановиться подробнее по двум причинам. Во-первых, потому что качества, сплачивающие нацию, в военное время проступают с особой силой. А во-вторых, во время Второй мировой войны и после нее англичане последний раз имели четкое представление об общей цели. По их собственным рассказам, это были люди, которые жили тихой жизнью и предпочли бы не испытывать неудобств войны. Понимание того, что война — это реальность, несомненно, пришло к ним в самый последний момент. Они считали себя людьми законопослушными и культурными. Они, без сомнения, были достаточно уверены в себе и смеялись над нацизмом, а не испытывали ненависть к нему. И, несмотря на весь свой страх, гордились тем, что враг превосходит их числом.

Мысль о «горстке» нет-нет, да проявляется в популярных повествованиях об английской истории. Власти предпочитают увековечивать именно военные победы: ведь это возможность пройтись на счет старых врагов. (Покойного Вудро Уайэтта, члена парламента от лейбористской партии и автора колонки с ироничным названием «Глас разума» в газете «Ньюс оф зэ уорлд», портье одного французского отеля попросил произнести фамилию по буквам. «Ватерлоо, Ипр, Азинкур, Трафальгар, Трафальгар», — ответил тот.) Однако события военной истории, которые вызывают наиболее образный отклик в сознании англичанина, совсем не обязательно триумфальны. Чуть ли не единственным случаем ведения военных действий за время британской оккупации Индии, который хранится в памяти народной, остается осада Лакнау. Из событий Крымской войны вспоминают не о победах при Альме или Севастополе, а об отчаянной атаке английской легкой кавалерии. Мало кто назовет другое событие из зулусских войн, кроме сражения при Роркс-Дрифт, когда 139 британских солдат выстояли против 4000. О кампании по захвату французской Канады англичане знают лишь, что при штурме Квебека погиб генерал Вулф, о сражении за Корунья — что там погиб сэр Джон Мур. Британские кампании в Судане связаны у них лишь с образом генерала Гордона, умирающего во время штурма Хартума последователями Махди, бурская война — с осадой Мафекинга, Первая мировая война — с катастрофой на реке Сомма и 41 000 человек, погибших в Галлиполи. А Вторая мировая война запомнилась для них больше не наступлением на Берлин, а эвакуацией англичан из Дюнкерка, когда британских солдат подбирали на континенте и доставляли туда, где было безопасно — на их остров.

Во всех этих эпизодах есть определенный элемент мифотворчества, но живучесть этих мифов свидетельствует о том, что так англичане себя видят. Общее для всех этих эпизодов — жертвенность в отчаянном противостоянии превосходящим силам. О реалполитик, о том, чьи интересы защищали попадавшие в такие ситуации солдаты, никто и не вспоминает. Создается впечатление, что всегда существовал маленький, храбро встававший на бой народ. Еще во времена Столетней войны победы англичан над превосходящими их втрое, как в сражении при Креси, или впятеро, как в битве при Пуатье (1356 год), силами стали преподносить как результат некой особой милости Божией. Эта вера была жива и через шесть веков. Вышедшая в 1944 году кинематографическая версия «Генриха V» с Лоуренсом Оливье получила финансовую поддержку английского правительства не только потому, что на нее рассчитывали как на стоящее средство пропаганды за границей, но и потому, что она служила пропагандистским целям в самой Англии, играя на чувстве готовности к лишениям. На самой известной фотографии «блица», давшей английскому народу понять, что он непобедим, среди дыма и разрушений после налета с использованием зажигательных бомб величественный и невредимый встает купол собора Святого Петра, «приходской церкви империи». Эта фотография, снятая штатным фотографом «Дейли мейл» Гербертом Мейсоном, была помещена в газете с надписью: «Твердыня правого дела противостоит неправому». «Где найдешь лучший образ протестантской цитадели, хранимой посреди Армагеддона бдительным оком Провидения?» — задается вопросом историк Линда Колли.

Очевидно, что это ощущение единственного в своем роде гонения и единственной в своем роде защиты связано с религиозным верованием. Но соответствующего текста нет в Библии. Его можно найти в «Книге мучеников» Джона Фокса, зловещем образчике пропаганды, подробно повествующем о страданиях и смерти протестантов, казненных в те времена, когда королева Мэри пыталась вернуть Англию в лоно Рима. Эту книгу следует воспринимать как третий Завет англиканской церкви. Впервые она появилась в 1563 году. К 1570 году, когда Елизавета была отлучена, эта книга разрослась до 2300 страниц зачастую чудовищных описаний тех притеснений, каким подвергала английских протестантов римская католическая церковь. По указанию англиканских властей ее выставляли напоказ в церквях по всей стране и читали неграмотным. Во многих церквях эта книга оставалась на видном месте веками — готовое свидетельство для каждого, кто пробовал усомниться в готовности англичан и англичанок умереть за свою веру. К концу XVII века в обращении было, вероятно, 10 000 экземпляров. В течение большей части последующих ста лет выходили новые издания, часто в форме серий: это была самая доступная книга в стране после Библии.

Описаниями казней жертв этих гонений Джон Фокс хотел показать, что «возобновлением древней церкви Христа» является именно англиканская церковь, что с пути истинного сбилась церковь в Риме. Фокс считал, что христианство появилось в Англии во времена правления Люция, мифического короля бриттов, и лишь потом его привнесли миссионеры из Рима. (Еще один миф — Гластонберийская легенда — гласит, конечно, что христианство в Англию — а также Святой Грааль — доставил вскоре после распятия Иосиф Аримафейский.) Поэтому восхождение на трон Мэри и последовавший за этим террор ее правления с попытками восстановить верховенство римской католической церкви было каким-то безумным помрачением. В описании казни Ридли и Латимера, епископов Лондонского и Вустерского, встречается фраза, отголоски которой не одно столетие будут звучать в английской истории. За отказ отречься и признать власть Рима обоих приговорили к сожжению на костре и 16 октября 1555 года доставили ко рву за Баллиол-колледжем в Оксфорде. Там их заставили выслушать проповедь некоего мошенника, доктора Ричарда Смита по безжалостному тексту «И если я... отдам тело мое на сожжение, а любви не имею, нет мне в том никакой пользы». Затем с них сорвали верхнюю одежду и раздали толпе. Цепью, обмотанной вокруг пояса, их приковали к столбу и к ногам навалили охапки хвороста. После этого якобы появился брат Ридли с мешочком пороха, который он привязал на шею брату, чтобы тот долго не мучился. Ридли попросил брата сделать то же для престарелого Латимера, и после этого хворост у их ног был подожжен. Когда их охватили языки пламени, Латимер якобы воскликнул, обращаясь к другому епископу: «Да будет тебе утешение, мастер Ридли. В день сей мы милостью Божией зажжем такую свечу в Англии, что ее, я уверен, не погасить никому». Латимер испустил дух быстро, а Ридли лишь после мучительной агонии.

Кор 13:3.

Как образец пропаганды, книга Фокса написана мастерски. Она имеет налет исторической респектабельности, рассказывает о действительных событиях, играет на настоящих страхах. И может быть отвратительной до ужаса. В повествовании о Катерине Кокс, сожженной на костре вместе с двумя дочерьми в Сент-Питер-Порт на острове Гернси в 1556 году, рассказывается, как у одной из ее дочерей, которая была беременна, лопнул живот. Новорожденный ребенок вылетел с такой силой, что оказался за пределами пламени, но толпа зевак подобрала его, а судебный пристав швырнул обратно в огонь. Поэтому этот ребенок, добавляет Фокс, «родившись мучеником, мучеником и умер, подарив миру, которого ему так не довелось увидеть, зрелище, по которому весь мир может судить об иродовой жестокости этого безнравственного поколения папских мучителей к их вечному позору и бесчестью».

Этот великий трактат, должно быть, оказал глубокое влияние. На уровне религиозного сознания, как считает историк Оуэн Чедвик,

> стойкость этих жертв, Ридли, Латимера и остальных, стало кровавым крещением английской Реформации и породило в умах англичан неизбежную ассоциацию духовной тирании с римским престолом... За пять лет до того протестантизм представляли как грабеж церквей, разрушение, непочтительность, религиозную анархию. Теперь его стали воспринимать как добродетель, честность и верноподданное сопротивление англичан правителям, половину которых составляли иностранцы.

«Книга мучеников» не только соотносила римскую католическую церковь с тиранией, англичане в ней ассоциируются с отвагой. Любой гражданин мог зайти почти в любую церковь и узнать, как безжалостны иностранные державы, и одновременно стать свидетелем несгибаемого мужества погибших англичан. Этой книгой не только облагораживался английский протестантизм и демонизировался римский католицизм, но и вколачивалась в головы англичан мысль, что они — народ одинокий. Гонения получили нравственное оправдание.

Иногда создается впечатление, что англичанам *необходимо* думать о себе подобным образом. С ложнопатетической точки зрения журнала «Наша Англия», враги, которые «пускаются во все тяжкие, чтобы разрушить стиль жизни, доведенный англичанами до совершенства в течение тысячи лет», это нечестивый альянс метрической системы мер, архитекторов, составляющих планы городской застройки, бюрократов, которых никто не выбирал, незаконных поселенцев, вандалов, сторонников легализации абортов, нарушителей супружеской верности, агрессивной рекламы, политкорректности, современных телефонных будок, «нечестивой троицы — газет, радио и телевидения», равного положения разных культурных групп, и, самое главное, слабоумных, предательски настроенных политиков, готовых отдать страну Европейскому союзу. Главным предателем оказался Эдвард Хит, невезучий премьер-министр от консервативной партии, который ввел Великобританию в Общий рынок, уверяя, что амбиции европейцев ограниченны, и приводя доводы, оказавшиеся набором домыслов. Редактор журнала и, если судить по сотням писем, получаемых каждую неделю, большинство его читателей хотят, чтобы Великобритания вышла из Европейского экономического сообщества, которое считают жульнической аферой немцев, стремящихся хитростью добиться того, что им не удалось сделать с помощью «Мессершмиттов-109» в 1940 году. «Все это афера чистой воды, где мы в конце концов окажемся колонией Германии. Мы выиграли войну, а они выиграют мир».

Мы снова в мире Питера Простака, где варвары у ворот дома, а ни о чем не подозревающий народ Англии почивает внутри. Вот так это нравится представлять англичанам.

Глава 6   Прихожане здравого смысла

Англичанин задумывается о добродетели, лишь испытывая дискомфорт.

Джордж Бернард Шоу.
Человек и сверхчеловек

Всем известно, что Бог — англичанин. Иначе разве Англия стала бы первой действительно мировой империей? Вот и герцог Веллингтонский, оглядывая усыпанное окровавленными телами поле битвы в конце сражения при Ватерлоо, изрек: «Меня вела рука Божия». Вера англичан в свою богоизбранность коренится и в невероятной легенде о том, что Иисус побывал в Англии еще в детстве (отсюда строки Блейка «Ступал ли Он встарь Своею ногой средь кущ английских холмов?») и что Иосиф Аримафейский, выпросивший у Понтия Пилата тело Иисуса, привез в Англию часть тернового венца. В XIV веке набожные англичане говорили, что их страна — «Приданое Матери Божией». В 1554 году, когда королева Мэри сжигала англикан на кострах, пытаясь возродить в стране католицизм, к ней прибыл кардинал Поул с посланием от Папы Римского, в котором тот призывал поджаривать их и дальше, ибо Англия — единственная богоизбранная страна. «Избранным и своеобразным народом Его» называл англичан и елизаветинский придворный и остряк Джон Лили.

К XVIII веку вера англичан в себя окрепла, и они, подобно Древнему Израилю, уверовали в свою избранность. Когда богослов Исаак Уоттс взялся в 1719 году за перевод Псалмов, слово «Израиль» в них можно было легко и бездумно заменить на «Великая Британия». У Генделя, автора оратории «Иуда Маккавей» в честь герцога Кумберлендского, вырезавшего армию полуголодных шотландских горцев «славного принца Чарли» в сражении при Каллодене, «мясник» Кумберленд сравнивается с предводителем иудеев, возглавившим восстание против захватчиков-селевкидов. К коронации отца Кумберленда, Георга II, Гендель сотворил четыре хорала, самый известный из которых — «Жрец Задок» (еще один герой Писания, основатель жречества в Иерусалиме), исполнялся впоследствии на коронации каждого британского монарха с 1727 по 1953 год.

Еще дальше пошел писатель XVIII века Эммануил Сведенборг, который одно время считал одним из своих учеников Уильяма Блейка. Из-за уникальности гения англичан исключительно для них зарезервированы особые небеса. Миссионеры XIX века, отправлявшиеся обращать колонизируемые народы мира, искренне верили, что несут слово из английского «Нового Иерусалима». Оставалось совсем немного до бредового представления, которое прозвучало в поучении Эдварда Хайна, прочитанного в Челси в 1879 году, о том, что Великобритания — это Израиль, американцы — заблудшее колено Манассиево, ирландцы — народ ханаанский, а камень Иакова, Скунский камень, на самом деле находится в Вестминстерском аббатстве. Как заявляли его последователи, только так можно объяснить необычайные успехи английского народа. По его теории, иудеи Древнего Израиля, плененные ассирийцами царя Саргона, прошли через всю Европу и в конце концов объявились как англосаксы. Этой теории «избранного народа» вторил уже в 1960-х годах американский проповедник Герберт У. Армстронг:

> Ну конечно, никакой ошибки быть не может! Возьмите карту Европы, проведите линию на северо-запад от Иерусалима через весь континент, пока не выйдете к морю и островам. Она приведет вас прямо к Британским островам! Вот вам доказательство того, что наш сегодняшний белокожий, англоговорящий народ — британцы и американцы — на самом деле суть первородные колена Эфраима и Манассии из «заблудшего» дома Израилева.

В убеждении, что Господь принимает сторону того или иного народа, ничего особенного нет: непременным элементом любых военных действий являются армейские капелланы противостоящих сторон, потчующие своих солдат ложными заверениями, что те исполняют волю Божию. Что касается англичан, больше всего поражает, какую выжидательную, гибкую и недогматичную религию породила их вера в богоизбранность. Ведь ортодоксальный иудаизм, который зиждется на утверждении, что евреи — избранный народ, — одно из самых требовательных верований на земле, предлагающее множество предписаний. Англиканская же церковь вообще мало что предписывает.

Как-то я спросил архиепископа Оксфордского, во что нужно веровать, чтобы быть членом Церкви. На его лице мелькнула тень озадаченности. «Интересный вопрос», — замялся он, словно такое ему и в голову никогда не приходило.

Трудно представить себе, чтобы так ответил ортодоксальный раввин или католический священник.

Когда архиепископ заговорил снова, он начал с неизбежного английского присловья: «Ну, это, знаете ли, зависит... Зависит от того, какой вы церкви. В евангелической вам скажут, что необходимо искреннее обращение. А традиционная англо-католическая предложит ортодоксальное христианское учение, которое практически ничем не отличается от учения римских католиков».

Не очень-то вразумительно для набора правил верования, верно?

«Англиканская церковь не считает нужным определять правила, — утверждал он. — Она предпочитает предоставлять людям свободу выбора места и действия. Достаточно прийти в церковь и причаститься. Это и есть проявление вашей веры».

Такая вот расплывчатость доводит критиков англиканской церкви до умопомрачения. Если бы бюрократические установления требовали указывать в вопросниках принадлежность к той ли иной вере, миллионы англичан поставили бы галочку в квадратике «англиканская церковь». А дальше — молчание. Что это за организация такая, доступная как местное почтовое отделение и практически не предъявляющая никаких требований своим приверженцам? Наиболее характерным ответом англичанина на вопрос, верует ли он, будет «Видите ли, я человек не очень-то религиозный» и некоторое смущение вашим предположением, что в жизни может быть что-то еще. Иногда складывается впечатление, что в английской церкви Бог — лишь «славный парень», который превыше всех остальных.

И все же именно англиканская церковь стала моральным авторитетом для идеального англичанина (англичанки). В начале «Тома Джонса» Генри Филдинга разгорается спор между гуманистом мистером Сквэром и любителем пустить в ход плетку учителем Тома, преподобным Твакэмом. Спорят они о том, может ли человек быть добродетельным, не будучи верующим. Как отмечает Сквэр, и мусульмане, и иудеи заявляют, что религия наделяет их добродетелью. На что мистер Твакэм сердито отвечает: «Когда я говорю о религии, я имею в виду христианскую веру; и не просто христианскую, а протестантскую; и не только протестантскую веру, а англиканскую церковь». Самонадеянное утверждение, что лишь англиканское вероисповедание позволило слепить благочестивого англичанина из первозданной англосаксонской глины, звучит настолько как само собой разумеющееся, что, видимо, Филдинг слышал такое из уст реальных пасторов. Наверное, так оно и было, потому что такое странное измышление, как англиканская церковь, объяснить можно лишь с помощью ее собственной терминологии.

Хотя англиканская церковь и антикатолицизм *не* одно и то же. Спору нет, после Реформации многие народные праздники действительно носили ярко выраженный раскольнический характер. Празднование 1 августа, начала правления протестантской Ганноверской династии, костры, зажигаемые вечером на 5 ноября в ознаменование раскрытия заговора Гая Фокса, который вместе с группой соучастников собирался взорвать парламент, и праздники в честь Вильгельма Оранского, который высадился в Англии в 1688 году, чтобы избавить страну от Якова II (кстати, он прибыл в Англию 5 ноября), — во всем этом присутствовала антикатолическая направленность. В частности, Ночь костров нередко превращалась в нечто похожее на беспорядки: толпа требовала у католиков денег и нападала на их дома. На уровне правительственных установлений, в соответствии с законами о нонконформизме, католики обязаны были платить штрафы за непосещение служб в англиканской церкви, и в течение почти всего XVIII века их обкладывали суровыми налогами, отказывали в доступе к образованию и запрещали иметь оружие. Даже в XIX веке католиков не допускали в парламент и в государственные учреждения, и они не имели права голосовать. Дважды — в 1688 и 1714 годах — из страха, что на трон взойдет католик, нарушались установления династического наследования. В соответствии с Законом о престолонаследии 1701 года ни один католик или состоящий в браке с католиком не имел права занимать трон, поэтому ставший в 1714 году королем курфюрст ганноверский Георг Людвиг опередил более пятидесяти реальных претендентов на английский трон. Пусть он был скучным люмпеном и плохо говорил по-английски. Зато не был папистом. А тот Закон действует и поныне.

За популярными праздниками и парламентскими законами стояли не столько религиозные, сколько политические убеждения: при том что исторические враги Англии — Франция и Испания — были странами католическими, утверждение протестантства приравнивалось к декларации национальной независимости. Однако срабатывало и нечто более глубокое, чем политика. Руперт Брук приводит высказывание одного из рядовых английских солдат времен Первой мировой войны, который формулирует свои скрытые подозрения насчет континента: «Что мне здесь не нравится, в этой треклятой Европе, так это все эти, черт возьми, картинки с Иисусом Христом и Его родственниками за этими чертовыми стекляшками». Дело не в том, что

в англиканской церкви нет ниш с изображениями святых, реликвий из их одежды, старых гнилых зубов или осколков костей, якобы принадлежавших святому Петру, которые почитаются как средство от болезней. Все это уничтожено или забыто в ходе Реформации. Есть нечто иное, ощущение того, что корни англиканизма, который всегда был больше обязан своим появлением Эразму, а не Лютеру, заложены в ежедневных мирских заботах. В результате англиканизму оказалось гораздо легче, чем католицизму, приспособиться к научным открытиям, изменившим мир: в католическом катехизисе нападкам подвергается не только дарвинизм, но и Просвещение.

Достижения англиканской церкви в развитии чувства национального самосознания заключаются по большей части не в том, что она провозглашает, а в том, что благодаря ей стало возможным. Есть даже основания утверждать, что с установлением англиканской церкви установилась и Англия как таковая. Тем не менее это не значит, что англичане — люди набожные. Они выбирают религию как понравившуюся одежду или автомашину — с ее недосказанностью и известной надежностью, всегда доступную, когда понадобится. В каком-то смысле Англия страна вообще не протестантская. Любой школьник знает, что церковь нашей страны придумана, чтобы Генрих VIII мог получить развод. Как выразился проницательный наблюдатель своей новой родины Ральф Дарендорф, «ссора с Папой Римским и истинная Реформация — не одно и то же».

Англиканская церковь сегодня стала институтом, который просто бесит, потому что именно такая религия нравится англичанам — прагматичная, удобная и ненавязчивая. Неудивительно, что множество английских писателей предпочли волнующие определенности католицизма. Просто невозможно написать такой роман, как «Сила и слава» Грэма Грина, о церкви, построенной на убеждении, что обо всем можно договориться за чашкой чая. Минуло почти четыре столетия с лучших времен англиканских проповедей, и творения последних ярких представителей англиканизма в литературе — Розы Маколей, Дороти Ли Сейерс, Джона Бетчемана, Стиви Смит — уже не звучат с такой силой, как произведения поэта-католика, такого как Джерард Мэнли Хопкинс. Никто, почитав Троллопа или даже Барбару Пим, не поверит, что у англиканской церкви есть некая миссия по отношению к бедным и угнетенным. Она остается тем, чем была всегда: удобным средством, которое придумали из политических соображений монархи династии Тюдоров и в котором традиционная Троица увеличена до пяти ипостасей, включая монархию и парламент. Достижением англиканства можно считать то, что он ловко укротил глубоко заложенный в англичанах антиклерикализм (в одном из моих любимых деревенских названий — Брэдфилд-Комбаст — увековечено сожжение в 1327 году бушевавшей толпой из якобы 40 000 человек Брэдфилд-Холла, владельцем которого был аббат Бери Сент Эдмундс) и вплел Церковь в структуру государства.

Глубокую интеграцию веры и государства можно наблюдать ежедневно в течение парламентского года, когда незадолго до половины третьего по центральному коридору Вестминстерского дворца следует небольшая процессия. Когда при прохождении этой колонны звучит возглас «Шапки долой, публика!», полицейские снимают шлемы. Первым, стуча каблуками по плиткам пола, выступает человек в смешных гетрах, за ним следует какой-нибудь отставной генерал с золотым церемониальным жезлом в руках, потом идет спикер палаты общин в черной с золотом мантии, а за спикером шествует священник спикера. Смотрится это как сцена из комической оперы Гилберта и Салливена. Войдя в зал заседаний, капеллан в присутствии кучки парламентариев, взявших на себя этот труд, взывает к Богу с молитвой во славу политических словопрений, поношений и набора очков дня сего. Какое отношение, спросите вы, имеет ко всему этому Бог? И все же нечто подобное происходит в каждом подразделении армии, авиации и флота и признается в умозрительном положении архиепископа Кентерберийского, самого превышестоящего простолюдина в стране, который при коронации возлагает корону на голову монарха. Ежедневная литургия, в которой упор делается на чтение молитв за здравие монарха и «всякого, облеченного властью ея», — это глас церкви, знающей свое глубоко консервативное и полусветское место в английском обществе.

Поэтому было бы ошибкой рассматривать историческую враждебность к католицизму как доказательство восторженного отношения к протестантству. Стоит лишь вспомнить, с какой неприязнью относились к нонконформистам, воспринимавшим Библию слишком серьезно: автор «Путешествия пилигрима», самого знаменитого религиозного романа всех времен, Джон Баньян, провел почти двенадцать лет в Бедфордской тюрьме за чтение проповедей без лицензии. Антикатолицизм проистекает из убеждения, что раз в стране произошла Реформация, нельзя быть одновременно католиком и патриотом. Хотя основатель англиканской церкви Генрих VIII был протестантом самого что ни на есть католического толка. (Наиболее отличительные элементы англиканского вероисповедания —

отмена целибата священников и отправление литургии на разговорном языке — были введены лишь после того, как он благополучно упокоился в гробу.) В последующие века англиканской церкви удалось включить в себя пуританизм, англо-католицизм, кельтский мистицизм, евангелизм, христианский социализм и полдюжины других учений. Эта Церковь существует потому, что существует — практичная, легко приспосабливающаяся, утешение утешившимся. Единственный здравый вывод, который можно сделать из уникального привилегированного положения англиканской церкви — ее официального статуса, присутствия епископов в палате лордов, права премьер-министра назначать высшее духовенство и так далее, — не в том, что она представляет некую глубоко заложенную в народе духовность, а в том, что она служит целям, которые одинаково устраивают и ее, и государство. Немало епископов и деканов могут в неофициальной беседе признать, что для церкви было бы лучше порвать официальные связи с государством и стать «негосударственной». Часто говорят, что если бы англиканская церковь была лишь одним из многих вероисповеданий, это отражало бы ситуацию в новой Британии, где в обычное воскресенье в церквях собирается больше католиков, чем англикан, в стране с большим числом азиатов-мусульман, сикхов и пятидесятников из стран Карибского бассейна. (Неофициально многие лидеры этих других верований относятся к этой идее с гораздо меньшим энтузиазмом: их устраивает *некоторое* духовное присутствие у средоточия конституции, и старая англиканская церковь с ее расплывчатостью для них лучше, чем большинство других, потому что она очень старательно следит, чтобы иные верования и конфессии имели свой голос.)

Балладу XVIII века о «викарии из Брея», менявшего верования в зависимости от того, кто занимает трон:

> *И буду сей блюсти закон*
> *До самой смерти я, сэр,*
> *И кто б ни сел на царский трон,*
> *Викарий в Брее — я, сэр!* —

обычно приводят в насмешку над церковью. Однако на деле именно в балансировании между двумя противоположностями и заключен истинный дух англиканства. Его последователи находят нечто абсолютно восхитительное в его отказе занять ту или иную крайнюю позицию. «*Via media* — вот в чем дух англиканской церкви, — писал о XVI веке поэт Томас Стернз Элиот. — В своем неизменном поиске золотой середины между папством и пресвитерианской церковью английская церковь при Елизавете стала в каком-то смысле воплощением самого возвышенного духа Англии того времени». Бывший архиепископ Кентерберийский, доктор Роберт Рунси видел в неопределенности, за которую осуждают англиканскую церковь, ее силу. «В христианстве есть другие церкви, которые гордятся отсутствием неопределенности — будь то в учении, руководящей роли или едином толковании Евангелия. В противоположность им англиканское вероисповедание есть синтез, а синтез неизбежно объединяет тезис и антитезис».

Выражаясь более цинично, можно было бы предположить, что именно от англиканской церкви у англичан такое необычное свойство считать, что они могут поступать и так, и этак. Способность к лицемерию у этого народа, всегда любившего заявлять, что англи-

Via media — средний путь (лат.).

чане — народ прямой, просто поражает. Возьмем, к примеру, вопрос об аборте. Через тридцать лет после легализации аборта в Соединенных Штатах вопрос этот оставался источником гневных, а иногда и бурных конфронтаций по всей стране на ступеньках клиник, где их делают. В Англии не то чтобы подходят к этому вопросу менее этично, просто никто не хочет поднимать шума по этому поводу. Англичане знают, что аборты приняли в стране ошеломляющие масштабы: 177 225 случаев в 1996 году, то есть один уничтоженный плод на каждых четверых новорожденных. В данном вопросе точно есть и «тезис» и «антитезис». Но англичане просто предпочитают этого не замечать.

Верным пониманием отличался премьер-министр XIX века лорд Мельбурн. Сетуя однажды на свою обязанность назначать епископов англиканской церкви, он сказал: «Черт бы побрал все это, еще один епископ умер: воистину я считаю, они умирают, дабы досадить мне». Он также заметил, что «дело принимает скверный оборот, если религии дозволяется вторгаться в сферу личной жизни».

Во время Второй мировой войны у кого-то на Биби-си возникла идея пригласить группу писателей, чтобы записать серию радиобесед для поднятия боевого духа, которые потом предполагалось передавать по радиостанции «Эмпайр сервис» для войск, разбросанных по всему миру. В этом приняли участие Дж. Б. Пристли, Сомерсет Моэм, Хью Уолпол и Филипп Гиббс, а также забытая теперь многими писательница Клеменс Дейн. Этот псевдоним по названию церкви Сент-Клемент-Дейнс на Стрэнд, где она жила, взяла себе за двадцать пять лет до того бывшая актриса Уинифред Эштон. Свою беседу она начала словами: «Вы знаете,

Британия — страна, которая отличается завидным постоянством».

Хотя псевдоним ее взят по названию церкви на Стрэнд и хотя бо́льшую часть взрослой жизни она провела в Ковент-Гардене, после этого вступления автор приводит освященный временем пример английского постоянства:

На прошлый уик-энд я проезжала мимо своего старого дома в Кенте и, притормозив, чтобы взглянуть на него, к своему удивлению, обнаружила, что он совсем не изменился за сорок лет, хотя от него до самого сердца Лондона нет и двадцати пяти миль. К нему все так же едешь через «поля золотой парчи» — на этой неделе вся Англия в лютиках, — в парке напротив все так же пасутся олени, и те же узкие тропинки, протоптанные к общественному пустырю вокруг тех же густо осыпанных розовым и белым майских деревьев.

«Поле золотой парчи» (Le Camp de Drap d'Or) — название лагеря близ Кале, места пышной встречи (1520) дворов английского короля Генриха VIII и французского короля Франциска после подписания (1518) в Лондоне договора о противостоянии экспансии Османской империи.

Пока все знакомо: вероятно, «люфтваффе» осыпают бомбами Лондон (церковь Сент-Клемент-Дейнс была разрушена 10 мая 1941 года), армия, наверное, в боевой готовности, но сердце Англии в десятках тысяч деревушек в сельской местности бьется ровно. И тут она заходит с другой стороны. «Что такое Британия и почему она так много значит для нас?» — задает она вопрос и отвечает: «Думаю, все дело в английской Библии!»

Приведя традиционный рассказ о том, как Библию переводили на английский, Клеменс Дейн описывает в заключение встречу с женой одного деревенского жителя, который воевал в Первую мировую, снова записался в армию и теперь проходит службу в Южной Африке. Та показала писательнице последнее письмо,

в котором тот справлялся о двух взрослых дочерях и маленьком сыне, рассказывал, что мог, из новостей, переживал, что некому пахать землю, и напоследок посылал привет и поцелуи. И затем, после подписи, добавил постскриптум. Тяжелой рукой, более привычной к черенку лопаты, чем к перу, он вывел: «Так что ободритесь, дорогие мои!»

По словам Дейн, эта фраза дословно взята из Евангелия от Матфея в Высочайше Утвержденной Версии, где Христос является ученикам, ступая по воде.

«Ободритесь; это Я, не бойтесь» [в Новой английской Библии более неуклюжий вариант — «Мужайтесь!»]. И это «Ободритесь!» эхом отзывается в веках [так она завершила беседу, и ее голос слышали в потрескивающем эфире солдаты во всем мире], чтобы и сегодня быть вложенным в уста любого английского рабочего, чтобы прозвучать как голос всего нашего Острова во всех уголках британского мира. Это голос Кэдмона, голос Альфреда, Виклифа, Тиндейла, Елизаветы, Кромвеля, Нельсона, Гордона — всех бессчетных известных и неизвестных мужчин и женщин, которые сотворили Британию и сами есть Британия. И послание это по-прежнему звучит: «Ободритесь, дорогие мои!»

В наши дни ничего подобного не напишешь, и на то есть самые разные причины: у Англии нет даже общей веры, не говоря уже об общем богослужении; знание Библии стало гораздо более ограниченным; современные переложения Писания вызывают намного меньший отклик; если имена Нельсона или Кромвеля большинству слушателей знакомы, то, услышав имя

Гордона, они задумаются, имя Виклиф им не скажет ничего, а при упоминании Кэдмона они лишь пожмут плечами.

Допуская, что могу быть неправ, я посетил секретаря «Общества молитвенника» у нее дома в лондонском пригороде Эджвер. Марго Лоренс неустанно борется за сохранение литургии по Книге Общей Молитвы, которая не только была краеугольным камнем молитвенного богослужения англиканской церкви почти со времени ее основания, но и долгие годы являлась для англичан вторым по значению источником многочисленных фигур речи. Она встретила меня в приподнятом настроении, так как только что испытала примерно то же, что и Клеменс Дейн. Водопроводчик заверил, что у нее скоро снова будет горячая вода, словами «скоро вы вернетесь к нам на землю живых».

«Ведь выражение „земля живых" взято непосредственно из Книги Общей Молитвы!» — восторгалась она.

Общество молитвенника — это не какая-нибудь состоятельная или модная группа влияния. Такое впечатление, что восемь-десять тысяч его членов (никакого централизованного учета не ведется, но журнал общества рассылается 7000 подписчиков) в основном люди, похожие на нее: здравомыслящие, благопристойные мужчины и женщины уже на закате жизни, которые ездят на английских машинах солидного возраста. Цель проводимой ими кампании — религиозная, но сам вопрос имеет гораздо бóльшую культурную значимость. Появившаяся в 1662 году современная версия Книги Общей Молитвы, над которой в основном работал за столетие до того Томас Кранмер, должна была, как следует из ее названия, нести людям разделенный («общий») опыт. Она и несла этот опыт простым и в то же время величественным языком в таком ключе, что ее слова могли вознести к высотам духа самого косноязычного приходского священника. Они стали настолько привычными, что 549 фраз из Молитвенника можно найти в Оксфордском словаре цитат. Непосредственно из Молитвенника взяты такие словосочетания, как «праздник, который всегда с тобой», «ветхий Адам», «смертельный оскал», «начать новую жизнь», «превосходить человеческое понимание», «быть на пороге смерти», «оставить заблудших», и другие по-прежнему употребительные выражения.

Официально богослужение в англиканской церкви по-прежнему основано на Книге Общей Молитвы. Но это еще одна утонченная фикция. От кандидатов на посвящение в сан требуется проявить «достаточное знание» данной книги и учения церкви, изложенного в Тридцати Девяти Статьях. На практике молодые приходские священники выходят из теологического колледжа, не зная ничего, кроме новых форм богослужения. По всей стране в церквях старые молитвенники в черных обложках свалены в углу ризницы, а их место заняли красные, зеленые или желтые книжечки в мягком переплете с нарисованным на нем человечком, и их, запинаясь, читают каждое воскресенье прихожане.

Я знаю людей, которым приходится ехать за тридцать миль, чтобы попасть на службу, которая проводится по Молитвеннику [говорит Марго Лоренс]. А вот духовенство допускает много своеволия. Иногда они вообще поступают непорядочно. Я вот в понедельник получила письмо от одного человека из Портсмута, у которого дочь вышла замуж. Они с женихом проговорили все о венчании со священником и совершенно ясно дали понять, что хотят, чтобы использовалась Книга Общей Молитвы. И только проходя между рядами в церкви под руку с отцом, она услышала, как священник начинает совсем другую форму службы. Она была в отчаянии. Но уже ничего не могла поделать.

Общество заявляет, что «держит оборону» против полного отказа от старой литургии. Но ежегодно в несколько десятков приходов, где еще остается Книга Общей Молитвы, приезжают новые священники. Он или она вводят «в качестве эксперимента» альтернативные формы богослужения. Нет ничего более постоянного, чем эксперимент в англиканской церкви.

Удаляя Книгу Общей Молитвы, духовенство просто старается, чтобы Церковь «соответствовала». Но при этом они отсекают часть корпуса языка, которым пользовался английский народ в течение веков. По сути дела, нет ничего плохого в попытках сделать религию более легкодоступной, но у «экспериментальных» альтернатив, принимаемых английской церковью, нет будущего: их назначение — соответствовать лишь на какое-то время. Как выразился один историк, «молитва и *тот самый* Молитвенник — не одно и то же». Всем общинам нужны берущие за душу слова, критерии выразительности, но взамен разделенного языка английской церкви англичанам предлагаются лишь наборы подхваченных на телевидении речевок: «Рад видеть, что вы неплохо выглядите», «И наконец», «Это лишь смеха ради».

На мой вопрос, как он оценивает состояние духовности в Англии, его высокопреподобие Дэвид Эдвардс, автор более тридцати книг о современном христианстве, лишь уныло поведал, что «англичане утратили всякое понимание того, что есть религия».

Возможно, он прав. Но напрашивается вопрос: а было ли *вообще* у англичан в целом глубокое ощущение религии? Свой расцвет англиканская церковь переживала 200 лет назад, когда в доме приходского священника в Хэмпшире шестым ребенком из семи родилась Джейн Остин. (В наши дни дома приходских священников сплошь заняты преуспевающими бизнесменами и писателями: викарии живут в одноэтажных бунгало из красного кирпича в глубине участка, где раньше располагался огород.) К тому времени англичане давно уже подрастеряли религиозный пыл в гражданской войне, после которой нация вновь стала в основном бесстрастно исполнять положенный набор ритуалов, сопровождая их невнятным бормотанием. Церковные власти, руководившие этой комфортабельной полудремой, похоже, больше озабочены не мессианскими устремлениями вести английский народ к спасению, а тем, чтобы «насадить в каждом приходе джентльмена». Даже самых известных представителей англиканской веры вспоминают в связи с чем угодно, только не с их духовностью. Среди них авторы дневников Фрэнсис Килверт и Джеймс Вудфорд, естествоиспытатель Гилберт Уайт, такие важные персоны, как Козмо Ланг, или философы, как Сидни Смит.

Огромным упущением этой обладающей уникальными привилегиями Церкви стала ее неспособность пустить корни в городе. Исконно англиканский приход — тот, что любовно высмеян в телевизионном сериале «Викарий из Дибли», — деревенский, епархия рядом с собором в Солсбери, Хирфорде или Винчестере. Церковь слишком поздно прислушалась к яростному осуждению Достоевского, который писал, что

Англиканские священники и епископы горды и богаты, живут в богатых приходах и жиреют в совершенном спокойствии совести... Это религия богатых и уж без маски... Исходят всю землю, зайдут в глубь Африки, чтоб обратить одного дикого, и забывают миллион диких в Лондоне за то, что у тех нечем платить им.

Возможно, это звучит как пропаганда, но когда журналист викторианской эпохи Генри Мейхью спросил у лондонского уличного торговца овощами и фруктами про «собор Святого Павла», тот ответил, что слышал, что это церковь, но сам никогда в церкви не был. В результате проведенного в воскресный день 30 марта 1851 года опроса выяснилось, что две трети населения Лондона вообще не ходит в церковь, а есть и случаи язычества. На востоке и юге Лондона посещаемость церквей оказалась самой низкой по стране.

Так что, когда англиканскую церковь называют «государственной», на самом деле всегда имеются в виду лишь ее конституционные привилегии, монархия и положение церкви в графствах. Бо́льшую часть времени в большей части городов и пригородов, где живет большая часть англичан, англиканской церкви почти не видно. Да, *есть* англиканские священники, которые героически трудятся в трущобах бедняков в центральных районах больших городов, помогают людям с получением пособий, содержат кухни с раздачей бесплатного супа и приюты для стариков или безработных. Но они работают как сотрудники социальной сферы — за половину оклада. Их жизнь — свидетельство веры, но они стесняются заявлять об этом, боясь, что это «помешает» их работе. В пьесе Дэвида Хейра «Мчащийся демон» преподобный Лайонел Эспи вызван к епископу, чтобы ответить на обвинения в небрежении частью своей работы, связанной со святыми таинствами. «Сказать, что в нашем районе Церковь — посмешище, значит ничего не сказать, — заявляет он епископу. — Это нечто неуместное. Она не связана с жизнью людей». А его коллега-лютеранин далее по ходу пьесы разражается такой тирадой: «Священники в районах городской бедноты? Да это сговор, картель какой-то. Потому что духу не хватает всем и каждому. Вы превратились в просвещенных гуманистов».

Когда в разговоре с каноником Дональдом Греем, капелланом спикера палаты общин, я высказал мысль о том, что города потеряны для Церкви, он ответил: «Говорить, что кварталы городской бедноты *потеряны* для Церкви, не верно. Они никогда и не были нашими». И он прав: справиться с трудностями городской жизни пытались нонконформисты от методистов до Армии Спасения, а ирландские иммигранты привезли с собой свою собственную веру, католическую. Англиканская церковь расширила свое влияние лишь в нескольких городских районах, где укоренились популистские взгляды тори. Но в большинстве случаев эти просторные здания с гулко перекатывающимся в них эхом, которые воздвигнуты англиканами на углах улиц всех крупных индустриальных центров как инстинктивный ответ на массовую миграцию из сельских районов, *никогда* не заполнялись, даже сразу после того, как были построены. Неудивительно, что столетие спустя, холодные и неухоженные, они стоят и ждут, когда их выкупят и превратят в сикхский храм или ночной клуб. Преподобный Лайонел Эспи и ему подобные стараются как могут. Но уже прошло так много времени, что никаких шансов вернуть утраченные позиции у них нет.

В нынешней ситуации дела у англиканской церкви обстоят хуже некуда. Общеизвестно, что церковные добродетели, ее доброта, терпимость и сострадание, подорваны полным отсутствием строгости мысли. Большинство прихожан так и не продвинулись дальше «Библейских рассказов» Энид Блайтон, поэтому священникам приходится каждое воскресенье читать проповеди так, словно каждое слово в Библии — факт, в то время как ясно, что по большей части это вымысел или аллегория. Теологи, такие как Джон Робинсон в книге «Ей-богу» или Дэвид Дженкинс в бытность его епископом Даремским, которые осмеливаются допустить, что все не так просто, подставляются, чтобы их освистали. А раз церковь «государственная», каждый считает, что вправе критиковать ее. Более вдумчивые члены Парламента, может, и возьмут обет молчания, понимая, что не дело вмешиваться в такие вопросы, как служба в церкви, однако вместо них может взять слово какой-нибудь тупица. Даже принц Чарльз, который унаследует роль Защитника веры, изначально дарованную Генриху VIII Папой Римским, похоже, утратил к этому всякое желание. «Надеюсь, что я стану защитником *вер*», — заявил он в одном из интервью, словно одинаково важны и сикхизм, и джайнизм, и католицизм, и друидизм, и вера в целительные свойства астральной проекции. Сказал он это, несомненно, с самыми добрыми намерениями, но это показатель того, какая неразбериха царит в головах. Религиозное образование в школах — где его преподают выпускники педагогических колледжей, в которые англиканская церковь вложила миллионы, — являет собой мягкое и бесстрастное бланманже, где есть все что угодно от гуру Нанака до креационизма.

Насчет происхождения слова «религия» существуют сомнения, но считается, что оно происходит от латинского *religare*, «связывать»: народ, который вместе молится, есть народ сплоченный. Пессимист мог бы здесь заключить, что факт того, что больше не существует единого корпуса выражения, свидетельствует, что больше не существует единого корпуса веры и что общество, утратившее наиболее сплачивающие его связи, обречено на гибель. Однако англиканская церковь оказала глубокое воздействие на английский народ еще в одном смысле.

Всем известно, что за разрывом с Римом последовало всеобщее разграбление католической церкви: это событие запечатлено в школьных учебниках истории как «1536 год. Роспуск монастырей». Однако лишение римской католической церкви ее земного могущества превратилось в нечто гораздо большее, чем просто изъятие у нее земель, зданий и сокровищ. Этот не сравнимый ни с чем по размерам акт коллективного вандализма имел глубокие культурные последствия. В книге «История британского искусства» Эндрю Грэм-Диксон вполне убедительно доказывает, что вся средневековая традиция живописи и скульптуры, которая сохранилась кое-где в Европе, в Англии оказалась в той или иной степени утраченной. Конечно, ведь никто не сомневается, какой размах принял тогда вандализм. За период между роспуском монастырей в 1536 году и смертью Оливера Кромвеля более чем 120 лет спустя, волны фанатизма, объявившего религиозное искусство формой католического идолопоклонства, докатились чуть ли не до каждого уголка Англии. Одно время поговаривали даже о том, чтобы сровнять с землей Стоунхендж. Свидетельств о том, что именно в то время Англия лишила себя художественной традиции, не много по той очевидной причине, что слишком мало образцов наследия римского католического искусства избежало этого разгула разрушения. Единственное скульптурное изображение Христа из камня, обнаруженное в 1950-х годах рабочими на строительстве Мерсерс-Холла в Лондоне, совершенное, если судить по сохранившимся деталям, свидетельствует, по словам Грэм-Диксона, «о двух смертях — смерти Бога и смерти всей традиции британского искусства... это произведение, созданное на вершине английского Ренессанса, которому не суждено было свершиться».

Если именно в этот момент английская культурная традиция отсекла себя от остальной Европы, то трудно найти более разительное свидетельство того, в каком новом направлении должна была двигаться английская творческая мысль, помимо сноса загородок алтарей и установки вместо них голых досок с перечислением Десяти Заповедей. Наглядное в буквальном смысле слова заменялось словесным. Если исходить из того, какие это имело последствия, это был не столько «английский Ренессанс, которому не суждено было свершиться», сколько англосаксонское Просвещение, опередившее такое же явление на «континенте» более чем на сто лет. Англичане пришли не только к новому пониманию Слова Божьего, они пришли к пониманию слова как такового. Мы не знаем, появились бы когда-нибудь английские Тициан, Рафаэль или Микеланджело. Но мы точно знаем, что Реформация и ее последствия дали миру Уильяма Шекспира, Кристофера Марлоу, Джона Донна, Джона Баньяна и Джона Милтона.

Установленная ими литературная традиция оказалась наиболее продолжительной и выдающейся в западном мире. Мы, конечно, не знаем, как развивались бы она и ее ответвления в Северной Америке и Австралазии, останься Англия католической страной. Но англичане действительно стали народом, одержимым словесами, а вот интерес и к музыке, и к искусству — и возможности для этого — претерпевали невероятные изменения. Одно время Англию называют «страной, в которой нет музыки», затем при дворе чествуют Генделя, немца по происхождению, а в 1905 году Элгар сетует, что «унаследовал искусство, которое не получает отклика в душе нашего собственного народа и не пользуется уважением за рубежом». Любовь же англичан к слову составляет настолько разительный контраст, что трудно себе представить. Она проявляется в доходящей до абсурда сверхпроизводительности британского издательского бизнеса, который выдает 100 000 новых книг в год — больше, чем вся американская издательская индустрия, — а также в том факте, что в стране выходит больше газет на душу населения, чем чуть ли не в любом другом месте на земле, в бесконечном потоке писем к редактору, в неутолимом аппетите к словесным головоломкам, анаграммам, игре в скрэббл, тестам и кроссвордам, в резонансе, который вызывает английский театр, в том, что в доброй половине английских городов, где проводятся ярмарки, есть магазинчики старой книги. «Книги — это национальная валюта», — заключил один недавно скончавшийся иностранный посол.

А что же живопись? Даже в жанре портрета все великие художники, жившие в период Реформации и после нее, — Гольбейн, Ван Дейк, Лели и Неллер — иностранцы. Вы можете возразить, что большей части других видов живописи здесь не способствует климат, что там, где небо серое, и пейзажи получаются мрачными. Но если это так, то почему тот же довод не применим к Голландии, давшей миру целую когорту превосходных художников? И как бы то ни было, северный свет дает больше оттенков, чем обесцвеченная зноем Южная Европа. Ответ в данном случае, похоже, в том, что суть английской Реформации заключалась в политике, рациональности и праве выбора, а главное, в стоящем за ней религиозном воздействии состояло в поиске *значения*: поэтому средством выбора стало слово.

Еще до того переворота в английском искусстве преобладало наблюдение за природой: в соборах и в иллюстрированных манускриптах можно увидеть множество сцен из повседневной жизни — животные, работа крестьян в поле, даже игра в мяч. Традиционным в английском искусстве стала не барочная аллегория, а портретная и пейзажная живопись, и не только потому, что не церковь, а аристократы стали теперь главными покровителями искусства. Какую-то роль сыграл и английский склад ума. «Всем этим аллегорическим картинам, какие только мне могут показать во всем мире, я предпочел бы портрет знакомой мне собаки», — сказал доктор Джонсон, и английское искусство занимается выразительными сюжетами. «Почти во всех величайших произведениях живописи английской школы предметом наблюдения является или человек, или природа, это или портрет, или пейзаж: Констебль и Тернер, и авторы акварелей от Казенса до Котмана, и Гейнсборо, Рейнольдс, Ромни и так далее», — пишет в книге «Английское в английском искусстве» Николаус Певзнер. Будь он пооткровеннее, он, вероятно, признал бы также, что традиция английской живописи менее всего ценится в изобразительном искусстве Европы. Англичане народ пишущий, им было не до живописи.

То, что англичане стали нацией словес, имело также и глубокие политические последствия. Стремление получить Библию на английском языке имело революционное значение. Перевод сделал в 1407 году архиепископ Кентерберийский, и это грозило ему отлучением от церкви, а народные проповедники лолларды Виклифа получили свое название от голландского слова, означающего «бормотать», потому что встречались, чтобы слушать Библию на английском языке, а это было запрещено законом. Так что, когда Уильям Тиндейл и Майлз Кавердейл составили полную английскую Библию, это была победа радикализма над теми, кто был заинтересован в обратном. Сначала это отразилось на положении Церкви: кому нужна иерархия духовенства для толкования Библии, когда ее можно прочесть самому? Но это было еще не все: Библия в конечном счете — Слово Божие, и именно Слово Божие давало власть королю или королеве. Доступность Писания для каждого человека становилась огромным взрывным потенциалом. В 1543 году указание каждому приходу иметь собственную Библию на английском языке и держать ее на всеобщем обозрении было отменено, потому что этим правом злоупотребляло «подлое сословие». Вышло постановление о том, что «ни женщинам, ни ремесленникам, ни подмастерьям, ни поденщикам, ни служилому люду уровня служителя при дворе или ниже, ни землепашцам и батракам не должно читать ни Библию, ни Новый Завет самим или кому-то другому ни тайно, ни открыто». (Эти ограничения были сняты после смерти короля Генриха.)

Высочайше Утвержденная Версия или Библия короля Якова, отзвуки которой Клеменс Дейн усмотрела в письме из Южной Африки, появилась в 1611 году. Над ней трудились в течение трех с половиной лет сорок семь ученых мужей, но в основном она зиждется на трудах Тиндейла. Ее появление немедленно сказалось на демократизации образования, появился целый набор заучиваемых наизусть библейских рассказов и фраз, которые широко использовались в народе. Может, англичане никогда и не были монолитно сплоченной нацией, но теперь у них появилось общее национальное наследие. «Там правит теология», — писал об Англии в 1613 году голландский философ Хуго Гроциус, а XVII век стал расцветом английской проповеди. Однако наиболее важным последствием перевода Библии стало внедрение в сознание англичан веры в права простого человека. Для пуритан Библия была высшим свидетельством относительно всего сущего; им никогда бы и в голову не пришло, что это может быть что-то иное, а не непосредственное Слово Божие. Как выразился священник Томас Уилкокс, «Нет вам дела ни в чем ином, как лишь в том, к чему вам дана прямая власть Словом Божиим». Однако власть Слова простиралась гораздо дальше. Общий язык богослужения давал возможность обращаться непосредственно к Богу, без посредничества пап или епископов, и это предоставляло каждому всевозможные права, о которых никто никогда бы и не задумался.

Упор на значение отдельной личности, скрытый в этом новом завете, является одним из возможных объяснений склонности англичан к утопическому романтизму. Начиная с «диггеров» — демократов-утопистов — XVII века до лейбористской партии века XX, при посредстве Уильяма Блейка, Роберта Оуэна и десятков других пышным цветом расцветает вера в возможность совершенствования человечества. Уязвимость Америки перед каждым проходимцем в потертом костюме и с фальшивой улыбочкой на лице имеет английские корни: в конце концов отцы-основатели совершили попытку основать свою Утопию. Как выяснил историк этих движений, в середине викторианской эпохи только в одном графстве Ланкашир «Манчестер породил экстатические пляски Матушки Энн, основательницы секты трясунов. Аккрингтон надежно хранил метафизику Сведенборга, Эштон предоставил храм для евангелиста Джона Роу. Сэлфорд вместе с Рокдейлом дали новообращенных для коммуны „Манеа Фэн" (поселение „коммунщиков" на востоке Англии). Ну а в Престоне настал черед Хебера Кимболла и его братьев-миссионеров собирать урожай душ и тел для своего нового откровения». (Мистер Кимболл похвалялся, что не умрет до второго пришествия Христа, и предрекал, что лет через десять-пятнадцать море между Ливерпулем и Америкой высохнет. Этого не случилось, но второго пришествия мистера Кимболла ждут до сих пор.)

Произошла ли бы английская революция на сто или более лет раньше, чем в большинстве остальных стран Европы, если бы у англичан так твердо не закрепились эти представления о правах личности? В отличие от мирских восстаний XVIII, XIX и XX веков английский бунт не исключил религии, он обратился к ней за поддержкой. Когда Джону Милтону потребовалось обосновать отсечение головы королю, он привел веру в то, что Господь создал человека по образу своему: следовательно, вся власть королей и государей «есть лишь нечто производное, что народ передал и препоручил им в доверительное пользование для Общего блага всех их». Убеждение англичан «я знаю свои права» в значительной степени обязано этому глубокому убеждению в том, что предопределенным свыше является свобода, а не королевская власть. Когда Англия оказалась расколотой Гражданской войной, восставшие отождествляли себя с иудеями, а Кромвель стал фигурой, подобной Иисусу или Моисею. Он не побоялся и сам провести это сравнение: английский народ благословен Господом, заявил он в 1654 году, и «единственное из известных мне во всем мире деяний, сравнимое с тем, что содеял Господь с нами... [это] вызволение народа израильского через пустыню египетскую, где ему посылались многие знамения и чудеса, к месту, где обосновался он». Именно в борьбе Церкви и государства за то, чтобы первыми получить доступ к Библии на своем языке, а потом с помощью Священного Писания установить отношения друг с другом и с властью, мы видим проявление духа английского индивидуализма. Это одна из причин, почему ни одному англичанину или англичанке никогда не нужно было растворять свою личность в государстве. И это одна из причин, почему в стране всегда было так много людей, непохожих на других.

Глава 7   **Лишь дом родной**

Жизнь англичан дома и жизнь в море взаимно
дополняют друг друга: их главные характеристики — безопасность и монотонность.

Элиас Канетти. Масса и власть

В 1835 году молодой англичанин по
имени Александер Кинглейк закончил учебу в Кембридже и, прежде чем начать карьеру юриста, решил проверить себя на зрелость и отправился через сирийскую
пустыню верхом на верблюде. Он держал путь в Каир,
имея при себе «пару пистолетов и двух слуг-арабов».
Через несколько дней пути по пустыне они увидели
двигавшихся им навстречу трех других верблюдов. Когда те приблизились, стало видно, что на двух верблюдах едут всадники, а третий увешан поклажей. Потом
он разглядел, что один из наездников одет в английский охотничий костюм и выглядит как европеец. Чем
меньше становилось расстояние между ними, тем большее волнение охватывало Кинглейка:

Мы сближались, и меня стал мучить вопрос: следует ли
нам заговаривать друг с другом? Я посчитал, что незнакомец вполне может обратиться ко мне, и если это произойдет, я был вполне готов к общению и беседе, насколько это в моем характере; однако мне так ничего
и не приходило в голову, что ему сказать... Большого
желания останавливаться и начинать разговор как

с утренним посетителем среди этой безбрежной пустыни у меня не было.

К счастью для Кинглейка, человек на другом верблюде тоже оказался англичанином. Армейский офицер, он возвращался в Англию по суше из Индии. Когда наконец эти незнакомые люди встретились посреди безграничных просторов, «подняв руку к головному убору и вежливо помахав друг другу, мы проехали мимо на почтительном расстоянии, словно разминулись на Пэлл-Мэлл-стрит». И ни слова при этом.

В конечном счете победу над английской сдержанностью одержали аравийские верблюды, которые, миновав друг друга, дальше идти отказались. Оба англичанина повернули обратно.

Первым заговорил он; обратился он ко мне с изысканной вежливостью, словно допуская, что желание заговорить с ним возникло у меня просто из общительности или присущей гражданским лицам любви поболтать всуе, и тут же счел мои попытки познакомиться за похвальное желание получить статистическую информацию, из-за чего, когда мы приблизились настолько, что можно было слышать друг друга, произнес: «Вероятно, вы хотели узнать, как проходит эпидемия в Каире?»

Откуда у англичан это странное нежелание заводить разговор друг с другом? Именно на это один за другим жалуются приезжающие в Англию иностранцы, которые обнаруживают, что познакомиться с англичанином просто невозможно. Если они добродушны, как Макс О'Релл, писавший об Англии конца викторианской эпохи, им это кажется лишь забавным. «Если в купе для курящих вы скажете англичанину, что он уронил на брюки пепел от сигары, он скорее всего ответит: „Я уже десять минут наблюдаю, как у вас в кармане пиджака горит коробка спичек, но ведь не беспокою вас по этому поводу"». Но чаще всего то, что англичанин считает лишь невмешательством в частную жизнь, другим представляется чем-то вроде презрения. Когда англичане правили империей, которая правила всем миром, это выглядело высокомерием. С понижением статуса нации это стали считать чем-то экстравагантным. В 1992 году, через сто лет после упомянутого выше случая, в поезде еще один американец, с удовольствием смахнувший пыль Англии со своих ботинок, решил, что в эту страну целую тысячу лет не вторгался ни один захватчик лишь потому, что делать этого просто не стоило. Он целых восемь лет безуспешно пытался с кем-то подружиться, но понял, что единственный способ завоевать общественное признание в Англии — это изображать безразличие. «Что можно сказать про общество, которое принимает лишь тех, кого мало заботит, принадлежат они к нему или нет? Для начала это свидетельствует, что англичанам в общем-то наплевать, нравятся они кому-то или нет. Они предпочитают общество других мизантропов. А так как на самом деле ни один мизантроп, заслуживающий того, чтобы его так называли, не выказывает желания становиться членом этого клуба, тех, кто действительно хочет вступить в него, нужно просто третировать».

Он и представить не мог, какое изысканное наслаждение доставит этот взрыв негодования кое-кому из англичан; пусть Британия больше не правит морями, но англичане по-прежнему способны заставить чужестранцев почувствовать унижение. И попал в самую точку. То, что он называет мизантропией, другие могли бы назвать частной жизнью. Это одна из отличительных характеристик англичан, и иностранцы всегда на это сетуют. При упоминании о приключениях Шерлока

Холмса в памяти неизменно возникает не сам великий детектив, который раскрывает тайны, связанные с убийством того или иного человека, а образ его дома на Бейкер-стрит, где он со своим другом доктором Ватсоном проводит время в приятной дремоте, пока их покой не нарушает некий посетитель, который отчаянно нуждается в помощи. Вот в чем беда с окружающим миром. Он постоянно вторгается в домашний уют.

Даже иностранцы, которых посылают в Англию на работу, могут открыть для себя, что английские коллеги пригласят их к себе домой лишь однажды — накануне их отъезда. В отличие от некоторых других стран, где общение может время от времени происходить и дома, англичане очень трепетно относятся к домашнему очагу и предпочитают ресторан или паб. Из этого можно сделать вывод, что приглашение в дом к англичанину действительно что-то значит в отличие, скажем, от Америки. Однако еще это значит, что вы можете прекрасно знать, что у кого-то дома происходит нечто невообразимое, но и пальцем не шевельнете, чтобы что-то предпринять. Так, например, в сознании англичан навсегда запечатлелись несколько адресов, хотя они никогда там не были: это Риллингтон-Плейс, дом 10, мрачные меблированные комнаты в районе Ноттинг-Хилл на западе Лондона, где некрофил Джон Кристи убил полдюжины женщин; Крэнли-Гарденз, дом 23, в Мазуэлл-Хилл и Мелроуз-авеню, дом 195, в Криклвуде, где Денис Нильсен расчленил пятнадцать молодых людей и спустил их в канализацию; Кромвель-роуд, дом 25, в Глостере, где Фред и Роуз Уэст замучили и убили по меньшей мере десять женщин. Все эти случаи имели такие масштабы потому, что соседи были верны английской традиции не совать нос в чужие дела. «Мне не хотелось вмешиваться», говорили они любопытным репортерам, пока полицейские в черных плащах выносили один за другим ящики с человеческими останками.

Слова, которое точно соответствовало бы английскому privacy, просто не существует ни во французском, ни в итальянском, а между тем в Англии это один из принципов, характеризующих всю страну. На первый взгляд кажется забавным, что у страны нет закона, который закреплял бы основную идею права на частную жизнь. Но ведь конституционная защита необходима лишь в обществе, где предполагается, что личность есть нечто второстепенное по отношению к государству. Значимостью частной жизни исполнена вся организация страны, начиная от предпосылок, на которых основаны законы, и кончая конструкцией домов, в которых живут англичане. Можно заметить, что английские загородные дома — жилища людей состоятельных, за несколькими намеренно монументальными исключениями, такими как Бленхеймский дворец архитектора Ванбру, — не отличаются кричащим внешним видом: такие места скорее вызывают лукавое восхищение, как в строках Поупа

> *Да, сэр, здесь прелестей не счесть,*
> *Но где тут спать*
> *И где тут есть?*

Гораздо чаще загородный дом скрыт от посторонних глаз, в самом крайнем случае за высокими стенами или изгородью из густого кустарника, причем для придания еще большего уединения зачастую используются складки местности и склоны холмов.

Эта отделенность проявляется и в жизни простого народа. В большинстве стран континентальной Европы жизнь проходит на улице. Именно на улице люди едят, пьют, сочувствуют, флиртуют, смеются и про-

Privacy — уединение, частное дело (*англ.*).

173

водят время. У англичан этой жизни на улице противопоставлен задний дворик, общение в котором происходит лишь по приглашению. Мечта англичанина — это частная жизнь, но не одиночество, поэтому каждый хочет иметь свой дом. Если есть выбор между собственным задним двориком и проживанием в общем доме, где можно воспользоваться такими благами, как общий бассейн или площадка для игр, большинство выберет свой клочок земли. Во Франции, Германии и Италии около половины строившегося в 1990-е годы жилья составляли квартиры. В Англии они в лучшем случае составляли 15 процентов. Это отражает то представление, что в конце дня англичанин не останется посидеть на улице и поболтать, скорее он отправится домой и захлопнет за собой дверь.

В октябре 1896 года в германском посольстве в Лондоне появился новый сотрудник. Это был особый атташе, который, помимо дипломатов, занимался изучением политической жизни Англии, вооруженных сил страны и торговли с другими странами. Номинально Герман Мутезиус должен был составлять для прусского Министерства торговли отчеты о том, как англичане организуют подачу газа и электричества в свои города и как прокладывают железные дороги. На самом деле он планировал изучить то, что в его представлении было присуще лишь англичанам. Опытный архитектор, Мутезиус задумал осуществить анализ того, как англичане строят свои дома. Как он писал великому герцогу Сакс-Веймарскому Карлу Александру, «в английской архитектуре нет ничего более уникального, чем строительство дома... ни один народ не относится к его разработке с таким тщанием, потому что ни один народ в такой степени не отождествляет себя с домом». В ответ великий герцог с энтузиазмом предлагал ему продолжать исследования, потому что «такая публикация будет иметь огромную ценность здесь, в Германии. Исторически сложилось, что представление об обыденности и домашнем уюте меньше развито здесь, в нашем не таком удачливом фатерлянде, чем в Англии».

Результаты своих изысканий Мутезиус опубликовал лишь спустя семь лет по возвращении из Лондона в Германию. Трехтомное издание *Das englische Haus* появилось в Берлине в 1904 и 1905 годах. Хотя между 1908 и 1911 годами вышло второе издание, на английском языке его сокращенный вариант был опубликован лишь в 1979 году: возможно, это свидетельство того, как мало заботит англичан мнение иностранцев об их образе жизни.

Das englische Haus — английский дом (*нем.*).

Мутезиус относился к Англии с невероятным энтузиазмом. Однако это не был энтузиазм некритичный: города, по его мнению, переполнены «безвкусным спекулятивным жильем, и целые акры заняты никудышными, абсолютно одинаковыми домишками», а в пригородах зачастую полно «тривиальных фасадов, спроектированных без всякого понимания». И все же, несмотря на это, Англия была единственной развитой страной, где бо́льшая часть населения по-прежнему жила в домах, а не в квартирах, как в городах континентальной Европы. В результате в стране было во многие сотни раз больше ценных в художественном отношении домов, чем в Германии. Сильнее всего его восхищало в них то, чем он больше всего восхищался в английском характере — их непритязательная естественность. Тот факт, что люди с таким достатком предпочитали жить дома по возможности наиболее комфортно, не поддаваясь одержимости роскошью или стремлению произвести эффект, говорил, по его мнению, о принадлежности англичан к высшей цивилизации.

Хотя Мутезиус не мог не уделить основное внимание творчеству таких архитекторов, как Лютьенс, Бидлейк и Норман Шоу, у него встречаются некоторые проницательные наблюдения относительно того, почему английское домостроение развивалось именно таким образом. Как и многие другие иностранцы, он отмечает важность климата: «сырой воздух Англии и постоянно затянутое тучами небо» заставляли английскую семью искать убежище в доме, в то время как в странах с иным климатом могло возникнуть желание пообщаться и на улице. Гораздо большее значение имели давнишняя английская самодостаточность и независимость мышления — «от протекающей за стенами их домов жизни этим людям нужно сравнительно немного», — и в силу этого дом становится для них идеальным местом обитания. Если добавить присущий им консерватизм, без восторга встречающий любые перемены, то англичанам вполне подходил этот разобщенный стиль жизни: «благодаря ярко выраженному отсутствию общительности, которое так отличает англичанина от жителя континента, он не находит ничего предосудительного в уединенности своего одинокого жилища». Мутезиус верно подметил, что одним из следствий домовладения является то, что англичане в большей степени относятся к своему жилью как к чему-то постоянному: пристанище, откуда тебя могут выселить через несколько недель или месяцев, вряд ли может возбудить интерес к обустройству дома. С таким же успехом можно ожидать, что кого-то заинтересует обустройство или украшение номера в гостинице.

Отчасти дело, конечно, и в классовости. В те времена, когда Мутезиус превозносил гениальность английского дома, миллионы людей жили в прижавшихся друг к другу рядах одинаковых домов, и для них отношение к собственности, которое произвело на него такое впечатление, было недостижимой мечтой. В лучшем случае они могли надеяться на жилье в одном из стандартных домов, подобных тем, что и сейчас можно найти на сохранившейся в Манчестере необычной улочке конца викторианского периода рядом с местом, где располагалась первая в мире механизированная фабрика. Булыжная мостовая теперь скрыта под асфальтом, но в остальном все осталось по большей части таким, каким было построено: две небольшие террасы из красного кирпича друг против друга, то самое жилье, что когда-то можно было встретить в каждом промышленном городке Англии. Самое забавное связано с названием этой улочки — Анита-стрит, потому что ни одной Анита-стрит больше нет во всем Большом Лондоне. Объясняется это тем, что во время строительства эта улочка была для отцов Манчестера показательной, потому что в каждом отдельном доме был самый настоящий внутренний водопровод — неслыханная роскошь для рабочих хлопкопрядильных фабрик. Отцы города очень гордились этим и закрепили свою гордость в названии этих террас: Санитари-стрит — Канализационная улица. Те, кто жил там позже, испытывали неловкость от такого громогласного напоминания всему миру о деятельности их кишечника и настояли, чтобы первая и последние буквы были опущены.

Однако для тех, кто мог себе это позволить, английский дом предлагал завидный набор связанных с водой удобств. Рынок производителей такого оборудования в стране был настолько развит, что в XIX в. англичане доминировали на европейском рынке ванн, умывальных тазов и раковин и уборных; исключение составляли биде: многие англичане до сих пор считают, что в них стирают носки. — *Примеч. автора.*

Величайшим психологическим преимуществом английской приверженности дому Мутезиус называет «большее духовное здоровье», 177 происходящее из того факта, что у дома есть контакт с землей, имеется больше возможностей получения доступа к свежему воздуху, а наличие садика помогает не растерять естественной выносливости, которая заложена жизнью в деревне и «растрачивается в водовороте городской жизни». Англичане, которые считают, что города разрушают традиционные моральные ценности, вряд ли разделят его энтузиазм, но Мутезиус действительно нащупал одну из их наиболее значимых характеристик.

Мало-помалу характер распределения богатства в Англии становился все более справедливым, и все больше людей получало возможность стать владельцами собственности. В наши дни собственниками своего жилья являются две трети англичан. Это значительно выше среднеевропейского показателя и почти в два раза превосходит число частных домов в Германии. В Нидерландах в частных домах живет меньше половины их владельцев, а во Франции лишь чуть больше половины. Было бы опрометчиво делать на основе этих цифр какие-то выводы (в число европейских стран, где много собственников своего жилья, входят Греция и Норвегия — но что может быть общего между этими странами?), однако тот факт, что англичане предпочитают брать на себя такие серьезные обязательства, которых нет у многих других европейских народов, о чем-то говорит. Должно быть, это связано с пониманием того, что они делают вложение, что деньги, занятые на покупку кирпичей и строительного раствора, работают на них, в отличие от денег, потраченных на ренту, которые работают на хозяина жилья. Но это и свидетельство некоего глубоко скрытого ощущения значимости частной собственности.

В историческом плане от обладания собственным
домом зависело участие в политической жизни стра-

ны. До 1832 года человек мог принимать участие в голосовании лишь в том случае, если налог на принадлежавшую ему землю составлял не менее сорока шиллингов в год; в XIX веке размер этого права на голосование всякий раз увеличивался, и право принять участие в демократической форме правления могли лишь мужчины и домовладельцы. Банк «Эбби Нэшнл», изначально строительная компания, начинал свою деятельность в виде двух организаций, одна из которых — «Эбби Роуд» — провозглашала о желании предоставить молодым людям возможность приобрести собственные дома, чтобы они могли голосовать, а «Общенациональная строительная компания» — «Нэшнл Билдинг Сосайети» — вдобавок надеялась убедить их, что лучше потратить деньги на нечто более стоящее, чем выпивка. То, насколько сильно в англичанах желание иметь свою собственность, разглядела Маргарет Тэтчер, заставившая муниципальные власти предоставить жильцам домов право приобретать их, и это говорит о ее глубоком понимании некоторых заложенных в англичанах чувств (так, как в Англии, к ней не относились ни в Шотландии, ни в Уэльсе).

Последствия этой одержимости видны в каждом городе страны. Если вы проедетесь по английскому пригороду — любому, — вас поразит то, что почти у каждого дома есть название. Зачем? Существует отлаженная система нумерации, которая гарантирует гораздо более быструю доставку до нужного адреса любого почтового отправления, нежели беспорядочно составленный список Тенистых Лужаек, Монрепо или Данроуминов. Но ведь если человек дает дому имя, это говорит о его эмоциональной привязанности к месту, где он живет. Имя — это выражение индивидуальности. А номер — свидетельство коммунальности или анонимности.

А посмотрите, что они вытворяют со своими домами. Абсолютно респектабельные стандартные эдвардианские дома превращаются в разгул фантазии с покрытием из штукатурки с каменной крошкой, «лунными» окнами и облицовкой под эпоху Тюдоров. На каждый уик-энд по всей стране мужья покидают жен, отцы оставляют детей, чтобы с молотком, дрелью и кистью в руках оставить след в доме, где они живут. «Сделай сам» — вот имя этой воистину общенациональной одержимости. Феноменальному росту этой пыльной страсти после Второй мировой войны сначала можно было дать какое-то рациональное объяснение: значительное увеличение собственников жилья, этические правила, порожденные существовавшей во время войны карточной системой и заставлявшие обходиться малым и чинить все своими руками, высокие цены на услуги профессиональных строителей после войны и общее стремление к чему-то современному среди молодых людей, которым приходилось ютиться в обветшалых домах. Но при таком анализе не принимается во внимание самый мощный фактор — английская влюбленность в свой дом. С увеличением возможностей англичанина стать владельцем собственного дома росло и желание сделать его лучше. Первый супермаркет «Сделай сам» открылся в 1969 году, а к середине девяностых у его владельцев — Ричарда Блока и Дэвида Квейла было 280 таких супермаркетов. К тому времени англичане ежегодно тратили на do-it-yourself (DIY) более 8,5 миллиарда фунтов стерлингов.

Навязчивое желание стать владельцем своего дома — это материальное выражение понятия англичан о частной жизни. Не являются ли все эти три вещи — островное положение всего народа, коллективное представление о домашней жизни и озабоченность каждого в отдельности частной жизнью — различными проявлениями одного и того же феномена? И если да, то откуда он? В работе американского писателя Ральфа Уолдо Эмерсона «Черты характера англичан» я нашел метеорологическое объяснение английского характера. «Англичанин рождается в суровом дождливом климате, из-за которого ему приходится свободное время проводить дома, — пишет он. — Именно в домоседстве коренится возможность этого народа разрастаться вширь и ввысь. Мотивом и целью их торговли является защита независимости и неприкосновенности своего жилища». Интересно, подумалось мне, может, все дело действительно в английской погоде?

Из Парамарибо, Касабланки, порта Морсби, острова Вознесения и пролива Макмердо поступают электронные сообщения: столько-то осадков, такая-то облачность. В тысячах других мест по всему миру — с помощью метеорологических шаров и спутников, кораблей, самолетов и пожилых заместительниц начальников почтовых отделений в Шотландском нагорье — внимательно изучаются небеса и в назначенный час и минуту заполняются сводки. И что же происходит потом с этой лавиной информации о погоде в мире — в джунглях, пустынях и полярных льдах? Она поступает в Брекнелл; в Брекнелл, графство Беркшир, городишко, который на самом деле никакой не городишко, а лишь некое сборище дорог с двусторонним движением и автостоянками. Он претендует на известность тем, что отсюда развозятся товары в сеть супермаркетов «Уейтроуз», а в остальном это городишко с супермаркетами на любой вкус — супермаркеты DIY, садоводческие супермаркеты. Возможно, в конце какой-нибудь обширной автостоянки есть и супермаркет, где продаются путеводители по супермаркетам.

Я отправился в этот городишко, хотя ехать туда не было смысла и понять это можно было бы заранее. Если рассуждать здраво, раз погода воздействует на поведение человека, она может оказать *некоторое* воздействие и на его характер. Может быть, озабоченность англичан частной жизнью и домашним очагом объясняется лишь тем фактом, что в этом климате приходится много времени проводить в помещении? Резонно предположить, что холодная дождливая погода, из-за которой подросткам зимой вместо поездки на пляж или лыжной прогулки приходится сидеть дома, возможно, имеет какое-то отношение к тому, что страна дает столько изобретательной рок-музыки. Но не лежит ли за этим нечто более глубокое? Не сыграл ли мягкий и умеренный климат, когда редко случается страшная жара или жуткий холод, свою роль в формировании сдержанного, прагматичного народа? Философ-англофил Джордж Сантаяна считал, что

> Англия преимущественно страна атмосферы... Английский пейзаж, если брать только землю и творения человека на ней, редко являет собой нечто грандиозное. Чарующий, мягкий и в высшей степени удобный для жилья, он почти чересчур домашний, словно там могут жить лишь домашние страсти и запертые в клетку души. Но поднимите на миг свой взгляд над крышами или вершинами деревьев, и величие, которого вам не хватает на земле, откроется вам во всем блеске.

У Сантаяны написано много такого, что почти не поддается пониманию, однако можно чуть ли не видеть, к чему он ведет. Иногда действительно кажется, что англичанам не хватает яркости. Верно, они продемонстрировали, на что способны, дав миру прекрасную литературу. Однако вряд ли найдется хоть один страстный композитор-англичанин за два столетия от Пёрселла до Элгара. Англия породила одного потрясающего художника, который произвел целую революцию в живописи, — Тернера, но не дала ни Микеланджело, ни Рембрандта, ни Дюрера, ни Веласкеса, ни Эль Греко, ни Ван Гога, ни Пикассо. Тем не менее каждое лето по всей стране пышным цветом распускаются проводимые в церковных помещениях выставки любительского рисунка и живописи. Это в большей степени страна акварелей, а не картин маслом, миниатюр, а не монументальной живописи. Было бы странно, если климат, в котором живут англичане, не оказал бы на это *никакого* влияния.

Прошло двести лет, с тех пор как доктор Джонсон заметил, что «когда встречаются два англичанина, они первым делом заговаривают о погоде». Сегодня это замечание так же верно. Это в какой-то степени объясняет общенациональную зацикленность на погоде, когда телевизионные прогнозы погоды в Англии, основанные на анализе данных в Брекнелле и представляемые в характерном сдержанном ключе с применением традиционной технологии нехаризматичными мужчинами и женщинами в неброской одежде, регулярно собирают аудиторию из 6, 7 или 8 миллионов зрителей. Для тех, кто привык к крайностям погодных проявлений на континенте, этот английский бзик просто непостижим.

> В английской погоде [писал Билл Брайсон] иностранца более всего поражает то, что особым многообразием она не балует. Все явления, которые где-то еще придают природе оттенок волнения, непредсказуемости и опасности, — торнадо, муссоны, свирепые снежные бураны, смертельно опасные грозы с сильным градом — почти абсолютно неведомы на Британских островах, и, с моей точки зрения, это просто прекрасно. Мне нравится одеваться одинаково в любое время года.

Брайсон не отметил главного. В помешанности англичан на погоде нет ничего наигранного: как и увлеченность сельской Англией, это в значительной степени разительно не поразительно. Дело не в самих явлениях природы, а в *неуверенности*.

Доктор Джонсон прекрасно понимал, откуда у англичан эта одержимость погодой. Это следствие неподдельной, пусть и не полномасштабной, обеспокоенности. «У нас на острове никто, ложась спать, не может предсказать, узрит ли он наутро сияние небес, или они будут затянуты тучами, убаюкает ли его в минуты отдыха дождь, или их нарушит гроза», — писал он. Так что погода в Англии бывает *самая разная*, и это одно из того немного, что с абсолютной уверенностью можно сказать об этой стране. Пусть здесь и нет тропических циклонов, но когда живешь на краю океана и на краю континента, то как тут быть полностью уверенным, что тебя ждет? Возможно ли, что готовность к переменчивости небес что-то привнесла в некоторые из наиболее бесстрастных аспектов английского характера? Если выразиться еще проще, данная гипотеза состоит в том, как сказал Джонсон, что «расположение духа у нас меняется так же часто, как цвет небес», отчего англичане жизнерадостны в солнечную погоду и мрачны в дождливую. Нрав героя англичан Джона Буля, которого придумал в 1712 году Арбетнот, «во многом зависел от атмосферы; его настроение поднималось и падало вместе с барометром». (Для многих все совсем наоборот: на самом деле количество самоубийств в Англии увеличивается с улучшением погоды в апреле, мае и июне.) Англичане, похоже, верят, что благодаря климату своей страны они стали энергичными и изобретательными, в то время как арабы, например, под воздействием солнца оказались доведены до бессмысленной праздности. (Кстати, так же думают и о них самих: французы, посещавшие Англию в XVIII веке, отмечали, что в силу сочетания обильной мясной пищи и унылого дождливого климата англичане сделались особенно подвержены меланхолии.)

Однако попытки разобраться в его влиянии мало к чему меня привели. Один профессор из Солфордского университета с невозмутимым видом заявил, что, по его мнению, эта тема могла бы быть интересной, тем не менее не стоит ожидать благосклонного отношения к ней со стороны существующей науки, поэтому «найти для нее финансирование, боюсь, будет непросто». В связи с этим и пришлось предпринять поездку в серые официальные здания Управления метеорологии в Брекнелле, зажатые между жилым микрорайоном и большой круговой транспортной развязкой, — памятник протестантскому мировоззрению, согласно которому общественные деньги следует тратить лишь на здания, внешний вид которых свидетельствует о нравственности. Служба эта получила свой статус во время Второй мировой войны и спасла жизнь тысячам солдат союзных армий, особенно летчиков, для которых сведения об облачности означали защиту от огня немецких зениток, а от предупреждения о возможном встречном ветре зависело, хватит ли у тебя топлива, чтобы дотянуть до базы, или ты рухнешь в Северное море.

Февральский день, мимо стучит каблучками, плотнее закутываясь в пальто, блондинка среднего возраста. «Ух, ну и *холодина*, верно?» — произносит она, ни к кому конкретно не обращаясь. Из-за крашеных волос, чернеющих у корней на проборе, она немного смахивает на русскую, и я на какой-то миг задумываюсь: а не пытались ли русские проникнуть в Управление метеорологии, которое до сих пор считается частью оборонной системы страны? Но нет, она не русская: ни одному настоящему русскому и в голову не придет сказать, что в феврале холодно. Зимой в России всегда так. Нет, только англичанин в отличие от всех может выразить бесконечное удивление по поводу погоды. Как сетовал американский сценарист Джордж Аксельрод: «В Англии только и делают, что болтают о погоде. Но всем на нее абсолютно наплевать, черт возьми».

В Управлении метеорологии эта английская одержимость сводится к перемалыванию цифр со скоростью один биллион или около того следующих одно за другим вычислений в секунду. В течение десяти минут после того, как заместительница начальника почтового отделения в Шотландском нагорье отправит сводку о количестве осадков, температуре и скорости ветра, составляется полная картина погоды в Соединенном Королевстве. Через три часа пять минут после получения в Брекнелле сводок с острова Святой Елены, из Дар-эс-Салама, Папеэте или Кайенны шестнадцатитонный сверхбыстродействующий вычислительный комплекс — эта «цифродробилка» — выдает прогноз погоды для всего мира. Испытываешь некий трепет перед тем, что можно вот так просеивать ряды цифр, приводить их к какому-то образцу и выдавать предвидение для любого уголка земного шара. Однако внешний вид этих парней в рубашках без пиджаков, уставившихся на экраны компьютеров, никакого волнения не выдавал. «О нас всегда говорят, что мы ребята немного зацикленные», — сказал их начальник в ответ на мой вопрос, не страдают ли его сотрудники от навязчивых мыслей. Трудно было не согласиться, глядя на помещение, заполненное спокойными вежливыми мужчинами в пиджаках, коротковатых в рукавах, которые по выходным занимаются радиолюбительской связью, совершают пешие прогулки и выращивают гортензии.

Уезжая оттуда, я подумал, насколько же ужасно английское это место, какое спокойствие, функциональность и сдержанная вежливость. Было в нем нечто кроссвордистское, и неуправляемые силы превращались там в уютные клише о том, что нужно одеваться потеплее. В тот единственный раз за последние годы, когда метеорологам пришлось иметь дело с чем-то действительно из ряда вон выходящим — надвигавшимся ураганом в 1987 году, — Майкл Фиш, сообщавший по телевидению прогноз погоды, сказал, что на самом деле беспокоиться не о чем. После чего англичане получили еще больше возможности отдаться своей феноменальной способности тихо жаловаться. Метеорологов и метеорологинь их жалобы мало трогали (не больше огорчается многострадальная железнодорожная охрана, когда пассажиры не приходящих вовремя поездов говорят им то, что думают про услуги пообносившихся железных дорог страны). Перспектива точного прогноза раздражает даже тех, кто предсказывает погоду. По словам того же начальника, он чувствует подавленность, если изменение погоды наступает через пять дней. Ему хочется, чтобы она изменилась сразу. И это еще одна причина, почему англичане любят жаловаться в том числе и на тех, кто сообщает прогноз погоды. В глубине души им *нравится*, когда погода преподносит сюрпризы.

Не все иностранцы считают англичан невозможными мизантропами. Американский военный корреспондент Марта Геллхорн приехала в Европу из города Сент-Луиса, штат Миссури, в 1930 году, отправилась репортером на Гражданскую войну в Испании, вышла замуж за Эрнеста Хемингуэя, первой написала о концентрационном лагере Дахау, делала репортажи из Вьетнама, а в восемьдесят один год стала первым иностранным корреспондентом, попавшим в Панаму после свержения диктатора Норьеги. Когда я с ней познакомился, примерно за год до ее смерти, у нее ужасно ухудшилось зрение — «все этот проклятый болван хирург — говорил, что лучший в Лондоне», — поэтому писать у нее почти не получалось. Но у этой натуральной блондинки с красивыми пальцами и по-прежнему стройными длинными ногами имелись колкие суждения про все на свете. Во время Второй мировой войны она оставила напивавшегося до бесчувствия Хемингуэя на Кубе и приехала в Лондон, чтобы смотреть с балкона «Дорчестера», как на Парк-Лейн разрываются первые самолеты-снаряды Гитлера. Позже, пожив в Париже, Мексике и Африке, она купила квартиру на Найтсбридж и жила попеременно то там, то в удаленном коттедже в Уэльсе на самой границе с Англией.

Однажды я спросил, почему она предпочла жить в Англии. Как выяснилось, то, что побудило ее к этому, не имеет ничего общего с обычно приводимыми доводами: это и не уровень театра, не удобное место пересадки на различные авиалинии, не относительно высокое качество средств массовой информации — ничего подобного. Англия ей понравилась за ее абсолютное равнодушие. «Я могу уехать, провести шесть месяцев в джунглях, вернуться, войти в комнату, и никто не задаст ни единого вопроса о том, где я была и чем занималась. Мне просто скажут: „А, вы, как мило. Выпить хотите?"»

Я предположил, что, возможно, это естественная сдержанность или нежелание вторгаться в частную жизнь. Однако она назвала это «уединенностью безразличия».

«Я считаю, у англичан комплекс превосходства. Вот немцы всегда спрашивают: „Что вы о нас думаете?" Им не все равно, понимаете? Англичанам на это наплевать. Они уверены, что превосходят всех остальных, поэтому им нет никакого дела, что думают другие».

Выражение «уединенность безразличия» о чем-то напомнило, и через пару дней я вспомнил, в чем дело. Похожая фраза встречается у французского писателя Андре Моруа. Во время Первой мировой войны Моруа служил офицером связи с британской армией и на основе личного опыта написал доброжелательную картинку национального характера англичан — «Молчание полковника Брэмбла». Он советовал никогда не стесняться перед англичанами и говорить им все подряд: они слишком горды, чтобы обижаться. Многолетняя история процветания привела к тому, что «у Англии нет комплекса неполноценности... Благодаря Богу и английскому флоту, на землю Англии никогда не ступала нога захватчика. Единственное чувство, которое вызывают у нее другие народы, — это огромное безразличие». Если Моруа смог прийти к такому заключению в 1918 году, то разве это не стало еще более верно после победы в еще одной мировой войне?

Говорят, нельзя одновременно иметь два взаимно противоречащих друг другу представления. Сдается, однако, что англичане довольно успешно справляются с этой задачей. Они уже давно приспособились к своему понизившемуся статусу в мире. Тем не менее ослабленное тело как-то сохраняет представление о своей несравненности. *Égoïste comme un Anglais*, говаривали в 1930-е годы, и все тут же понимали, о чем речь.

Égoïste comme un Anglais — эгоист как англичанин (фр.).

Любовницу Г. Уэллса Одетту Кеун просто покорили небольшие знаки внимания, которыми англичане сопровождали каждое свое действие. «Вот в чем дело, — решила она, — вот что на самом деле в них главное: они люди воспитанные... Вежливость, любезность, обходительность, терпимость, сдержанность, самоконтроль, игра по правилам, жизнерадостный характер, приятные манеры, спокойствие, стоицизм и невероятно высокий уровень общественного развития — все эти восхитительные черты я обнаружила в англичанах». Но за все это пришлось платить. Из-за прирожденной тенденции к компромиссу им никак было не принять решение. Хуже того, оказалось, что они — невыносимые снобы. (Мисс Кеун уверяет, что однажды оказалась перед общественной уборной, надпись на которой гласила: ДЖЕНТЛЬМЕНЫ — ОДИН ПЕННИ; МУЖЧИНЫ — БЕСПЛАТНО, а за углом — другая: ЛЕДИ — ОДИН ПЕННИ; ЖЕНЩИНЫ — БЕСПЛАТНО. Пока она стояла, ошеломленная этой кастовостью в отправлении малой нужды, к ней подошел полицейский и осведомился, не нужен ли ей пенни.)

В те времена, когда с ней это приключилось, Англия несла миру образец гражданских отношений — «леди» и «джентльмены», — вызывавший восхищение и служивший образцом для подражания. Но подобную самоуверенность и гордыню англичане проявляли веками. Живя у себя на острове в безопасности, они смотрели свысока на менее везучих, кто англичанином не был и страдал от этой хронической ущербности. Такая поразительная надменность появилась еще в конце правления династии Тюдоров. Французский хронист Фруассар говорил о народе, который «исполнен такой гордыни, что для него имеет значение лишь одна нация, своя собственная», а у историка Мишле это «гордыня, воплощенная в целом народе». Чему тут удивляться, читая замечание Эмерсона об англичанах викторианской эпохи, которые «не скрывают, что для них весь мир помимо Англии — куча мусора». Однако даже в 1950-х годах Гарольд Макмиллан заявлял, что «мы знаем, что в целом, несмотря на наше самоумаление, это самая замечательная страна в мире».

Стойкое агрессивное невежество по отношению к «загранице», которым до сих пор отличается эта сторона гордыни англичан, достигает апогея, когда речь заходит о стране, с которой их сравнивала Марта Геллхорн, — о Германии. Во многих отношениях Германия, как и Голландия, — страна, с которой, казалось бы, у англичан могло быть больше всего общего. Возможно, в Германии все слишком регламентировано и отсутствует чувство юмора, но ведь, по крайней мере, эта страна вышла обновленной после двух мировых войн и бедствий нацизма, построив процветающее, гуманистическое общество, в силу чего немцам не все равно, что думают о них другие. Англичанам — и это очевидно — перестроиться не удалось, они просто стали беднее. В 1955 году на один фунт можно было купить 11 марок. К 1995 году на него можно было купить меньше трех. Какой же исключительно рассчитанной слепотой нужно обладать, чтобы относиться к подобному сравнительному спаду как к чему-то, чем можно гордиться. Тем не менее эти карикатурные национальные представления, которые пародировал Оруэлл, продолжают жить, только в несколько измененном виде.

В 1990 году тогдашний посол Германии в Лондоне, уставший от беспрестанных нападок на немцев в британской «желтой» прессе, решил противопоставить предрассудкам знание. Была устроена встреча с редактором одной из этих газет. На беду, посол оказался родственником одного из лучших пилотов времен Первой мировой войны, «Красного Барона» Манфреда фон Рихтгофена. Используя все свое обаяние дипломата, посол в течение одного или двух часов, которые, по его мнению, оказались очень продуктивными, терпеливо объяснял этой газете, что у его страны нет намерений создать четвертый рейх, в котором Британским островам будет отведена роль некоей колонии рабов недалеко от материка. Открыв на следующий день эту газету, он увидел, что заголовок над рассказом о его миротворческих усилиях гласит: *Гунн беседует с „Сан"*.

Начиная с Первой мировой войны слово «гунны» стало у англичан презрительной кличкой немцев.

* * *

Откуда у англичан это удивительное равнодушие? Отчасти это можно объяснить хорошо развитым чувством юмора. У немцев склад ума другой, и это обнаружил австрийский философ Виттгенштейн, которому пришлось отказаться от намерения написать книгу по философии, составленную целиком из анекдотов, когда он понял, что чувство юмора у него отсутствует. Немецкое остроумие — это, как известно, не смешно (хотя даже тот самый немецкий посол смог с улыбкой говорить о заголовке в «Сан». Через несколько дней). Англичан, по крайней мере, спасает то, что они могут смеяться над собой. А основой для этого должно быть чувство глубокой уверенности в себе. Раз деятельность государства в целом за последние пять десятилетий далеко не впечатляет, корни этого следует искать в личности. Англичане не гордятся достижениями своих правительств: они знают, что в лучшем случае туда входят «типы», а в худшем — шарлатаны. Появись английский премьер-министр на телевидении и обратись он к ним так, как обращаются к своему народу американские президенты, — «мои соотечественники американцы», — аудитория попадала бы со смеху.

Прокатитесь в Англию на поезде Париж–Лондон по туннелю под Ла-Маншем, и у вас сразу появится возможность заметить равнодушие англичан к положению своей нации. Вы проделаете путь из города, который своими великолепными бульварами и авеню провозглашает веру в централизованное планирование, в город, который просто взял и вырос как *Топси*. Париж остается городом, в котором власти по-прежнему могут осуществлять такие *grands projets*, как Ля Дефанс — деловой центр или Бастиль Опера, в то время как в Лондоне вряд ли согласятся на установку какой-нибудь новой статуи. Об этой разнице свидетельствует даже сама эта железная дорога. К декабрю 1994 года уже ходили прямые поезда между Парижем

В популярном в XIX в. романе американской писательницы Гарриет Бичер Стоу «Хижина дяди Тома» (1852) есть юная девушка-рабыня, Топси, которая говорила, что «просто взяла и выросла». «Вырасти как Топси» сначала значило «незапланированный рост», а потом — «значительный рост».

Grands projets — грандиозные проекты (*фр.*).

и Лондоном. Приняв решение начать свой *grand projet*, французское правительство просто сделало так, чтобы это произошло. От Парижа до побережья была проложена высокоскоростная железная дорога, по которой с момента открытия туннеля поезда мчались со скоростью до 186 миль в час. Вылетев из туннеля в сельские районы Кента, поезда сбрасывали скорость чуть ли не наполовину. Англичане не успели вовремя построить свою высокоскоростную железнодорожную линию. Власти оправдывались тем, что в Кенте большая плотность населения, что это самый процветающий уголок Англии в отличие от относительно заброшенного севера Франции. Однако настоящая причина лежит в различии отношений между личностью и государством. Просто французское правительство готово навязать свою волю: если оно захочет проложить железнодорожную линию или построить атомную электростанцию, оно отпускает на это средства независимо от того,

7 № 1362

через чей задний дворик пройдет это строительство. Англичане же не только не стали увеличивать размеры налогов, чтобы реализовать проект, но и провели проектные исследования, которые могли принимать во внимание возражения от владельца каждого частного дома. Различие в приоритетах — централизованные предписания о нуждах государства и беспокойство отдельных граждан — говорит о многом. С английской стороны рассчитывают на окончание строительства высокоскоростной железнодорожной линии из туннеля к 2007 году. Может быть, его и закончат.

Как людям меланхоличным от природы, некоторым англичанам стало неловко от того, как обстоят дела со строительством этой ветки железной дороги под Ла-Маншем. Ведь надо такому случиться, что даже немудреное дело, такое как совместное строительство железной дороги, кончилось тем, что французы получили возможность бахвалиться превосходством своей инженерной мысли! Взглянув на этот факт с позитивной точки зрения, англичане могли бы поздравить себя с тем, что живут в стране, где государство не может поступать как ему заблагорассудится и переступать через гражданина. Напрашивается вывод: французы считают, что государство и есть народ, а вот в Англии государство — нечто иное: это «они».

Случись мне составлять список тех качеств англичан, которые впечатляют больше всего, — чудаковатая отрешенность, терпимость, здравый смысл, вздорность, склонность к компромиссу, глубоко заложенное в них ощущение своей политичности, — думаю, моих похвал больше всего удостоилось бы это чувство — «я знаю свои права». Приверженность к некоторым с таким трудом завоеванным свободам заложена очень глубоко. Это тот же дух, которым отличалась борьба за

Великую хартию вольностей, Хабеас корпус акт, суд присяжных, свободу печати и свободные выборы. Герои этой борьбы, будь то политики Джон Хэмпден, Джон Пим, Джон Лилберн, Алджернон Сидни или Джон Уилкс, стоят в одном ряду с участниками кампаний, не боявшихся требовать свобод, которые в другой стране можно было получить лишь ценой всеобщей революции. Главное при этом, что если даже эту борьбу не выигрывали отдельные личности, победа в ней становилась следствием согласия государства примириться с борьбой этих отдельных личностей. В каждой схватке есть свои робеспьеры, но в Англии государство с большей или меньшей неохотой сдерживало их.

Это устоявшееся свойство английских свобод, похоже, признал даже такой великий сторонник авторитарной власти, как Наполеон. На полях переведенной им работы Джона Барроу «Новая и беспристрастная история Англии с вторжения Юлия Цезаря до подписания Предварительного мирного договора 1762 года» он нацарапал: «За долгие годы король, несомненно, может присвоить больше власти, чем ему положено, он может даже воспользоваться своей властью, чтобы совершать несправедливости, однако крики народа вскоре превращаются в громовые раскаты, и король рано или поздно уступает». Когда попытки самого Наполеона присвоить верховную власть в Европе закончились неудачей в битве при Ватерлоо, он примерил это английское ощущение свободы на себя, сдавшись именно англичанам, потому что, как он выразился, «сдавшись любой другой державе союзников, я отдал бы себя на милость прихотей и воли монарха. Сдаваясь Англии, я отдаюсь на милость народа». Когда ему сказали, что английское правительство намеревается отплатить за это доверие, отправив его на остров Святой Елены, он пришел в ярость. «Я требую, чтобы меня приняли как английского гражданина, — заявил он. — Я прекрасно понимаю, что сначала не смогу получить права англичанина. Должно пройти несколько лет до получения права на постоянное проживание». От одной наглости просто дух захватывает.

Как одно из следствий этой английской зацикленности на частной жизни и индивидуализме, сформировался народ, который не так-то просто вести за собой. Они не верят увещеваниям, и чем дальше отстоят от столичной жизни, тем сильнее их упрямство. Жителям Восточной Англии, например, просто на все наплевать. Епископ Норвичский услышал такое наставление от своего предшественника: «Добро пожаловать в Норфолк. Если захотите вести кого-нибудь в этой части мира за собой, сперва выясните, куда они направляются. И шагайте впереди».

Такое впечатление, что веками на англичан воздействовал некий атавизм свободы. Благодаря ему появились философы Джон Локк и Томас Хоббс; последний дал английскому народу уверенность, позволившую быстро завершить революцию; свергнуть короля, а затем обезглавить его; заменять, когда понадобится, одну правящую династию другой; плодом его стала американская революция с ее замечательным требованием свободы для каждого. Он воспитал философов и экономистов Адама Смита, Джереми Бентама, Герберта Спенсера и Джона Стюарта Милля. Время от времени англичане демонстрировали, что могут не смешивать личную слабость личности (Уилкс, например, этот распутник с безобразной внешностью, относился к шотландцам с доходящей до ксенофобии ненавистью) и представляемое ими благородное дело.

Левеллеры, радикалы XVI века, превозносили мифические времена до того, как свободнорожденные англичане попали под ярмо «норманнского ига». Есть свидетельство, что задолго до вторжения норманнов существовала давняя традиция веры в силу закона и права личности и правление английских королей было не диктаторским, а совещательным. О приверженности англичан свободе свидетельствует свод законов Альфреда Уэссекского 871 года. Он не только признавал, что общество не может функционировать, если оно не в состоянии опереться на народ, у которого есть определенные обязательства («Всяк должен строго держаться присяги и обязательства своего»), в нем также присутствовала идея свободы каждого. «Ежели кто лишит свободы свободнорожденного, который без греха, то платит десять шиллингов. Коли побьет его, то выплачивает ему двадцать шиллингов». Привычка соблюдать законы укоренилась в англичанах настолько глубоко, что даже вторгшийся в страну в 1066 году Вильгельм Завоеватель лишь попросил своих новых подданных и дальше соблюдать законы короля Эдуарда Исповедника с внесенными им дополнениями.

Опровергая марксистское толкование истории, историк Алан Макфарлейн пишет, что в стране было чувство личной свободы задолго до Реформации, потому что право на частную собственность закреплено в английском законодательстве; а раз имущество можно было приобрести, то отношения основывались на договоре, а не на положении в обществе. А когда любой человек мог вполне свободно покупать и продавать землю, возникло и было закреплено в законе представление о правах личности, запечатлевшееся в сознании англичанина на века. По сравнению с жесткими феодальными и полуфеодальными классовыми структурами, сохранившимися в таких странах, как Франция,

Англия изобрела для себя такую систему общественной организации, которая благодаря своей гибкости оказалась достаточно устойчивой, чтобы пережить самые различные потрясения. Несмотря на классовые стереотипы, в Англии на протяжении веков сохранялся значительный уровень перемен в обществе. В стране тоже хватало классовых протестов, начиная с крестьянского восстания под руководством Уота Тайлера в XIV веке и кончая движением чартистов в веке XIX. Но они проходили вполне цивилизованно по сравнению с кровопусканием, сопровождавшим подобные события на Европейском континенте.

Ко времени правления Тюдоров в экономическом, общественном и политическом плане Англия отличалась от остальной Европы, и не последнюю роль в этом сыграло то, что ее население было немногочисленным (составляя половину населения Испании и одну четверть населения Франции) и процветающим. Богатство росло на спинах овец: англичане превратились в главных поставщиков высококачественной шерсти в Европе, и один путешественник, глядя на богатство торговцев шерстью, с завистью пишет о «золотом руне» страны. Во время Столетней войны избавление Англии определил тот факт, что страна действенно подготовилась к ней, заложив еще не произведенную шерсть для финансирования превосходной армии. Родившийся в 1304 году великий поэт и гуманист эпохи Возрождения Франческо Петрарка писал: «Во времена моей молодости англичан считали самым робким из всех неотесанных народов, но сегодня это превосходные воины; после ряда их блестящих побед рухнула репутация Франции, и англичане, когда-то стоявшие ниже, чем даже несчастные шотландцы, предали царство французское огню и мечу».

Об этом периоде богатства свидетельствуют сотни больших домов, сохранившихся с тюдоровских времен. Может быть, и верно, что болезнью англичан стал снобизм, но барьеры между английскими классами никогда не были такими непреодолимыми, как это пытаются представить марксисты: в противном случае высшие классы или оказались бы перебиты, или вымерли бы много веков назад. На самом деле элита постоянно пополнялась свежей кровью, пробившей себе дорогу индивидуальным предпринимательством. В чем действительно преуспела Реформация, в частности, в связи с разграблением монастырей, так это в изъятии — иногда в буквальном смысле слова, когда монастырь изымался у Церкви и передавался какому-нибудь нуворишу, — представления о земной власти, основанной на авторитете Папы Римского, и замены его некоей моделью, главным в которой было свидетельство о том, что предпринимательство действенно. Когда богатых становится больше, люди начинают говорить о своих правах, и это поняли тираны по всему миру. Образцовый англичанин (см. главу 9) стал продуктом тщательного ухода, а не выведения породы. Алан Макфарлейн приводит высказывания таких людей, как архиепископ Кранмер, который, говоря о допуске учеников с различным социальным положением в школу Крайст-Черч в Кентербери, отмечал: «Насколько я понимаю, ни один из нас здесь не джентльмен от рождения, но все мы шли к тому, чтобы стать таковыми от низкого и подлого происхождения». К этому можно добавить, что заведения, в массовом порядке выпускавшие джентльменов, будь то великие «бесплатные грамматические школы» или колледжи, такие как Оксфорд и Кембридж, в основном создавались не за счет государства, а на средства частных благотворителей.

Видимо, вследствие этого англичане стали народом глубоко политизированным. Немецкий путешественник Карл Филипп Мориц, побывавший в Англии в 1782 году, делает сравнение не в пользу того, как поставлено дело в Германии. Он пишет домой:

> Мой дорогой друг, когда видишь, как самый последний возчик здесь проявляет интерес к общественным делам, как духом нации заражаются самые маленькие дети, как каждый ощущает себя человеком и англичанином — таким же, как его король и королевский министр, — это наводит на мысли совсем отличные от тех, что возникают у нас при виде муштры солдат в Берлине.

На первый взгляд, это вроде бы противоречит феномену английского индивидуализма. Посетив Англию в 1830-е годы, французский историк Алексис де Токвиль после долгого размышления заключает, что «в основе характера англичан лежит дух индивидуализма». Но как, задается он вопросом, англичане ухитряются одновременно быть настолько самими по себе и при этом постоянно образовывать клубы и общества: как могут в одном народе быть так высоко развиты и дух объединения, и дух исключительности? Он решил, что англичане формируют объединения, когда не могут получить желаемого индивидуальным усилием. К тому же они хотят оставить полученное себе и поэтому культивируют исключительность. А так как индивидуальность приводит людей к еще большей соревновательности, растет и потребность в объединении ресурсов. Однажды он спросил Джона Стюарта Милля, автора трактата «О свободе», считает ли тот, что англичане когда-нибудь сделают выбор в пользу централизованной системы правления. «Из-за наших привычек или природы нашего темперамента нас ни в коей мере не влечет к обобщениям, — ответил англичанин, — но ведь на обобщениях и основывается централизация; это желание власти откликаться, равномерно и обобщенно, на настоящие и будущие потребности общества. Мы никогда не относились к правительству с такой возвышенной точки зрения».

Взглянув, как устроена жизнь в Англии, вы увидите, что со времен Милля мало что переменилось. Нельзя отрицать, что ответственность государства возросла и количество денег, изымаемых у граждан в виде налогов, умножилось в огромных размерах. Однако послевоенные уверения, что у правительства достаточно возможностей, чтобы построить утопию, оказались невероятно пустой болтовней, таким же несостоятельным оказалось и контрнаступление, предпринятое Маргарет Тэтчер в 1980-х годах. Людям остается верить лишь в нечто здравомысленно среднее, и как можно больше оставляется на усмотрение каждой отдельной личности. Одна из причин, почему англичане никогда особенно не интересовались ни фашизмом, ни коммунизмом, в том, что они обладают весьма здравым скептицизмом относительно того, чего может достичь государство.

Поучительно, что низший чин в британской армии, рядовой — private soldier, — ведет историю еще с дошекспировских времен. Во Франции такой чин называется soldat de 2ᵉ classe. Английский солдат клянется в верности не своей стране и уж конечно не правительству, а своему королю или королеве, и в первую очередь он верен своему полку; полки до сих пор, похоже, по старинке подразделяются по графствам. Именно инстинктивная английская подозрительность к регулярным войскам заставила власти одеть столичную полицию в синюю форму, пошитую так, что она больше походит на гражданское платье, чем на военный мундир. К 1880-м годам газета «Таймс» уже рассуждала о том, что «полицейский, которого в городах других стран не только преступный мир, но и рабочий класс в целом считает своим врагом и который во время общественных беспорядков становится жертвой народной ненависти, в Англии скорее друг народа, чем недруг». Для своего времени это замечание носит классовый характер и кажется бредом сумасшедшего через сто лет, когда страна стала свидетелем того, как Маргарет Тэтчер бросила силы полиции на разгон забастовки шахтеров, когда по телевидению показывают сериалы с крутыми парнями, которые пьют как сапожники, и люди своими глазами видят, как полицейские носятся по улицам больших городов на высокой скорости, но приезжают на место происшествия всегда слишком поздно. Тем не менее все чаще раздаются голоса, что для обуздания преступности, нужно снова ввести обходы полицейских патрулей. Это не назовешь требованием народа, отчужденного от своей полиции.

В обществе индивидуумов люди остаются верными группам, родственным по духу. Уличной жизни с ее ни к чему не обязывающими случайными встречами англичане предпочитают общение по своему собственному выбору и образуют клубы. «Кто правит страной? — задавал риторический вопрос Джон Бетчемен. — Королевское общество защиты птиц. Его членов можно найти за каждым забором». А ведь эти слова сказаны им задолго до сегодняшнего дня, когда количество членов этого общества достигло головокружительного уровня, намного превышающего миллион человек. Существуют клубы любителей рыбной ловли, поддержки футбольных команд, карточной игры, аранжировки цветов, любителей гонок голубей, приготовления джема, езды на велосипеде, наблюдения за птицами, даже любителей отпусков. Средневековые системы гильдий приняты у многих европейцев, но только англичане могли превратить почетное членство в гильдии каменщиков во франкмасонство и создать в 1717 году первую Великую Ложу или ассоциацию лож. Число членов этой организации значительно поубавилось, однако к концу 1990-х годов в нее еще входило 350 000 человек. Другие организации, основанные англичанами, — бойскауты, например, или Армия Спасения — распространились по всему миру. Даже в начале таких великих политических и гуманистических кампаний, как борьба политика Уильяма Уилберфорса за отмену рабства через его Общество за отмену рабства, стояла добровольная ассоциация. А главной организацией, занимающейся защитой детей, по-прежнему является благотворительное Общенациональное общество по защите детей от жестокого обращения. Главное во всех этих организациях то, что, вступать в них или нет, каждый выбирает сам.

«Хоум», «домашний очаг» — вот что у англичан вместо отчизны. В понятиях «*Vaterland*» или «*patrie*» слишком явно значение государства

Vaterland — родина, отечество (*нем.*).

Patrie — отечество (*фр.*).

и важность понятия народа и происхождения. «Хоум» — это где живет каждый, но это и нечто воображаемое, место духовного отдыха. Но, как ни странно, это может также значить, что понятие «Англия» в сознании каждого англичанина отличается от окружающей их действительности.

Глава 8   **Всегда пребудет Англия**

> Лучше один акр в Мидлсексе, чем целое княжество в Утопии.
>
> *Лорд Маколей*

В 1993 году накануне Дня святого Георга тогдашнему британскому премьер-министру Джону Мейджору пришлось выступать с непростой речью. Нужно было убедить свою партию, что она может доверить ему защиту страны в переговорах с Европейским союзом. Партийная дисциплина уже значительно хромала, и выступавшие против говоруны из правого крыла все чаще отказывались принимать его заверения. Вопрос отношений Великобритании с остальной Европой расколол всю партию и всех, начиная с кабинета министров до избирателей в самом крошечном округе, и чем ближе к рядовым избирателям, тем более «антиевропейскими» становились настроения. Пройдет четыре года, и в парламентской партии начнется чуть ли не самая настоящая война по этому вопросу, а пока они пререкались между собой, рейтинг правительства консерваторов упал, и на выборах в мае 1997 года избиратели словно забыли про них.

Все это Мейджор понимал. Его собственное отношение к Европе не выдерживало сравнения с критиками из правого крыла, с их дешевыми и устрашающими лозунгами, потому что было в высшей степени прагматическим и чистой идеологии там было немного. В представлениях о суверенности наций и значении свободной торговли он мало чем отличался от большинства членов своей партии. Но он не был готов к тому, чтобы демонизировать остальные страны Европейского союза, большинство лидеров которых знал и уважал. Как он должен был поступить? Этот всем англичанам англичанин был «приличным малым» и, должно быть, инстинктивно понимал заботы «своего» народа. Однако на многие годы он оказался погребен в ограниченном мирке политики Вестминстерского дворца. Да и ораторскими способностями он не блистал; один репортер, наблюдавший, как он забирается на импровизированную трибуну во время предвыборной кампании 1992 года, пишет, что, когда Мейджор пытался произнести речь, его голос напоминал излияния «сердитого зануды, возвращающего неработающий тостер в магазине „Вулвортс"».

Большая часть этой речи складывалась сама собой. Тут и перечисление достижений правительства, обычное получение кредита доверия, разменной монеты политического приспособленчества. Тут и различная чепуха о решимости правительства быть «в самом сердце Европы», хотя большинство его действий наводило на мысль, что имеется в виду скорее не сердце, а аппендикс. Тут и заявления о том, что вступление Великобритании в Европейский союз ничем не угрожает суверенитету страны. Тут и прямой намек на то, что, честно говоря, у страны нет выбора. Но нужно было чем-то закончить, чтобы у аудитории остался некий образ безопасности страны. То, что он выдал, оказалось невероятным словесным портретом. «Через пятьдесят

лет, — сказал он, — Британия по-прежнему будет страной, где на поля графств ложатся длинные тени, страной теплого пива, существующих несмотря ни на что зеленых пригородов, где выгуливают собак и наполняют бассейны, и — как выразился Джордж Оруэлл — „пожилые дамы спешат к причастию на велосипедах сквозь утреннюю дымку"».

Боже, откуда все это? О каком уголке Англии говорил премьер-министр, где жизнь протекает в таком необычном ключе, как до грехопадения? Последний раз лирические излияния премьер-министра об Англии улыбающихся доярок и теплого пива мы слышали в 1920-х годах. Политик Стэнли Болдуин заявлял, что говорит «не как человек с городской улицы, а как человек с тропинки в поле, как человек гораздо более простой, пропитанный традициями и невосприимчивый к новым идеям». (Когда в 1923 году его выбрали лидером консервативной партии, Болдуин заявил, что готов вернуться в родной Вустершир, где, по его словам, он «вел бы достойную жизнь и разводил свиней».) Хотя дед его был из Шотландии, а бабка — из Уэльса, Болдуин представлял себя чистопородным англичанином. Столичные снобы раскусили его наигранный образ жителя предместий с неизменной трубкой из вишневого дерева и твидовым костюмом, но народу он нравился потому, что был похож на солидного, богобоязненного землевладельца (еще одна ловкость рук: он был торговцем скобяными изделиями в третьем поколении и никогда не владел землей, если не считать нескольких акров, обозреваемых из фамильной кузницы).

Для меня Англия — это деревня, а деревня — это Англия [говорил Болдуин в одной из характерных для него речей]. И когда я спрашиваю себя, какой мне представляется Англия, когда я думаю о ней за границей, в формировании этого образа участвуют самые разные ощущения — это и слух, и зрение, и некоторые незабываемые ароматы... Это звуки Англии: стук молота о наковальню в деревенской кузнице, скрипучий крик коростеля росистым утром, побрякивание оселка о косу и картина, на которой пахарь переваливает за плугом бровку холма, — как выглядела Англия с тех пор, как стала Англией... эта непреходящая картина Англии.

Это чистой воды выдумка. Абсолютно ничего непреходящего ни в одной из этих картин или звуков не было. Косу уже заменяли уборочные машины, а с началом использования двигателя внутреннего сгорания работа кузнеца свелась к изготовлению подков для пони детей бизнесменов, которые покупали дома фермеров, вытесненных с этой земли. К тому времени, когда была произнесена эта речь, Англия уже семьдесят лет была преимущественно городским обществом. Для подавляющего большинства людей узнать коростеля по характерному скрипучему крику было все равно что перевести что-то с санскрита. А когда через семьдесят лет с речью в духе Болдуина выступил Джон Мейджор, коростель уже появлялся в Англии только летом как случайный визитер: места его гнездования уже были уничтожены интенсивным методом ведения сельского хозяйства. Мейджор несколько модифицировал эту идиллию, у него присутствуют и сельская местность, и пригороды. Но это «зеленые пригороды», удобные местечки, которые служат прибежищем от городской жизни.

Эта речь стала манной небесной для сатириков, которые со столичным презрением ухватились за эти допотопные образы, как за еще одно доказательство того, что премьер-министр все меньше представляет себе, что происходит на самом деле. Когда я спросил Джона Мейджора, что заставило его обратиться к этим метафорам в духе Болдуина, было видно, что даже три года спустя ему тяжело вспоминать об этом. Он считал, что его неверно поняли (что характерно, добавив: «Возможно, в этом моя вина»). По его мнению, он «привел кое-какие поэтические выражения» о «теплом пиве и англичанках, спешащих на велосипедах к причастию», «в качестве иллюстрации того, что важнейшие характеристики страны никогда не будут утрачены вследствие углубляющихся отношений с Европейским союзом. Грубо говоря, хотелось донести до них: французы с немцами не будут сверху, хоть многие и страшатся этого!»

Не будем опровергать выдумки о том, что политические лидеры сами пишут свои речи (хотя Мейджор сам выдает эти уловки, утверждая, что «привел кое-какие поэтические выражения»). Все дело, однако, в том, что, несмотря на это паясничание, речь сработала. Слушатели Джона Мейджора на самом деле узнали в нарисованной им картинке Англию. Как это объяснить?

Что-то удивительное произошло с восприятием англичанами страны, в которой они живут. Мейджор был похож на человека, стоящего у края колодца и опускающего в него ведро, чтобы зачерпнуть воды. В коллективном подсознании, из которого Джон Мейджор извлекал свои картины, существует иная Англия. Это не страна, где на самом деле живут англичане, а место, где им *кажется*, что они живут. Во многом оно соприкасается с окружающей их реальностью, но это нечто идеальное, как «края иные» в патриотическом гимне дипломата Спринг-Райса: «*Дела там милосердны, а все пути — покой*». Получается, англичане оказались изгнанниками из своей собственной страны. Их связь с этой аркадией — чувства эмигранта, живущего на деньги, присылаемые с родины.

Картина Англии, которую несут англичане в своем коллективном сознании, так удивительно сильна потому, что это нечто вроде рая. Критик Реймонд Уильямс однажды написал, что романтическое воспевание жизни в деревне связано с изгнанничеством времен империи, это прибежище, вызываемое воображением человека, который состоит на службе королеве и тоскует по дому где-нибудь в колониях:

> Ее умиротворяющая зелень, так не похожая на места, где он работал на самом деле — на тропики или безводную пустыню; чувство принадлежности, общности, идеализированное, если его противопоставить тяготам колониального правления и жизни в изолированном чужом поселении. Птицы, деревья и реки Англии; местные жители, говорящие более или менее на его родном языке: такими должны были быть места, где они поселялись в воображении и в действительности. Деревня становилась теперь местом, куда уходишь на покой.

Ко времени, когда Джон Мейджор произнес свою речь, эту мысль можно было применить не только к оказавшимся за границей жертвам пропаганды Английского совета по туризму, но и к миллионам коренных англичан, живущих в пригородах и мечтающих вернуться однажды в «край утраченной сути».

Наибольшее развитие это представление получает в самые тяжелые времена. Во время Первой мировой войны солдат целыми эшелонами отправляли на фронт из больших и малых промышленных городов по всей Британии. Близкие посылали им почтовые открытки с изображением церквей, полей и садов, а чаще всего деревень, словно желая сказать: «Вот за что ты сражаешься». Защита этого аркадийского «дома» выглядела гораздо более благородно, чем любое размахивание флагами. По мнению писателя сэра Артура Квиллер-

Кауча под псевдонимом Q, составителя невероятно популярной антологии «Оксфордский сборник английской поэзии», которую на Западном фронте многие носили с собой в вещмешках, начала английского патриотизма заложены в духе идиллической, «веселой Англии». Не по-английски, говорил он, отвечать «Правь, Британия» на немецкую «*Deutschland über alles*». Закрывая глаза на тот факт, что для большинства англичан деревня была местом, отку-

«Deutschland über alles» — Германия превыше всего» (*нем.*).

да их предки давно ушли и о котором они имели весьма туманное представление, Q заявлял, что рядовому солдату в окопах видится «покрытый зеленью уголок его юных дней в Йоркшире или Дербишире, Шропшире, Кенте или Девоне; где люди никуда не спешат, но есть время сеять и время собирать урожай». В том же духе выражался редактор выпущенной в 1917 году для солдат антологии Ассоциации молодых христиан «Милые сердцу места: Книга любви и восхваления Англии» (что характерно, речь идет не о Британии, а об Англии), который считал, что из своего окопа солдат «в воображении может представить свой деревенский дом».

К началу Великой войны британский флот был самым сильным в мире, а британская армия покрыла себя боевой доблестью почти во всех его уголках: германские солдаты докладывали, что столкнулись с массированным пулеметным огнем, а на самом деле это был лишь огонь винтовок прекрасно подготовленного британского экспедиционного корпуса. Ни на одном этапе войны у англичан не было «крестьянской армии» в европейском стиле. Когда фельдмаршал Китченер осознал, что потребуется гораздо более многочисленная армия, ее набирали в основном из городского пролетариата. Тем не менее ее нередко изображали состоящей из пахарей, пастухов и огородников: под таким углом зрения получалось нечто вроде народного ополчения.

Наиболее известно воплощение этого представления в стихотворении Руперта Брука «Солдат». Брук казался квинтэссенцией английского героя — красивый, атлетически сложенный, чувствительный и смелый, человек, по словам Генри Джеймса, «удостоившийся самой лучистой улыбки богов». Самый знаменитый из его военных сонетов написан в конце 1914 года, после того, как он поступил добровольцем в Королевский военно-морской дивизион:

> *Лишь это вспомните, узнав, что я убит:*
> *стал некий уголок, средь поля, на чужбине*
> *навеки Англией. Подумайте: отныне*
> *та нежная земля нежнейший прах таит.*
> *А был он Англией взлелеян; облик стройный*
> *и чувства тонкие Она дала ему,*
> *дала цветы полей и воздух свой незнойный,*
> *прохладу рек своих, тропинок полутьму.*
> *Душа же, ставшая крупицей чистой света,*
> *частицей Разума Божественного, где-то*
> *отчизной данные излучивает сны:*
> *напевы и цвета, рой мыслей золотистый*
> *и смех усвоенный от дружбы и весны*
> *под небом Англии, в тиши ее душистой.*

Перевод
Вл. Сирина
(1922).

Это стихотворение тут же удостоилось бурного одобрения. В нем соединились некоторые наиболее ярко выраженные представления о всем английском — великодушие, дом, деревня, — а как раз такими и хотели видеть себя англичане. Эти представления составляли резкий контраст с мучительной смертью поэта от заражения крови на борту французского госпитального судна в Дарданеллах. Важно было и то, в какое время он умер. В конце 1914 года в сражении под Ипром британский экспедиционный корпус потерял 80 процентов личного состава — около 3000 офицеров и более 55 000 солдат. Другой поэт, Чарльз Сорли, уже написал: «Англия — меня тошнит при этом слове», и как только были осознаны масштабы потерь и ничтожность достигнутого, пасторальная изысканность зазвучала фальшиво. Грезы о стройных героях, умирающих за страну, где из-за зеленых оград доносится запах роз, сменились чем-то гораздо более мрачным в стихах Уилфреда Оуэна или Зигфрида Сассуна. Писатели, появившиеся после войны — Элиот, Грейвз, Хаксли и другие, — смотрели на человечество совсем не таким светлым взором, как предлагали эти грезы о стройном юноше.

Но в сознании англичан почему-то продолжало жить представление о том, что душа Англии — в деревне. Цикл стихотворений «Паренек из Шропшира» А. Э. Хаусмана поначалу был опубликован за счет автора, а к 1922 году была распродана 21 000 экземпляров. Вскоре вся страна тосковала по «голубым холмам моей памяти». Такой писатель, как Г. Д. Массингэм — городской житель, сбежавший в Чилтернские холмы, — выдавал книгу за книгой (всего, по его собственным подсчетам, за тридцать лет он написал сорок книг), убеждая англичан в том, что промышленная революция «уничтожила истинную Англию», а деревня — «источник нашего хлеба насущного и важная основа национального благосостояния». Вскоре в эту страну чудес неотесанной деревенщины вернулись те, кто как сэр Филипп Гиббс, один из пяти военных корреспондентов, официально аккредитованных в 1915 году к Британскому экспедиционному корпусу, должны были лучше разбираться что к чему. Хотя Гиббс родился в Лондоне и вскормлен им, его статья «Говорит Англия», посвященная празднованию в 1935 году серебряного юбилея Георга V, начинается так: «Англия по-прежнему красива, если удается скрыться от рева автомашин и душной атмосферы индустриализации... Вся эта модернизация, как я считаю, очень поверхностна. Я хочу сказать, что она еще не разъела душу Англии, не отравила ее рассудок».

Зайдите в любой магазин старой книги, и вы увидите, с каким энтузиазмом читатели — многие из которых, если не большая часть, конечно же, живут в пригородах — снова ухватываются за эту идею: мол, современный мир, в котором они живут, — отрава, а настоящая Англия — «там». К 1930 году, когда по дорогам уже разъезжал миллион автомашин, появился целый поток книг, в которых английская деревня воспевалась как место, о котором можно только мечтать и где непременно надо побывать. Феноменальный успех имела серия издательства «Бэтсфорд» «Лицо Британии». Артур Ми, придумавший «Детскую энциклопедию» и «Детскую газету», выпустил сорок один том с описанием «Англии королей». В качестве редактора задуманной ею серии путеводителей по графствам Англии компания «Шелл Ойл» пригласила Джона Бетчемена. Ответом на то, что расширение городской застройки становилось угрозой для сельской местности, стало основание в 1926 году Совета за сохранение сельской Англии, который выступал с протестами против повсеместного использования гудрона. Привязав к этому вопрос изнашиваемости обуви, организованная в 1935 году Ассоциация любителей пеших путешествий стала бороться за то, чтобы городским жителям разрешили ходить по сельской местности там, где им вздумается. Дешевое пристанище и здоровый образ жизни они могли найти у Ассоциации молодежных турбаз, которая была основана в 1930 году и через пять лет уже насчитывала почти 50 000 членов.

Те, кто не бросился к рюкзакам, ботинкам и мешковатым шортам, могли почитать, как путешествуют другие. Огромным успехом пользовалась опубликованная в 1927 году книга журналиста Г. В. Мортона «В поисках Англии»; он задумал ее во время болезни в Палестине, лежа в кровати с твердым убеждением, что умирает от менингита. Похоже, ему так и не показалось странным, что при мысли об Англии, которую, как ему представлялось, он больше никогда не увидит, в его сознании возникали не собор Святого Петра или городские пейзажи его юности, а деревни, церковные колокола, соломенные крыши домов и поднимающийся в ясном воздухе дымок от сгорающих дров. Дж. Б. Пристли, родившийся и выросший в промышленном Бредфорде, в 1933 году проехал всю страну на своем «даймлере» и написал «Путешествие по Англии». С одной стороны, он признавал, что для сохранения Англии «соборов, монастырских церквей, старинных поместий и постоялых дворов, Англии „пастора и эсквайра“» понадобится уничтожить девять десятых имеющегося населения страны, а с другой стороны высказывал мнение о том, что «почти все англичане в душе — сельские джентльмены».

Тележка этой агиткампании катилась все дальше, укрепляя англичан в уверенности, что «Англия — это деревня, а деревня — это Англия». В 1932 году Всеанглийское общество народной песни слилось с таким же обществом народного танца, чтобы лучше защищать сельское культурное наследие. Про Эдварда Элгара говорили, что он черпает вдохновение от некой мистической силы в Малверн-Хиллз и в Вустершире. Парадигмой английской жизни стал домик в деревне: все сказано одним названием пропагандистской книжонки «Англия — это деревня» Генри Уоррена, выпущенной в 1940 году для поднятия боевого духа. «Сила Англии по-прежнему в ее полях и деревнях, и даже если по ним прокатятся всей своей мощью целые механизированные армии, чтобы сокрушить их, они в конце концов восторжествуют. Лучшее, что есть в Англии, — это ее деревня». Действие последнего романа Вирджинии Вулф «Между действиями» происходит в деревне, где за сто лет ничто практически не изменилось: «На дворе 1939 год, а все было как в 1833-м. Не построено ни одного дома, не выросло никакого города. По-прежнему выделяется Хогбенз-Фолли; а сама разделенная на полоски полей равнина изменилась лишь в том, что кое-где на смену плугу пришел трактор». В романе так и не сказано, как называется эта деревня: в этом нет нужды, ведь это «самое сердце Англии». В первом романе Агаты Кристи с участием мисс Марпл «Убийство в доме викария», опубликованном в 1930 году, даны даже карты безымянной деревушки, где в своем кабинете был убит отставной полковник. В изобиловавших в 1930-е годы триллерах, в которых полковники погибают в живописных селениях — писательская школа «Мэйхем-Парва», как назвал ее Колин Уотсон, — речь идет о весьма особом типе поселения. Это местность, граничащая с Лондоном, в «домашних графствах», «где есть церковь, деревенский постоялый двор, что очень кстати для чудаковатого инспектора из Скотленд-Ярда и его помощника, которые останавливаются там, приезжая разбираться в регулярно происходящих преступлениях».

Поэтому к тому времени, когда разразилась следующая мировая война, представление об Англии как о садике появилось вновь, но не как распустившийся многолетний цветок, а словно некий особенный, проникающий повсюду сорняк. Сыновья тех, кто пережил ужасы окопов, снова шли на войну, напевая

Вовек пребудет Англия
Там, где тропа видна,
Где нива рядом с домиком
Колосьями полна.

Для пущей достоверности достаточно вспомнить пару военных радиопередач. В 1943 году на Пасху по Би-би-си выступал Питер Скотт, естествоиспытатель, сын героя времен империи, замерзшего в Антарктике. Когда началась война, Скотт вступил в ряды добровольцев-резервистов Королевского военно-морского флота, служил на эсминцах, патрулировавших «западные подходы» на случай возможного вторжения немцев. «Для большинства из нас, — говорил он, — Англия предстает как картинка определенного рода деревни, английской деревни. Когда проводишь много времени в море, начинает казаться, что это особенное сочетание полей, изгородей и лесов, такое истинно английское, приобретает какой-то новый смысл». Он вспомнил свои ощущения, когда однажды во время патрулирования взглянул со своего эсминца на берег Англии:

Помню, как однажды на рассвете, глядя на чернеющие очертания мыса Стар на севере, я вдруг задумался об Англии как-то совсем по-другому — Англия, над которой нависла угроза, стала какой-то более реальной и своей, потому что оказалась в беде. Я думал о лежащих за черными очертаниями утесов деревенских пейзажах Девона; безлюдные вересковые пустоши и неровные вершины далеких холмов и, у моря, узкие извилистые долины с крутыми зелеными склонами; я думал о диких утках и чирках, выводивших потомство в гнездах из камыша в Слэптон-Ли. Это и были те деревенские пейзажи, которые мы были готовы защищать от захватчиков.

Похоже, Скотту даже не показалось странным, что он думает о том, что сражается за долины и изгороди, а в это время гитлеровские бомбы дождем сыплются на города и порты.

Пару месяцев раньше в одной из передач домашней службы Би-би-си выступал и Джон Бетчемен, который рассказывал, как во время «Битвы за Англию» ездил в одну деревушку в Кенте, где Женский институт проводил конкурс на лучшее украшение стола:

С небес падали бомбы и самолеты; гремели орудия, и вокруг свистели осколки снарядов. «Боюсь, что кое-кого из наших здесь нет, — сказала возглавлявшая институт дама. — Видите ли, некоторым нашим членам пришлось не спать всю ночь, но тем не менее у нас будет замечательное шоу». И вот они, подставки из рафии, вазочки в форме луковиц, кончики декоративной спаржи, оплетающей флакончики с горчицей и перечницы. Слава Богу за такую упрямую невозмутимость.

Далее он продолжал:

Для меня Англия — это англиканская церковь, эксцентричные священники, свет масляных ламп в церкви, Женские институты, скромные постоялые дворы, споры по поводу того, место ли на алтаре бутеню одуряющему, треск газонокосилок по субботам после полудня, местные газеты, местные аукционы, стихи Теннисона, Крабба, Харди и Мэтью Арнольда, местные дарования, местные концерты, походы в кино, пригородные поезда, скоростной трамвай, возможность опереться на калитку и смотреть в поля; для вас она может значить нечто иное, такое же чудаковатое для меня, каким могу показаться и я сам, что-нибудь имеющее отношение к Вулверхэмптону, или милому старому Суиндону, или другому местечку, где вы живете. Но такое же важное. Ведь я знаю, что Англия, куда хочу вернуться я, не слишком отличается от той, где хотите жить вы. Если бы она была рациональным муравейником, каким ее пытаются сделать все эти сторонники стекла и стали, плоских крыш и прямых дорог, то разве мы могли бы так любить ее?

Ну что ж, по крайней мере, он допустил возможность, что люди могут жить в Вулверхэмптоне или в «милом старом Суиндоне», однако все критерии характерно английского связаны у него со спокойствием, простотой и сельскими занятиями. Через полвека после этой радиопередачи те самые «сторонники стекла и стали, плоских крыш и прямых дорог» отставили причуды в сторону. Настоящими разрушителями Англии Бетчемена оказались не «люфтваффе», а эти градостроители, эти счетоводы, вынесшие смертный приговор линиям пригородных поездов, и трусливые политики, склонившие колени перед торгашами, для которых главное «взгромоздить повыше и продать подешевле», и алчными застройщиками, стремящимися получить право строить там, где хочется. По данным Совета по защите сельской Англии, к 1990-м годам дороги в Англии занимали площадь, равную Лестерширу, а автостоянки — в два раза большую территории Бирмингема. Эти последствия должны были убедить англичан больше чем когда-либо, что, где бы ни была Англия, это, конечно же, не то, что они видят вокруг себя.

Предлагаю занятную игру. Встаньте в одно субботнее утро посреди главной улицы в «поясе биржевых маклеров», то есть живописном предместье какого-нибудь городка в графстве Суррей, чтобы мимо текли толпы покупателей. Считайте их, когда они проходят мимо, и рассмотрите повнимательнее каждого седьмого. Согласно статистике, вы определили члена «Нэшнл Траст». Поразительно, но факт: каждый седьмой из всего населения этого богатого графства, даже мойщики окон, полицейские, пенсионеры, преступники или душевнобольные, принадлежат к этой организации, посвятившей свою деятельность сохранению исторических памятников.

И конечно, это Суррей. Суррей с его фахверковыми особняками в эдвардианском стиле стоимостью полмиллиона фунтов, хорошо поливаемыми полями для гольфа и бесконечной процессией безымянных членов парламента от консервативной партии. Это соотношение — один из семи — нельзя назвать действительно представительным срезом населения, ведь сохранение прошлого — хобби богачей. Бедных больше заботит лучшее будущее. Успех «Нэшнл Траст» в Суррее объясняется тем, что члены этой организации смогли ощутить свою принадлежность к некоему клубу и без этого их общественная жизнь была бы беднее. Эта формула прекрасно работает и в Западном Уэссексе, где это соотношение составляет почти один к десяти, и даже у северного соседа графства Суррей — Чешира количество членов в местах, где живут более состоятельные люди, находится примерно на том же уровне.

Со времени своего основания в 1895 году «Нэшнл Траст» прошла долгий путь. В те времена она занималась тем, что защищала живописные участки сельской местности, не нужные землевладельцам для «спорта на природе». Целью этого было создание нескольких «загородных гостиных» для бедных, куда те могли вырываться из задымленного воздуха викторианских городов. Таким образом получали защиту уголки «старой Англии», которые в романах Томаса Харди исчезают на глазах под напором ненасытных машин. По большей части это отвечало настроениям того времени, когда страна, находясь на пике индустриального величия, оглядывалась назад, на исчезающую «настоящую» Англию. Любящий взгляд назад, на то, что осталось от деревни, предложил журнал «Кантри лайф» (он был основан два года спустя): успех журнала был настолько грандиозен, что его основатель Эдуард Хадсон смог позволить себе то, о чем могли только мечтать целые поколения его читателей. Он купил целый ряд загородных домов и в конце концов поселился в замке Линдисфарн. С английским музыкальным Ренессансом, во главе которого стояли композиторы Эдуард Элгар, Ральф Воэн Уильямс и Фредерик Делиус, связано возвращение музыки XVI и XVII веков и (несмотря на восхитительное выражение Элгара — «Народная музыка — это *я*») новая жизнь народных мелодий. В архитектуре британский павильон Эдвина Лютьенса на Парижской выставке 1900 года был точной копией загородного дома XVII века, а в самой Англии все так ударились в постройку псевдофахверковых домов, что вскоре они появились вдоль главных дорог по всей стране.

К тому времени, когда был придуман «Нэшнл Траст», тема уничтожения «старой» Англии уже довольно долго витала в воздухе. Французский посол в Лондоне виконт де Шатобриан писал в 1822 году, что его «охватывает меланхолия и голова идет кругом» при мысли о том, что доиндустриальная Англия уходит:

Сегодня ее долины скрыты за дымом кузниц и фабрик, ее тропинки стали железными рельсами, а по дорогам, где бродили Шекспир и Мильтон, катятся дышащие паром локомотивы. На Оксфорде и Кембридже, этих очагах знания, уже лежит печать оставленности: колледжи и готические часовни теперь полузаброшены, горько взирать на них, а в их крытых галереях рядом с могильными плитами Средневековья лежат, забытые, мраморные анналы народа Древней Греции — руины стерегут руины.

Сохраняя руины, «Нэшнл Траст» подпитывает веру в то, что худшее еще впереди. Конечно, у миллионов посетителей исторических домов и садов этот визит остается в памяти как проведенный спокойно и без претензий выходной, который обычно дополняется чашкой чая и небольшой прогулкой. Но что этот феноменальный успех «Нэшнл Траст» говорит нам об английском складе ума? Во-первых, мы должны признать, что в англичанах глубоко заложено чувство истории. Знания самой истории могут быть и не очень хорошими (удивительно, как много людей не могут точно сказать, сколько жен было у Генриха VIII), но чувствуют ее глубоко, и это одно из слагаемых того, что делает людей такими, какие они есть. Выражением этого чувства, а также увлечения дешевым историческим романом, любви к Шекспиру и глубоко заложенного скептицизма по отношению к политическим лидерам остальной Европы и является «Нэшнл Траст».

Во-вторых, это свидетельствует о глубоком консерватизме. В доме каждой традиционной английской семьи есть комната, шкаф, чердак, подвал или гараж, куда понапихано все, начиная с древних детских колясок и кончая остатками обоев с рисунками двадцатилетней давности и старыми зажимами для ламп в коробках, в которых были куплены давно уже сломавшиеся электроприборы. Их хранят, потому что «в один прекрасный день они могут пригодиться». На самом деле их прагматичные и здравомыслящие обладатели просто не хотят расставаться с ними. Прожив двадцать лет среди англичан, бельгийский поэт Эмиль Каммертс пришел в 1930 году к выводу, что эта привычка свидетельствует об отношении к жизни: «Для них настоящее — это не четко обозначенная демаркационная линия, разделяющая два противоположных мира, а легкая дымка, через которую они идут неспешным шагом... Путешествуя во времени, они тащат за собой немало ненужного багажа, потому что точно так же поступают и в пространстве». Он прав. Как иначе объяснить, что до сих пор сохранилось многое из того, что не имеет абсолютно никакого смысла, — парики адвокатов, меховые кивера, неизбираемая палата лордов, всякая чепуха начиная с торжественного развода караулов и кончая клеймением лебедей или архаично звучащие названия государственных постов, таких как «канцлер герцогства Ланкастерского» или «губернатор Пяти портов»? В конце концов, это приходит к каждому: те, кто начинает взрослую жизнь, страстно выступая за модернизацию, кончают мечтами о месте в палате лордов.

В-третьих, англичане помешаны на классовых различиях и невероятно любопытны. Сто шестьдесят тысяч человек, посещающих ежегодно дом Черчилля в Чартуэлле, или 140 тысяч, отправляющихся в резиденцию Асторов в Клайвдене, отчасти привлекает то, что там можно посмотреть, как жил другой класс, и представить себя на его месте. Герцогиня Девонширская считает особенно ценной недоуменную запись в книге для посетителей в Чатсуорте, где расположен их огромный дом: «Видел в саду герцога. На вид вполне нормальный человек». Количество слуг в больших домах часто превышало число членов семьи, иногда в несколько раз. Но сколько посетителей этих мест могли бы представить себя «твини» — служанкой, помогавшей кухарке и горничной, третьим лакеем или двенадцатым садовником?

История успеха «Нэшнл Траст» позволяет нам узнать об англичанах еще кое-что. Понадобилось десять лет со дня ее основания, чтобы число членов «Нэшнл Траст» достигло 500. Даже когда «Нэшнл Траст» отмечала свой золотой юбилей в 1945 году, это число составляло лишь 800 человек. А к его столетию в 1995 году в нем состояло два миллиона: игривые наклейки на бампер с самодовольным слоганом «Я лишь один на миллион», которые «Нэшнл Траст» раздавала всего лишь за семь лет до того, теперь выглядели и вовсе невнятными. Однако рост ее рядов на этом не прекратился. Через два года прибавилось еще полмиллиона членов. Подобным успехом не может похвастаться ни одна другая организация в мире: даже самые популярные особняки, открытые для широкой публики в странах с небогатой историей, таких как Соединенные Штаты, обслуживают всего лишь несколько десятков тысяч посетителей. Число посещений мест, принадлежащих «Нэшнл Траст» в Англии и Уэльсе, составляет 10 миллионов. Этот феноменальный успех отражает рост количества пожилых людей среди населения, которые могут свободно распоряжаться своим временем, а также общее увеличение свободного времени. Но это и говорит кое-что об англичанах. Ведь нельзя же считать просто совпадением, что количество членов «Нэшнл Траст» многократно увеличилось как раз в то время, когда наиболее острой стала неуверенность в национальном самосознании?

Английский загородный дом стал метафорой для определения состояния страны. Об этом свидетельствуют два текста. Один можно найти в элегантных дневниках Джеймса Лиз-Милна, написанных во время войны, когда он ездил по всей Англии от одного фамильного дома к другому. Эксцентричные старики, с громким шарканьем передвигавшиеся по замерзавшим зданиям, потчевали его ужасной едой. За это он, как секретарь комитета «Нэшнл Траст» по загородным домам, выслушивал мольбы помочь им выжить в мире, который, по их представлениям, сложится после войны: дома тех, кому повезет, перейдут под опеку «Нэшнл Траст», при этом им будет позволено жить в этих домах и дальше. Второй текст — это роман Ивлина Во «Возвращение в Брайдсхед», невероятная популярность которого и в твердой обложке, и после показа снятого по нему телевизионного фильма в 1980 году свидетельствует об очарованности плебса аристократией и о силе этой метафоры «из кирпичей и раствора». Повествование в книге ведется от лица Чарльза Райдера, который по выданному ему во время войны ордеру на постой оказывается в прекрасном большом доме, снедавшем когда-то его воображение; иногда возникает ощущение, что читаешь элегию по утраченной любви.

Несмотря на невероятную популярность романа, даже сам Ивлин Во почувствовал некоторое отвращение к «Возвращению в Брайдсхед» из-за его некрофилической одержимости великолепием прошлого. В предисловии к изданию романа 1959 года он признает, что это «панегирик, прочитанный над пустым гробом». И он прав. Может, и действительно в период между 1875 и 1975 годами с лица земли было стерто более 1000 загородных домов, но в Англии еще остается более 1500 крупных поместий. При более серьезном подходе возникает вопрос: какое вообще отношение имеет упадок загородных имений к остальному населению страны? Если этот упадок о чем-то и свидетельствует, так это о неспособности высших классов совладать с налогами, со спадом в сельском хозяйстве, потерей целого поколения на Первой мировой войне, а зачастую с собственной оторванностью от мира сего. Невероятная популярность «Нэшнл Траст» говорит о том, что англичанами руководят противоречивые чувства. С одной стороны, это сильно развитое чувство собственной свободы. Разве можно найти более яркий пример триумфа простых людей над землевладельцами-аристократами, чем тот факт, что их домами теперь владеют и посещают их миллионы? Но в то же время, прославляя эти «идеальные жилища», англичане благоговеют перед феодализмом.

Если вам понадобится выяснить, где находится та самая тропа, домик и нива с колосьями, что вовек пребудут Англией, вы довольно быстро поймете, где всего этого *нет*. Вы можете тут же исключить такие места, как Нортумберленд или Йоркшир, где на полях каменные стены, сложенные без раствора, и наверняка будет полно овец. Только представьте, вам, возможно, пришлось бы исключить всю территорию к северу от условной линии, проведенной от Северна до Трента. Ведь эта часть воображаемой Англии не только в большей степени сельская, чем городская, но и расположена больше к югу, чем к северу.

На первый взгляд, это довольно странно, потому что по сравнению с такими местами, как Йоркшир и Нортумберленд, между графствами Южной Англии вряд ли вообще существуют границы. Кто знает — и кому нужно это знать, — где кончается Беркшир и начинается Гэмпшир? Любой уважающий себя йоркширец прекрасно знает, какие города расположены в границах его графства, а какие, на свою беду, лежат во внешнем мраке. Тем не менее северянам не суждено было стать чем-то большим чем парадигмами самих себя, говорящими на диалектах как йоркширские тайки, тайнсайдские джорди или ливерпульские скаузеры. Богатство современной Англии построено на индустриальной революции, тогда каким же образом такие городки, как Престон, Болтон и Блэкберн, давшие миру трех гениев хлопкопрядения в лице Ричарда Аркрайта, Сэмюэля Кромптона и Джеймса Харгривза, оказались вне страны, в которой, по представлению англичан, они живут?

Некоторые из этих причин практического порядка. Во-первых, во многом не в их пользу удаленность от Лондона, законодателя всех мод. Во-вторых, никакого отчетливого «севера» как такового никогда не существовало: это лишь противопоставление Южной Англии, которую представляют обильной, показной, а самое главное — сентиментальной. Юг страны — это в основном графства, торговые города и деревни, которым уже много лет и где давно уже нет никакой вражды. Север Англии — это несколько городов-государств, в основном XIX века. Манчестер и Ливерпуль разделяют каких-то тридцать миль, но по характеру они абсолютно разные: Манчестер — город протестантский, средоточие тяжелой индустрии, а Ливерпуль — портовый город, в котором большая часть населения католики; один — напористая фабрика и торговый город, другой — более спокойный, более ироничный порт. У Манчестера больше общего с Лидсом или Шеффилдом, его соперниками в торговле за Пеннинскими горами, а у Ливерпуля — с Ньюкаслом, чем у того и другого друг с другом. В этих двух городах даже говорят по-разному. И в том и в другом с гораздо большей очевидностью присутствуют положительные черты английского характера — терпимость, индивидуальность, чувство юмора, — чем в каком-либо другом месте, скажем в Винчестере или Солсбери. В каком-то смысле они более верны сохранению «английскости». Но из-за ожесточенного соперничества их рассматривают лишь как отдельные города, постоянно бросающие вызов друг другу и сентиментальному югу.

Более глубокая причина заключается в том, что одновременно с промышленной революцией англичане совершили и контрреволюцию в сознании. Прочтите строки, сочиненные Вордсвортом, когда в 1802 году он сидел на крыше почтового дилижанса, громыхавшего по Вестминстерскому мосту и направлявшегося в Дувр.

> *Нет зрелища пленительней! И в ком*
> *Не дрогнет дух бесчувственно-упрямый*
> *При виде величавой панорамы,*
> *Где утро — будто в ризы — все кругом*
> *Одело в Красоту. И каждый дом,*
> *Суда в порту, театры, башни, храмы,*
> *Река в сверканье этой мирной рамы,*
> *Все утопает в блеске голубом.*

«Сонет, написанный на Вестминстерском мосту 3 сентября 1802 года». *Перевод В. Левика.*

Спустя шестьдесят лет такие строки и в голову бы никому не пришли, потому что летом приходилось даже отменять заседания Парламента из-за невыносимой вони с Темзы.

В то время, когда по Вестминстерскому мосту проезжал Вордсворт, Лондон был крупнейшим городом Европы, чтобы вскоре стать в четыре раза больше Вены и в шесть раз больше Берлина. И все же он еще мог тронуть душу поэта-романтика. Но по мере того, как люди покидали деревню, столица и другие крупные города вместе с пригородами стали расти ошеломляющими темпами. В 1801 году городским можно было назвать лишь четверть населения Англии. К середине XIX века Англия стала первой страной в истории человечества, где большая часть населения жила в городах. В результате иммиграции из Шотландии и Ирландии и потрясающего уровня воспроизводства населения число жителей страны, составлявшее 9 миллионов в 1801 году, к 1851 году удвоилось, а к 1911 году стало больше еще в два раза.

Города разрастались безвкусными громадами с чисто функциональными целями. В результате города в Англии — одни из самых некрасивых в Европе. Один за другим они появлялись [на теле страны] как бородавки. Когда в 1837 году на трон взошла королева Виктория, в Англии и Уэльсе помимо Лондона насчитывалось лишь пять мест с населением более 100 тысяч человек (за тридцать лет до того таких не было вообще). К 1891 году их было уже двадцать три, и процесс урбанизации стал необратимым. Именно английский писатель Томас де Квинси первым обратил внимание на невиданный феномен красноватого неба над городом — результат промышленного загрязнения. В некоторых из городов покрупнее — Манчестере, Лидсе, Бирмингеме — местные промышленные воротилы, нажившие большие состояния, вложили часть своих богатств в скучившиеся вокруг их фабрик дешевые безвкусные дома. Джозеф Чемберлен, став мэром Бирмингема — города, который стал ему родным, — снес трущобы, взял в свои руки управление компаниями, поставляющими газ и воду, и муниципализировал водоочистные станции. В результате здоровье населения улучшилось, но — и в Бирмингеме, и кое-где еще — встречающиеся иногда в центральных городских районах картинные галереи или библиотеки лишь подчеркивают царящее вокруг унылое однообразие.

Общее мнение выразил Герберт Уэллс, который родился над лавкой скобяных товаров неудачникаотца на центральной улице городка Бромлей в графстве Кент. «Лишь потому, что это явление растянулось на столетие, а не было сжато до нескольких недель, — писал он, — истории не удается понять, какой долгой бедой обернулось для людей то, в каких домах они жили в XIX веке, к скольким убийствам это привело, к какому вырождению и невозможности жить дальше». Фридрих Энгельс, отец которого воспользовался промышленной революцией, чтобы основать текстильную фабрику в Манчестере, на основе своих путешествий из одного города на севере Англии в другой написал свой труд «Положение рабочего класса в Англии». В нем описываются почерневшие здания, захламленные и загаженные улицы, зловонные реки и кишащие паразитами жилища. Город Коктаун в романе Чарльза Диккенса «Тяжелые времена», написанном после поездки в Престон, графство Ланкашир, «словно размалеванное лицо дикаря», здесь и «черный канал», и бесконечные трубы, из которых «бесконечно виясь змеиными кольцами, неустанно поднимался дым», и «река, лиловая от вонючей краски». Ну кто остановит свой выбор на таком адском месте, как на символе Англии? Что касается жителей, то

по городу пролегало несколько больших улиц, очень похожих одна на другую, и много маленьких улочек, еще более похожих одна на другую, населенных столь же похожими друг на друга людьми, которые все выходили из дому и возвращались домой в одни и те же часы, так же стучали подошвами по тем же тротуарам, идя на ту же работу, и для которых каждый день был тем же, что вчерашний и завтрашний, и каждый год — подобием прошлого года и будущего.

Перевод В. Топер.

Стоит ли удивляться, что англичанам не захотелось видеть эти места сердцем Англии?

Вместо этого они обратились к сказочкам о «настоящей» стране — чистой, беззаботной, в которой полно мастеровых, не испорченных грязью городов. Одни из лучших образцов можно найти в восхитительных книгах Ричарда Джеффриса. Самый английский из всех английских писателей, сын владельца небольшого фермерского хозяйства, он впервые добился успеха в 1878 году своими подробными и в высшей степени идеализированными воспоминаниями «Егерь дома» (которые начинаются так: «Домик егеря стоит в укромной ложбине, или узкой впадине посреди лесов, в сени могучего каштана, который сейчас сбросил листву, но летом выглядит величественно»). В весьма популярной книге «Жизнь животных одного южного графства» он ведет повествование с возвышенности Даунз в Уилтшире, откуда открывается прекрасный обзор, и ему удается представить широкую картину жизнедеятельности всех животных и людей в округе. Он предлагает читателям образ Англии, жизнь в которой основана на реальных событиях сезонного и биологического циклов. Ярким контрастом этому выступает его фантастический роман «После Лондона» (1885), в котором столица превращается в ядовитое болото, где живут жестокие карлики.

Болезнь сразила Джеффриса еще молодым, и он умер в тридцать восемь лет, перебиваясь последние два года тем, что диктовал жене эссе. Среди многих, кого тронуло его творчество, был и поэт Эдвард Томас, «случайное рождение в среде кокни» которого произошло в Ламбете в марте 1878 года. В тот самый исчезающий Уилтшир, увековечиванию которого Джеффрис отдал столько сил, он не раз приезжал в детстве на праздники. Томас принадлежит к школе писателей — еще двое, кто приходит на ум, это Томас Харди и У. Г. Хадсон, — считавших, что в Англии становится все больше людей, лишенных чувства родных мест. Новая Англия становилась Англией предместий, недоумевающее и безразличное население которых утратило все свои корни. Как и многие другие, Томас погиб на Первой мировой войне: он был убит под Аррасом в 1917 году. Во введении к посмертному изданию в 1920 году «Избранных стихотворений» Томаса его друг писатель Уолтер де ла Мэр сказал о нем просто: «если одним словом выразить все, чем он жил, это слово — „Англия"... Когда Эдварда Томаса убили во Фландрии, зеркало, в котором отражалась Англия, зеркало такое истинное и такое ясное, что более чистого и нежного отражения не найти нигде, кроме как в этих стихах, рассыпалось». Конечно же, в его стихотворениях отражена не Англия. В них отражена *часть* Англии. Это Англия Томаса, Англия встающих один за другим холмов, деревенские лужайки и зеленые ограды — то, что он называл «страной Юга». На вопрос, что он имеет в виду под этим определением, он ответил, что речь идет о территории ниже Темзы и Северна к востоку от национального парка Эксмур: а это графства Кент, Сассекс, Суррей, Гэмпшир, Беркшир, Уилтшир, Дорсет и часть Сомерсета. На самом деле это и есть самая настоящая Англия. Со временем эта территория расширилась и стала включать такие графства, как Оксфордшир, и протянулась на север до Шропшира А. Э. Хаусмана.

Во всей этой пасторальной идиллии имелась одна особенно большая дыра — Лондон. Трущобы там были такие же страшные, как в любом другом месте, но их компенсировал статус города–столицы империи. Один за другим заморские визитеры, говорившие с благоговением о его богатстве, оказывались ошеломлены убогостью его подбрюшья. С целым набором противоречивых впечатлений уехал и Федор Достоевский, пораженный величием города, его энергией и обхождением публики и повергнутый в ужас пьянством, проституцией и отвращением от города в целом. В «Зимних заметках о летних впечатлениях» он описал свои ощущения в главе V под названием «Ваал», указывая на правящих городом ложных богов. Он пришел к выводу, что «тут уж вы видите даже и не народ, а потерю сознания, систематическую, покорную, поощряемую». Субботним вечером перед его взором представали таверны, в которых «все пьяно, но без веселья, а мрачно, тяжело». «Мрачный характер не оставляет англичан», — писал он. Тонко чувствующие англичане соглашались с этим: Джон Раскин писал о «великом омерзительном городе Лондоне», а художник Уильям Моррис называл его «отвратительным».

Это отвечало становившемуся все более распространенным представлению, что люди в городах перестают быть людьми, но Лондон был и остается чем-то исключительным. В наши дни город стал еще более причудливым, чем даже в те времена, когда он был центром мировой империи. Британская и английская столица все в большей степени становится городом, который принадлежит не Великобритании или Англии, а всему миру. Лондон — центр мировых организаций, и его самая прибыльная деятельность — финансовые операции — осуществляется в ритме, который не знает национальных границ. В остальном он соответствует представлению англичан, что «настоящая» страна находится где-то в другом месте. Желая воздать хвалу Лондону, англичане говорят, что это «скопище деревень»; и пусть подобное описание и объясняет многое в его беспорядочном очаровании, так о своем городе не скажет ни один действительно гордящийся им горожанин. Лондонцам всегда хотелось возводить мемориалы, такие как Трафальгарская площадь, но они никогда не заботились о планировании города как гармоничного целого, где можно было бы жить.

Придумав современный город, английская денежная элита не только отпрянула в ужасе, но и сделала вид, что она тут ни при чем. «Уберите людей из их естественной питательной среды, — говорил Генри Райдеру Хаггарду, автору «Копей царя Соломона», лорд Уолсингэм, — истощив таким образом их здоровье и силу, потому что природой им не предназначено постоянно жить в них, и упадок этой страны станет лишь вопросом времени. В этом, как и во многом другом, мы можем поучиться у Древнего Рима». Вместо того чтобы заняться этой утратившей свои корни грубой ордой, образованные классы просто отошли в сторону. Густаву Доре, когда он готовился к созданию иллюстраций к дантовскому «Аду», представление об аде навеял один из английских городов, а тема разложения человеческого духа урбанизацией и промышленностью неизменно проходит через всю литературу поздневикторианского периода и начала XX века. «Мрачный, шумный и грязный Бирмингем», — писал в 1849 году в книге «Английский почтовый экипаж» Томас де Квинси. На каждого Джозефа Чемберлена, пытавшегося пробудить в людях чувство собственного достоинства в таких местах, как Бирмингем, приходились тысячи других, кому нужно было лишь урвать деньги и убежать.

Контрастом выступает опять же Франция, огромным преимуществом которой было то, что индустриализация произошла там позже, чем в Англии, и поэтому она могла поучиться на ошибках англичан. В результате французам удалось построить малые и большие города, которые и имели продуманную планировку, и были исполнены чувства собственного достоинства. Больше того, во время революции городские жители стали глубоко подозревать большую часть сельского населения в якобы роялистских симпатиях: новая республиканская Франция знала о своих крестьянских корнях, но была решительно и изощренно городской. В Англии тоже существовала политическая подоплека для развития консерватизма в деревне и зарождения радикальных идей в городах. Именно в Манчестере началась агитация, вслед за которой Лига против хлебных законов начала кампанию за установление справедливых цен на зерно. Бирмингем взрастил либералов. Независимая лейбористская партия была основана в Брэдфорде. Стоящие в стороне от тенистых анклавов процветания такие города, как Манчестер, Брэдфорд и Ньюкасл, стали местами, где чтобы любой осел прошел на выборах, нужно было лишь украсить его алой розочкой.

Смущает то, почему при такой мощной политической опоре не сформировалось новое представление об Англии. Ведь в конечном счете большинство жителей страны не только жили в больших городах с пригородами, но и обладали в лице лейбористской партии логическим средоточием своих устремлений. То, что им не удалось ничего противопоставить устоявшемуся образу Англии со всеми этими розочками у дверей, домиком с соломенной крышей и сельским сходом, стало результатом целого ряда факторов. Начнем с того, что социализм, по определению, был явлением интернациональным: новым Иерусалимом должен был стать город, в котором граждане со всего мира уживались бы в братской солидарности. Дополнительная неловкость состояла в том, что множество лидеров лейбористского движения были родом из Шотландии или Уэльса и парламентское большинство партии основывалось на излишнем представительстве «кельтского пояса» в Вестминстере: поэтому оно всегда было в большей степени «британским», чем английским. В-третьих, политическое разделение страны, когда консерваторы удерживали сельские графства с окончанием на «-шир», а города принадлежали лейбористам, свидетельствовало, что преуспевшие в торговле переезжают жить в районы, выступающие под иным политическим знаменем: таким образом закреплялась роковая ассоциация между политической принадлежностью и социальными устремлениями. В-четвертых, оставалось фактом то, что великое множество ранних идеалистов начиная с Морриса были яростными антиурбанистами и враждебно относились к промышленности. И в-пятых, никуда было не уйти от того, что многие вожди лейбористского движения — первым на ум тут же приходит Гарольд Вильсон с коттеджем на островах Сцилли или Джеймс Каллагэн с хозяйством в Сассексе — сами со всей очевидностью мечтали вырваться из города.

Те же — а это подавляющее большинство избирателей лейбористов, — кому не представилась возможность избавления, были вынуждены довольствоваться жильем, сляпанным в спешке сто лет назад спекулянтами-строителями, чтобы удовлетворить потребности промышленного производства. Разница сегодня лишь в том, что многих отраслей этой промышленности больше не существует. Создается впечатление, что массу энергии городской социализм положил просто на попытки смягчить последствия капитализма. «Социализм с газом и водой», старание городских властей предоставить массам городских жителей теплоснабжение, освещение и канализацию было делом благородным. Но в основном это было направлено на улучшение того, что уже существует, а не на изобретение чего-то нового. Это относится и к обширным послевоенным программам по расчистке трущоб, которые закончились тем, что огромную массу рабочего люда перелили, как из одних мехов в другие, из «террасных» домов с общей задней стенкой в сооруженные задешево многоэтажные дома.

У городов действительно есть сторонники, испытывающие некий трепет перед их энергией, перед промышленными предприятиями, железнодорожными вокзалами и трамвайными путями, перед величественными монументами общественных зданий. Но даже социалистам было трудно представить, что там может биться сердце страны. Когда Г. В. Мортон отправился в Лидс, чтобы написать статью для «Дейли геральд», которая позже, в 1933 году, была издана в виде листовки для лейбористской партии, он безрадостно отмечал, что «откровенно говоря, весь Лидс нужно снести и построить заново... Это творение великих коммерческих бумов XIX века, когда каждый думал только о прибыли и эксплуатации. Это отвратительная старая копилка». Поэта Д. Г. Лоуренса, вновь посетившего край своего детства — шахтерские поселки Ноттингемшира, это навело на мысли о том, что

настоящая трагедия Англии, как мне представляется, — это трагедия уродливости. Сама страна прекрасна; но как отвратительна Англия, сотворенная руками людей... Состоятельные классы и промышленники совершили в цветущие викторианские времена страшное преступление: они обрекли рабочих на уродливость, уродливость и еще раз уродливость: на убогое, бесформенное и уродливое окружение, уродливые идеалы, уродливую религию, уродливую надежду, уродливую любовь, уродливую одежду, уродливую мебель, уродливые дома, уродливые отношения между работниками и нанимателями... Английскому характеру не удалось развить в себе действительно городское, общественное. Сиена — городок небольшой, но это настоящий город, и горожане связаны с ним близкими отношениями. Ноттингем — огромное пространство, где скоро будет миллион человек, но это не более чем аморфное скопление. Ноттингема нет в том смысле, в каком есть Сиена. Англичанин как-то по-дурацки неразвит как горожанин. Отчасти виной тому его зацикленность на «маленьком домике», а отчасти его согласие с окружающей безнадежной ничтожностью... Сегодня англичане стали городскими жителями во всех отношениях, и это неотвратимый результат их полной индустриализации. И все же они не знают, как построить город, как к нему относиться и как в нем жить. Все они — народ пригородный, псевдокоттеджный, и ни один из них представления не имеет, каково быть настоящим горожанином.

Эта насмешка вполне применима к дню сегодняшнему, как и к тем временам, когда Лоуренс писал эти строки. Псевдофахверковыми возводятся даже новые филиалы супермаркетов в пригородах. Посетите одну из целого десятка ярмарок ремесел, которые проводятся каждое лето, и вы получите представление о том, насколько глубоко пустило корни это понятие о псевдокоттеджности. Постоянные покупатели на этих ярмарках — родители и дедушки с бабушками; подростков там не видно, и ничего удивительного в этом нет. Они с вежливым интересом рассматривают расставленные под теплым августовским солнцем поделки из прутьев, плетение, гончарные изделия и стены сухой кладки. Но, зайдя в палатку, лезут за бумажниками. Какой-то атавистический импульс заставляет их сотнями выстраиваться за подвесными керамическими электровыключателями с орнаментом, деревянными табличками с названиями для спальных комнат, коваными табличками с названиями домов («Заброшенный Домик», «Отдых Мельника», «Орешниковый Рай»), крошечными моделями деревень из дерева, в которых есть и паб, и церковь, и сельский сход. Даже, прости Господи, за сшитыми из лоскутков накидками на держатели туалетной бумаги.

Какую же струну в душе англичанина затрагивают все эти вещи? Некое внутреннее убеждение, что на самом деле все это раскинувшееся по югу страны великолепие пригородов, где они живут, — никакой ему не дом.

Ну и как же встретили напоминание Джона Мейджора об английской идиллии те немногие, кто живет там на самом деле? Биминстер, городок в Дорсете, где домишки и магазинчики со стенами из известняка кремового цвета, центральная площадь и великолепная церковь о шестнадцати башенках почти не изменились со времен Томаса Харди (в его уэссекских романах это «Эмминстер»), подходил, чтобы выяснить это, как и любой другой. Я сижу на террасе фермерского дома, расположенного высоко над городом, в один из славных деньков конца лета, когда английская деревня словно переводит дух после дневной жары, а зелень полей и склонов холмов смягчается, являя все свои богатейшие оттенки. Вокруг цветов в саду порхают бабочки, а в небе лениво кружат каннюки. Голубая дымка от жары еще не совсем испарилась в долине, и в ней, как карандаш в альбоме для рисования, торчит шпиль биминстерской церкви. Если Джон Мейджор что-то и имел в виду, то это, несомненно, где-то здесь, в наиболее типичном уголке юга страны.

С чашкой чая в руке эту восхитительную панораму обозревает сверху Джорджия Лангтон. Обходительная седовласая женщина пятидесяти четырех лет, она вполне понимает, что кому, как не ей, достаточно состоятельной вдове, быть привилегированным обитателем этого уголка идеальной Англии. Издалека из полей за домом доносится блеяние ее овец. На склоне холма внизу под вечерним ветерком шелестят березы. Так что же она и ее соседи подумали, прослушав речь Джона Мейджора?

«Мы все попадали со смеху. Мы хохотали до коликов».

Почему?

Потому что все это красивая упаковка. Все это иллюзия. Фермеры в здешней округе могут жить только на субсидии. Знаете, кто платит за то, чтобы все это не умерло? Вы, налогоплательщики. А так как фермерам больше не нужна и половина людей, которые требовались раньше, все сельскохозяйственные рабочие оказались согнаны с земли. Их дома проданы — в своем первозданном виде — за сотни тысяч фунтов. А это значит, что сельским жителям просто не по карману жить здесь. Поэтому приезжают новые люди. Потом они начнут жаловаться на грязь на дорогах, на то, что нет тротуаров и светофоров. И скоро все это станет еще одним пригородом. Вся страна теперь лишь один большой пригород.

Если по-честному, то большинство деревенских жителей согласятся с ней: где сельская Англия еще остается, она существует лишь как декорация. К северо-востоку от Биминстера есть местечко Крэнборн-Чейз, где группа эксцентричных романтиков, ратовавших за возвращение к земле, когда-то предпринимала попытку воплотить представление об Англии как о некоем рае земном. Отправившись в 1924 году путешествовать по стране пешком, композитор Бальфур Гардинер встретил на своем пути Гор-Фарм, заброшенный уголок одного старого дорсетского поместья. До Первой мировой войны Гардинер вместе с композиторами-музыкантами Перси Грейнджером, Норманом О'Нилом, Роджером Квилтером и Сирилом Скоттом составляли так называемую франкфуртскую группу музыкантов, которым суждено было многое сделать для английской музыки. Но он обнаружил, что после войны потребность в его романтически настроенном творчестве почти сошла на нет и сменилась склонностью к чему-то более строгому. У Гардинера, сына лондонского купца, было достаточно средств, чтобы позволить себе последовавший жест, и он отказался от музыки. Это означало также, что он имел возможность купить Гор-Фарм, где вместе со своим племянником Рольфом Гардинером (этим «английским патриотом», который был наполовину австрийским евреем, а наполовину скандинавом) основал коммуну сторонников возвращения к земле. Этот замысел должен был стать отражением не очень вразумительных призывов Д. Г. Лоуренса к бегству от ужасов промышленной цивилизации (как писал Гардинеру этот романист, «нам придется устроить некое место на земле, расщелину, которая, подобно оракулу в Дельфах, станет разломом, ведущим в преисподнюю»). Принципы этой необычной группы смахивали на верования милленаристов: они выступали за органическое, экологически чистое земледелие, небольшие сообщества, самоуправление и верили в благотворное воздействие народных обычаев. На глазах изумленных местных жителей летом появились рабочие палаточные лагеря, в которых под сенью креста святого Георга молодые люди распевали английские народные песни, резвились, отплясывая моррис, а потом отправлялись на посадку деревьев.

В наши дни от этой идеи осталась лишь одна оболочка. Гардинер как мог боролся за то, чтобы жизнь в деревне не умерла. Он покупал землю, внедрял иллюзорные идеи органического земледелия, посадил четыре с половиной миллиона деревьев, чтобы поднять уровень грунтовых вод, и пытался привить местным жителям интерес и к их собственной народной истории, и к современной демократии. Многие из идей Гардинера были причудливыми — такие, например, как вера в очистительную силу народных танцев, — но его наследие живет в стандартах Почвенной ассоциации и в лесах, которые, как он и задумывал, не дали Крэнборн-Чейз превратиться в жалкую, общипанную овцами пустыню умеренного пояса. Но даже такой эксцентричной преданности было недостаточно, чтобы остановить этот упадок. У Рольфа Гардинера работало тридцать человек. Его сын, знаменитый дирижер Джон Элиот Гардинер, по-прежнему приезжает в Гор-Фарм на окот овец, отел коров и сбор урожая. Но у него лишь двое работников, и одному из них приходится жить в микрорайоне ближайшего городка, потому другое жилье поблизости ему не по карману.

Нести всевозможный бред о жизни в деревне — основной элемент пропагандистского представления об Англии, и прекрасный пример тому — сочинения Артура Брайанта, автора патриотических историй с такими названиями, как «Английская сага» и «В оправе морского серебра». Однако сила этих мифов настолько велика, что в феврале 1996 года Совет по защите сельской Англии (со времени образования семьдесят лет назад его название несколько изменилось) настоял на том, чтобы лидеры всех трех ведущих партий подписали письмо в газету «Таймс». Это совместное воззвание нельзя назвать беспрецедентным: Тони Блэр, Джон Мейджор и Пэдди Эшдаун сознательно вторили совместному воззванию Стэнли Болдуина, Рамсея Макдональда и Ллойд Джорджа, подписавших 8 мая 1929 года письмо в ту же газету в защиту сельской местности от бессистемной застройки. Избитые фразы версии 1996 года («в полной уверенности, что необходимое развитие может и должно направляться с вдумчивым и скрупулезным вниманием»... и т. д., и т. п.) были похожи на банальности воззвания 1929 года, и никого из подписавшихся ни к чему не обязывали. Никто на самом деле не сомневался в важности данного вопроса: за двенадцать лет до 1990 года исчезло 20 процентов зеленых ограждений, 10 процентов стен сухой кладки, 10 процентов прудов и до 14 процентов видов растений. Нет сомнения и в том, что в результате ничего достигнуто не будет: за воззванием 1929 года последовал взрыв жилищного строительства на зелени полей Южной Англии.

Письмо это составлено мертвой рукой бюрократии, и все, о чем в нем говорится, не имеет значения, кроме того факта, что лидеры всех трех партий сочли сто́ящим поставить под ним свои подписи. Трудно представить, что они соберутся вместе, чтобы обсуждать проблему сохранения английских городов. Однако навязчивое представление англичан о том, что единственная «настоящая» Англия — это та или иная версия страны распевающих молочниц Артура Брайанта, опасно по трем причинам. Во-первых, оно ведет к обратным результатам: как следствие понятия о том, что единственное «пристойное» жилье для англичанина — дом с садиком и видом на то, что осталось от сельской местности, большая часть Англии в конце концов превратится в один большой пригород. Во-вторых, это ничего не даст для улучшения условий, в которых живет большая часть людей. И в-третьих, это неизбежно не позволит большей части населения разобраться, что собой представляет их страна.

При этом нельзя не признать необычайное очарование английской деревни. Кто не поддастся удивительной притягательности названий английских деревень? Хай-Истер («Веселая Пасха»), Нью-Дилайт («Новый Восторг»), Слипинг-Грин («Спящая Зелень»), Типтоу («Цыпочки»), Низэр-Уоллоп («Нижний Грохот»), Нимфзфилд («Поле Нимф»), Крисмас-Камэн («Рождественский Пустырь»), Сэмлзбери-Боттомз («Сэмлзберийские Низины»), Райм-Интринсека («Внутри Раймовских Угодий»), Хуиш-Шамфлауэр («Усадьба Шамфлауэра»), Бакленд-Ту-Сент («Бакленд Всех Святых»), Нортон-Джакста-Твайкросс («Нортон у Твайкросса») и так далее — географический справочник, о котором можно только мечтать. А пейзажи Англии, хранящие образное наследие страны: Чилтернские холмы — это Отрадные Горы из «Путешествия пилигрима» Баньяна, Народное поле Ленгленда раскинулось у подножия Херфордширского маяка, Дорсет — вотчина Харди, Сассекс — удел Киплинга, поэт Джордж Герберт с такой же уверенностью заявляет свои права на Уилтшир, как Вордстворт — на Озерный край, Джейн Остин — на Гэмпшир или Эмили Бронте — на вересковые пустоши западного Йоркшира.

Это очарование малых форм; вряд ли в географическом облике этих мест есть нечто, претендующее на мировые рекорды. Тут красота ухоженная; сельская тропинка, маленький домик, нива, что колосьев полна, — это часть пейзажа, над формированием которого трудились целые поколения. Это притягательность, выраженная полями и акрами. «Все измерено, смешано, изменено, одно легко переходит в другое, маленькие речушки, небольшие равнины... невысокие холмы, маленькие горы... это не тюрьма, и не дворец, а славный дом», — писал Уильям Моррис, снова связывая этот пейзаж с наиболее живучим английским представлением. Это по-прежнему место коротких перспектив. Но, и особенно это проявляется на юге Англии, на этом все и заканчивается. В отличие от Франции, где крестьянская культура пережила XX век, в Англии она вымерла в те времена, когда сельскохозяйственные рабочие вынуждены были наниматься к землевладельцам и производить товары, пользующиеся спросом, — пшеницу и молоко: вечером они возвращались не на свою ферму, а в предоставляемое на время работы жилище, где в лучшем случае было достаточно места, чтобы вырастить одну-трех кур. Настоящая деревенская жизнь уже давно в прошлом, и ее заменила жизнь в пригородах, и на фермеров это влияет почти так же, как и на живущих рядом с ними городских работников, потому что сельское хозяйство тоже бизнес.

Давление на еще не освоенные девелоперами кусочки Англии значительное, и все дело в убеждении, что англичанин может жить лишь на своем клочке Аркадии. Квартира — это лишь для богачей, они там останавливаются, когда им нужно какое-то время побыть в городе, или это место, куда выбрасывают бедняков, в огромные бездушные жилые массивы. Надежды у богатых и бедных разные, но предмет желаний один. Это *дом с садиком*. Не все англичане могут жить в замках. Но все хотят иметь собственные крепостные рвы и разводные мосты. Где еще в мире вы услышите абсолютно серьезные рассуждения о том, что проживание в квартирах приводит к общественным беспорядкам? В результате больше всего стараются выжать из земли, оставшейся от «страны Юга» Томаса. Джордж Уолден, который покинул палату представителей в 1997 году, посчитав, что быть политиком-заднескамеечником — значит тратить жизнь понапрасну, представлял в парламенте Букингем. «Послушайте, что я вам скажу, никакой деревенской жизни больше *нет*. Есть лишь память о деревне, потому что от самой деревни остались лишь крохи». Те, кто сейчас занимает эти сельские предместья, уже никакие не сельские жители, и их мало привлекает деревенский уклад жизни. Например, подается заявка на строительство дополнительного помещения для местного паба, чтобы дело шло лучше, или на разрешение переделать заброшенные фермерские постройки в недорогое жилье. Из приходских советов по всей стране поступают сведения об одном и том же расколе: деревенские старожилы такие планы поддерживают, потому что хотят, чтобы паб работал и дальше, хотят, чтобы было хоть какое-то доступное жилье для детей и внуков, а понаехавшие городские стоят насмерть против такой заявки, чтобы оставить это место таким, каким оно было, когда они туда приехали, и сохранить цену собственности. Они привносят с собой и предрассудки города. Это изменение отражает колонка писем в газете «Дейли телеграф», куда когда-то писали из всех уголков Англии обо всем подряд, начиная с плохих манер и кончая лучшим способом бороться с ярью-медянкой. Редактор отдела писем Дэвид Твистон-Дэвис сказал мне, что «единственное, что можно отметить, говоря о письмах, которые мы теперь получаем, это как много их приходит от „группы Капитан Такой-то“, которая называет охоту позорным занятием».

Большинство англичан или вытеснены с земли «огораживаниями» и ущемлением общих прав, или ушли с нее потому, что сами захотели жить лучше. Имеющие возможность проделать путь назад — привилегированное меньшинство. Если Англия хочет избежать грозящего ей превращения в одно большое предместье, в котором, возможно, останется несколько национальных парков, ей нужно овладеть искусством жить в городах. Но создается впечатление, что страна не замечает этой возможности, когда она представляется. С этой точки зрения последним бедствием, обрушившимся на Англию, были бомбежки ее городов в годы войны, в результате которых они оказались наполовину разрушены: и оценивать это несчастье следует не столько тем, что было утрачено, сколько тем, что появилось взамен. «Люфтваффе» предоставили англичанам возможность перестроить свои города и сделать их более привлекательными, а они лишь воссоздали то, что было, да еще в худшем варианте. А вот немецкие города, разрушенные до основания бомбардировщиками союзников, смогли возродиться с нуля с помощью плана Маршалла.

Ярким контрастом к неспособности англичан создать такое городское жилье, какое им хочется, выступает голландский проект, предлагающий отвоевать у моря вокруг Амстердама достаточно земли, чтобы построить жилой район на 28 000 домов: от такого просто дух захватывает. Ничего подобного этому самому амбициозному проекту не было с XVII века, и его главным архитектором стал англичанин шриланкийского происхождения, который вырос в Илинге в западной части Лондона и учился в университете Лидса. По словам Рувана Аливухаре, он уехал из Англии, потому что

> влюбился в Амстердам и не мог больше выносить, когда на тебя плюют четыре раза на дню в Лидсе... В Англии мне никогда бы не сделать того, что делаю здесь. Там такого просто не происходит. Здесь нас называют Steden Bouwers — строителями города, людьми, которые формируют городской пейзаж. У нас в Англии таких попросту нет, и каждый раз, отправляясь домой в Лондон, я это все более отчетливо понимаю.

Посетив центры города в большинстве графств Англии, можно убедиться, что он прав и что перезастройка английских городов отдана в руки бездарных, близоруких, а иногда коррумпированных местных советов, которых направляют и подстрекают третьеразрядные архитекторы и стремящиеся к быстрой наживе застройщики. Если когда-нибудь потребуется свидетельство презрения англичан к городскому образу жизни, вот оно — в бетоне и стали.

И здесь мы подходим к третьему и самому разрушительному из последствий представления о том, что «настоящая» Англия — это Англия графств. Под него не подходит громадное большинство людей, живущих в Англии. Страна, которую они видят вокруг, — это страна покрытых асфальтом улиц, машин и бетона, где иногда встречаются парки. Лучшее, на что они могут надеяться, — некая надуманная ассоциация со страной теплого пива и сельских старушек, катящих на велосипедах в церковь, но за это они расплачиваются тем, что чувствуют себя отверженными и убеждаются, что такое понятие, как «Англия», имело место много лет назад.

Время от времени кто-то пишет в «Таймс», что у Англии (но не у Британии) нет своего национального гимна и что он ей необходим. Есть, наверное, четыре национальные песни, которые с грехом пополам может воспроизвести средний англичанин (всеми этими делами, связанными с гимном, занимаются преимущественно мужчины). Три из них политического толка: это государственный гимн, который, по сути дела, есть провозглашение преданности монарху, «Правь, Британия, морями!», старомодная и немного смущающая песнь имперской экспансии, и «Земля надежды и славы», еще одна декларация славных имперских времен о ниспосланной свыше миссии править миром. По существу, все три — о Британии. Однако четвертая, «Иерусалим» Уильяма Блейка, — это просто нечто.

Блейк был ярым последователем Иммануила Сведенборга, необычные предсказания которого переведены на английский Томасом Хартли в 1778 году. Из шестидесяти человек, которые первыми подписались под решениями, закладывавшими основы сведенборгианской церкви для пропаганды этой эксцентричной теологии в Лондоне, Уильям Блейк проходил под номером 13, а его жена — под номером 14. Позже она жаловалась: «Я теперь нечасто вижу мистера Блейка. Он все время проводит в раю». Сведенборг поведал своим английским ученикам, что побывал в духовном мире, который, в физическом представлении, показался ему удивительно похожим на организацию нашего собственного. Ангелы, например, «живут в прилегающих друг к другу обителях, которые расположены по образцу наших городов и улиц, тротуаров и площадей. Мне предоставили возможность пройтись по ним, изучить все вокруг и войти в их дома, после чего я окончательно пришел в себя». В этом идеализированном городе-саде Сведенборгу поведали, что Страшный суд уже наступил в 1757 году и всякое земное сообщество — это рай, только маленький. Имелся и особый рай для избранных, закрепленный исключительно за англичанами.

Такого эксцентричного гения, как его ученик Блейк, могло взрастить, вероятно, только общество островитян. Его самое известное произведение невелико (всего шестнадцать строк) и начинается с вопроса:

> *Ступал ли Он встарь Своею ногой*
> *Средь кущ английских холмов?*
> *Взрастал ли Агнец Божий святой*
> *В приволье английских лугов?*

Речь здесь идет о совершенно бездоказательной легенде о том, что Иисус в юности побывал в Англии. В 1916 году, когда стране нужна была любая моральная поддержка, эта легенда была положена на музыку, и с тех пор эту наиболее известную английскую песнь поют в школах, на свадьбах, похоронах и в Женских институтах. Но ведь она на все сто питает все тот же предрассудок против жизни в городе. Во второй строфе Блейк снова вопрошает:

И восставал ли Иерусалим
Средь Дьявола темных Машин?

Казалось бы, в этом вопросе заключена некая возможность общенационального избавления. Но ведь противопоставление «милой английской земли» и «Дьявола темных Машин» — это та же старая пропаганда. Это лишь более мистическая версия английской поговорки «Ты ближе к Господу в саду».

Это вызывает ярость англичан, в том числе священников, которые выбрали жизнь в городе. «Это ужасно опасно. Это увековечивает представление о том, что Бог не имеет никакого отношения к ужасным условиям жизни в городе, — взорвался каноник Дональд Грей, когда я спросил, не считает ли он, что из этого может получиться неплохой национальный гимн для англичан. Как для человека, которому куда ближе тротуары, чем тропинки, для него отвержение англичанами города непостижимо и приводит в уныние. — Мы, как нация, просто-напросто никак не утверждаем городскую жизнь. Стремимся лишь извлечь из промышленности и коммерции максимум богатства, а потом наслаждаться великолепием деревни».

И ведь не то чтобы у английских городов не было своих культурных героев. Город порождает своих колоссов — будь то в мюзик-холльной традиции, от актеров Джорджа Формби и Грейси Филдс до «Битлз» и поколений будущих «битлз», или на футбольном поле, от Стэнли Мэттьюза до Пола Гаскойна (кстати, все вышеупомянутые — уроженцы тех мест, которые ни по внешнему виду, ни на слух не являются частью юга). Благодаря своему происхождению и тому, что говор выдавал в них уроженцев того или иного города, все они стали героями рабочего класса даже после того, как невероятно разбогатели. Однако — и это уникальный случай среди народов Западной Европы — тем, кто задает тон в общественной и интеллектуальной жизни, не удалось создать городской идеал. На темы, связанные с городом, пишут такие авторы, как Мартин Эмис, Питер Акройд или Джулиан Барнс, но книги, которые можно продавать целыми контейнерами, — это исторические романы. Хотя высшие классы и утратили политическую власть, им по-прежнему удается задавать тон в общественной жизни и определять стремления честолюбцев. Поэтому, заработав первые десять миллионов фунтов, удачливый бизнесмен начинает внимательно просматривать страницы журнала «Жизнь за городом», чтобы выбрать особняк для покупки. Ничего *неизбежно* пагубного в этом нет — вы могли бы оказаться правы, сказав, что люди, стремящиеся занять высокое место в обществе, отчаянно пытаются приобрести местечко в деревне, и это является одной из немногих гарантий сохранения деревни. Но это уже никуда не годится. Речь Джона Мейджора оказалась гораздо более непростой, чем от него ожидали, но разрыв между выдуманной Англией и Англией настоящей уже не отражает того, как живет большинство.

А теперь настало время выяснить, откуда произошли эти «традиционные» англичанин и англичанка.

Глава 9   Идеальный англичанин

Мне нравится, когда мужчина — чистый, сильный, прямой англичанин, который может взглянуть своему гну в глаза и всадить ему в лоб унцию свинца.

П. Г. Вудхаус.
Мистер Муллинер рассказывает

«До войны Дерек Вейн был, что называется, типичный англичанин», — писал Сапер в рассказе «Муфтий».

То есть он считал свою страну... где бы о ней ни вспоминал... величайшей страной в мире. Никому своего мнения он не навязывал; просто это так и было. Если кто-то с этим не соглашался, тем хуже для него, а не для Вейна. Он в полной мере обладал тем, что непосвященные считают самомнением; его познания по вопросам, связанным с литературой, искусством или музыкой, были самыми что ни на есть скромными. Более того, он относился с подозрением к любому, кто вел умную беседу на эти темы. С другой стороны, он был в числе «одиннадцати» в Итоне и играл в гольф без гандикапа. Хорошо держался в седле, а на скачках не жульничал, сносно играл в поло и неплохо стрелял. Денег у него было достаточно, чтобы работа не сделалась необходимостью, и свои обязанности в Сити он не воспринимал слишком серьезно... По сути дела, он был частью Породы; Породы, которая всегда существовала в Англии и всегда будет существовать до конца времен. Ее представителей можно встретить в Лондоне и на Фиджи;

в землях далеко за горами и на Хенли; в болотах, где гниет и распространяет зловоние растительность; в великих пустынях, где обжигает холодом ночной воздух. Они всегда одинаковы, и на них лежит печать Породы. Они по-мужски пожмут вам руку; по-мужски встретят ваш взгляд.

О, Порода, как нам их не хватает. Бесстрашные филистеры, с которыми можно без опаски ездить в такси, незаменимые при кораблекрушениях, они были воплощением правящего класса. Этих людей можно было послать на самый край земли и быть уверенным, что они будут править местными жителями твердо, но справедливо, а их потребности будут ограничиваться лишь получением время от времени экземпляров «Таймс» многомесячной давности да жестяной коробки их любимого трубочного табака. Мир, с их незамысловатой точки зрения, делился на приличных малых с одной стороны и на «большевиков, анархистов и членов всей этой шайки, которым лишь бы не работать и загребать себе все, что есть деньги», как характеризует их у Сапера его более известный герой Бульдог Драммонд.

Сапер — это полковник Герман Сирил Макнил, уволившийся из армии с Военным крестом в 1919 году, а подзаголовок книги «Бульдог Драммонд» гласит: «Приключения демобилизованного офицера, которому наскучило мирное время». В ней мы найдем все, что нам нужно узнать: Породу выводили для действия. Драммонд — это «шесть футов в носках... твердые мускулы и чисто выбритый подбородок... прекрасный боксер, быстр как молния, метко стреляет из револьвера и просто чудный парень». Он отличается также крайним скептицизмом, не выносит иностранцев и чудовищно некрасив: любой, кто встречался с таким человеком в своей частной школе, тут же узнает его, и, вероятно, с содроганием. Из того же теста и Ричард Ханней, герой книги Джона Бухана «Тридцать девять ступеней»: из этого повествования мы узнаем, что негодяй из негодяев в мире — это «маленький еврейчик с бледным лицом, в инвалидной коляске, со взглядом гремучей змеи». Этот враг поставил себе целью подрывать устои империи и продавать женщин в «белое рабство».

Конечно, ни Дерек Вейн, ни все остальные никогда не были «типичными англичанами». Это выдает и ремарка о личном доходе, и упоминание о принадлежности к «одиннадцати» в Итоне: в команде из одиннадцати лишь одиннадцать человек, так что он не был типичным даже в школе. Порода же являла собой определенный идеал, тщательно подобранное число сильных и слабых сторон мужчины, возведенных до платонических высот. Они были храбры, нерефлективны и невероятно прагматичны: люди, которым можно доверять. К несчастью для английского мужчины, он приходит к пониманию не только того, что страна, где он живет, совсем не та, какой он ее себе представлял, но и того, что так называемый английский идеал требует от большей части населения быть не такими, какие они есть на самом деле.

Породу в массовом порядке имитировали расплодившиеся в XIX веке частные школы. Они предназначались только для мальчиков, и мир Породы остался мужским навсегда. Если Порода воспроизводилась (видимо, в результате некоего непорочного зачатия), их дети уже были записаны во взрослые и их следовало как можно быстрее отправить в школу. Можно лишь гадать, какие эмоции обуревали сердца матерей при

255

том, как немного им позволялось знать о жизни их детей. В колледже Рэдли мальчиков доводили до того, что они копались в грязи, ища съедобные корешки и растения (первоцветы считались большим деликатесом), и жарили желуди на пламени свечи. В письме итонского школьника XVIII века упоминается о попадавшихся в пище черных тараканах. Вот это письмо:

Дорогая мама,

пешу, чтобы сказать вам, что я очень нищастен, а отмороженные места снова опухли еще больше. Успехов я ни в чем не добился и не думаю, что добьюсь. Очень жалко, что ввожу вас в такие расходы, но думаю, что эта школа не очень. Один одноклассник взял тулью моей новой шляпы и сделал из нее мишень, разобрал мои часы, чтобы поправить колесико в механизме, но он не работает — мы с ним пытались засунуть механизм обратно, но каких-то колесиков, наверное, не хватает, потому что он не влезает. Надеюсь, у Матильды простуда прошла, и я рад, что она не в школе. Думаю, у меня чахотка мальчики здесь никакие не джентльмены но вы конешно не знали, когда посылали меня суда, я постараюсь не перенять плохие привычки... Надеюсь, что вы и папа здоровы и не расстраивайтесь, что мне так плохо потому что думаю это продлится недолго пожалуйста пришлите немного денег потому что я задолжал 8 пенни...

Любящий вас но нищасный сын

Письмо это настолько совершенно в описании ужасов и настолько изобретательно в попытках вызвать сочувствие, а потом обратиться с просьбой выслать деньги, что читается как пародия. Несомненно, что столетие спустя умудренный школяр уже понимал, что одним перечислением ужасов школы ничего не добьешься: его родители платили за это, и это была цена за то, чтобы стать одним из Породы.

Когда мальчики были оторваны от родного дома, хорошая взбучка воспринималась как неотъемлемая часть процесса воспитания джентльмена. Чемпионом по порке был преподобный Джон Кит, доктор наук; он был назначен директором Итона в 1809 году и порол в среднем по десять мальчиков в день (кроме воскресных дней, когда он отдыхал). Своего высочайшего достижения он добился 30 июня 1832 года, когда отдубасил более восьмидесяти учеников. В конце этого марафона мальчики стоя кричали ему «ура». О царившем там духе в какой-то мере свидетельствует тот факт, что впоследствии Кит смог высказать некоторым из выпускников своей школы сожаление, что не порол их чаще. Когда ему пришла пора уходить на пенсию, выпускники Итона устроили подписку и собрали на подношение ему значительную сумму. Надо ли при таких обстоятельствах удивляться, что продукты таких школ мастерски умели скрывать свои чувства?

Традиционная английская система образования, несомненно, сделала все возможное, чтобы дать другой выход зову гормонов у молодых людей. Особенно был распространен онанизм — вполне предсказуемое занятие подростков. Некий доктор Эктон, автор книги «Функции и расстройства репродуктивных органов» (опубликованной в 1857 году и издававшейся даже через сорок лет), нарисовал ужасающую картину воздействия мастурбации на мальчика, который на своем опыте познал, что «расход спермы в больших количествах истощил его жизненные силы» и в результате превратил в ходячие мощи.

Он низкорослый и немощный, мускулы не развиты, впалые глаза и тяжелый взгляд, лицо болезненное, бледное или покрытое угрями, руки влажные и холодные, а кожа потная. Он избегает общества остальных мальчиков, бродит вокруг один, с отвращением принимает участие в играх (развлечениях) соучеников. Он не смеет смотреть людям в глаза, перестает следить за своим платьем и становится неряшлив. Восприятие у него притупляется и ослабевает, и если ему не удастся избавиться от своих дурных привычек, в конечном счете он может превратиться в круглого дурака или сварливого ипохондрика.

Хотя многие сегодняшние родители могут узнать в этой картинке портрет своего собственного прыщавого отпрыска, больше всего это напоминает усилия сегодняшнего правительства предупредить молодых людей о вреде наркотиков. Лучше всего помогала избежать соблазна полная занятость, и это стало одной из причин увлечения школьным спортом. Как советовал взрослым, пытающимся не дать мальчикам увлечься мастурбацией, доктор Эктон: «Главное — начинать тренировать таким образом силу воли *пораньше*. Если мальчик однажды в полной мере проникнется тем, что все такие занятия непристойны и гадки, и со всей силой нерастраченной энергии решит для себя, что больше не унизится до того, чтобы поддаться этому, его ждет блестящее и счастливое будущее».

Очевидно, этот совет пригодился многим выдающимся представителям Породы, так как можно заметить, что значительная часть этих выдающихся мужчин, покидавших Англию, чтобы возводить империю, похоже, в большей или меньшей степени избавлялись от сексуальности как от ненужного в путешествии багажа. А. К. Бенсон, автор того самого гимна империи «Земля надежды и славы», признавался в своем дневнике, что «настоящей проблемы с сексом для меня не сущеществует». Первооткрыватель Уилфред Тезигер в своей автобиографии писал, что «секс для меня не имел значения, и воздержание в пустыне нисколько не беспокоило... никакого чувства потери». Другие, как генерал Гордон, говоривший, что лучше бы он стал евнухом в четырнадцать лет, или фельдмаршал Монтгомери, просто старались подавлять любые сексуальные ощущения: во время дебатов в палате лордов по вопросу легализации гомосексуализма Монтгомери предложил поднять возраст совершеннолетия до восьмидесяти лет. Возможно, страстность, с которой это отрицалось, имела какую-то связь со скрытым или подавленным гомосексуализмом: у Гордона и Монтгомери, как и у фельдмаршала Окинлека, были увлечения мальчиками. Но в большинстве случаев секс просто представлялся чем-то второстепенным. Сесил Родс, присоединивший к империи огромные территории в Африке, никогда не был женат и не выказывал ни малейшего интереса к сексу в любом его проявлении. Лорд Китченер в эмоциональном плане, похоже, так и не вышел из периода полового созревания. Другие поздно вступали в брак: первооткрыватель Генри Мортон Стэнли — в пятьдесят один год, основатель движения бойскаутов Роберт Баден-Пауэлл — в пятьдесят пять, колониальный губернатор лорд Милнер — в шестьдесят семь.

Все это были люди устремленные, они ставили великие цели для себя и для империи и часто жили в по-спартански суровых условиях. Но самоконтроль простирался гораздо дальше умерщвления плоти. В конце войны англичан с бурами в Южной Африке писатель Форд Мэдокс Форд (еще один «англичанин»: отец — немец) встретил на одном из английских железнодорожных вокзалов приятеля, отставного майора. Майор ожидал сына, «молодого человека, который ушел на войну, словно дав необычный обет. И выполнил этот обет самым необычным образом; ведь он был единственным сыном и, по существу, единственной надеждой на продолжение древнего рода — рода, традициями которого старый майор X особо дорожил и особо почитал их». В ожидании поезда на платформе мужчины говорили о погоде, урожае, о том, что поезд опаздывает, — о чем угодно, лишь бы «отвлечься о того, что никак не шло у нас обоих из ума». Дело в том, что сын был тяжело ранен на войне. Разрывом снаряда ему оторвало руку, ногу и снесло пол-лица. Вот как описывает Форд эту встречу отца с сыном: «Когда наконец сын, вернее, то, что от него осталось, сошел с поезда, он лишь как-то странно, не смущаясь, ухватился левой рукой за протянутую правую — торопливое, неискреннее рукопожатие. Майор X проговорил: „Привет, Боб!“, его сын ответил: „Привет, отец!“ И все».

Кто знает, сколько слез пролил впоследствии этот майор наедине с самим собой? Но на людях это был сплошной стоицизм. Писатель добавляет, что «такое, должно быть, случалось изо дня в день повсюду на этих чудесных островах; но то, что народ научился такой спартанской сдержанности, все же достойно удивления».

Достойно удивления, а также уважения. Представьте, как страдал в душе великий поэт империи Редьярд Киплинг в Первую мировую войну. В начале он, стоя на украшенной флагами платформе, призывал добровольно присоединяться к крестовому походу против зла, которое несли «гунны», а через год его единственный сын Джон попал в списки «раненых и пропавших без вести» в сражении под Лоосом. У юноши было ужасное зрение, и его взяли на службу лишь благодаря связям Киплинга. Последним лейтенанта Киплинга видел человек, который пытался наложить ему на разнесенную челюсть импровизированную повязку и видел, как тот плачет от боли, но сослуживцы-офицеры договорились не рассказывать Киплингу подробности последних минут агонии сына. «Думаю, моему мальчику мало на что оставалось надеяться, и одна мысль об этом просто невыносима. Хотя я слышал, он до конца держался молодцом... Короткая получилась жизнь. Так жаль, что работа стольких лет пошла прахом в один день, но ведь не мы одни в таком положении, и ведь это что-то значит, когда знаешь, что воспитал мужчину». Возможно, эта утешительная гордость за то, что он «воспитал мужчину», убеждала Киплинга, что он может гордиться своим поступком, что этого ждала от него страна. За что еще можно было ухватиться в этой бессмысленной бойне войны?

Конечно, Порода представляла собой некий класс. Но чтобы принадлежать к нему, не обязательно было быть англичанином. Герой Джона Бухана Ричард Ханней — белый горный инженер из Родезии. Да и английские частные школы предлагали возможность стать частью этого класса другим — мальчикам из неаристократических семей. Член парламента Пол Боатенг, тогда еще маленький мальчик из Ганы, бывало навещал своих бабушку и дедушку на западе Англии. «Помню, как я любил разглядывать у них одну старую книгу, думаю, это был юбилейный альбом, — рассказывает он. — Там были все эти фотографии Ага-хана или махараджи Джодхпура, и смотрелись они как стопроцентные англичане. Никакими англичанами они не были, но стали ими».

И все же они ими не стали. Налет на Породе был английский, хотя на самом деле они больше принадлежали империи, чем Англии. Порода жила в шаге от своих эмоций, и это было следствием полученного образования: как объяснил, уезжая из Ирана в 1991 году, бизнесмен Роджер Купер, просидеть в печально известной тегеранской тюрьме Эвин столько дней, сколько провел там он после обвинения в шпионаже, и выжить может любой, кто прошел через то же, что и он в Клифтон-колледже в Бристоле. Дело не только в плохой пище и суровых условиях в целом: такое обучение позволяло отдельной личности жить в отрешенности от окружавшей физической реальности, будь то Бристоль или черный как ночь Судан. Но Породу выводили для империи и для того, чтобы действовать, а не для послевоенной Англии.

В 1964 году праправнуки Дерека Вейна оглядывались на Породу с презрением. В скетче «За гранью», написанном для студенческого журнала, сатирики Джонатан Миллер и Питер Кук воссоздали сценку на аэродроме во время войны. Разговор там шел такой:

ПИТЕР: Перкинс! Извини, старина, что пришлось оторвать тебя от веселья. Дело в том, что война складывается не очень удачно.

ДЖОН: О Господи!

ПИТЕР: Мы проигрываем два очка, и мяч на половине противника. Война — штука психологическая, Перкинс, ну как футбол. Ты ведь знаешь, в футболе часто бывает, что десять человек играют лучше, чем одиннадцать?

ДЖОН: Так точно, сэр.

ПИТЕР: Перкинс, вот этим самым игроком ты и будешь. Я хочу, чтобы ты принес себя в жертву, Перкинс. На данном этапе нам нужно совершить что-нибудь бесполезное. Это повысит весь настрой войны. Забирайся в самолет, Перкинс, сгоняй в Бремен на *шуфти* и не возвращайся. Прощай, Перкинс. Эх, вот бы мне тоже полететь.

ДЖОН: Прощайте, сэр, — или *au revoir*?

ПИТЕР: Нет-нет, Перкинс, прощайте.

Шуфти — смотреть (*араб.*). Одно из многочисленных выражений, занесенных в разговорный английский язык теми, кто служил в английских владениях на Ближнем Востоке.

Au revoir — до свидания (*фр.*).

Британия Породы стала Британией Бессмысленного Поступка.

Стереотипы вещь удобная, с ними не нужно задумываться. Как у Сапера Порода предстает воплощением правящего класса империи, так и в сознании сочинителя газетных заголовков или острослова всякий швед — это хмурый тип, любой немец страдает отсутствием чувства юмора, каждый француз — хлыщ, от которого разит чесноком. Карикатура на самих англичан, которой они держались в течение двух веков до появления Породы, не была ни обаятельной, ни экстравагантной, ни даже особо героической, и это о чем-то говорит.

Англичане могли выбрать национальным символом кого угодно — от моряка до поэта. Но они выбрали торговца. Фигура Джона Буля с его выпяченной нижней челюстью до сих пор нет-нет да появляется в газетных карикатурах: неплохо для персонажа, придуманного в 1712 году. Как и многие другие чисто национальные проявления английскости, Джона Буля придумал неангличанин, Джон Арбетнот, сын священника из Кинкардиншира, который отправился пытать счастья в Англию. Но при этом Арбетнот не отказывал себе в том, чтобы при случае выступить за Шотландию, поэтому герой англичан был «пухлый здоровяк с надутыми как у трубача щеками», а его сестра Пег

> выглядела бледной и болезненной, словно страдала «зеленой хворью» [анемией]; и неудивительно, ведь любимчиком был Джон, и все лучшие куски доставались ему, он набивал себе брюхо славной молодой курочкой, свининой, гусем и каплуном, а мисс давали лишь немного овсянки с водой или сухую корку без масла... Старший сын жил в лучших комнатах со спальней, обращенной на юг, к солнцу. Мисс обитала в мансарде, открытой северному ветру, отчего ее лицо покрылось морщинами.

Но безразличие Джона Буля к своей болезненной шотландской сестре еще что по сравнению с его более важным занятием, а именно разборками с бесчестными и плетущими заговоры континентальными нациями. Врач по образованию и приятель Поупа и Свифта, Арбетнот изобразил жульническую борьбу за сферы влияния, которая привела к Утрехтскому миру в виде иска в суде, учиненного простоватым торговцем тканями Джоном Булем против олицетворяющего Францию Льюиса Бабуна. Джон Буль, «человек честный, прямой, желчный, энергичный и весьма непостоянного нрава», никого не боится, но склонен ссориться с соседями, «особенно если они пытаются управлять им». Его настроение

> во многом зависело от погоды; его настроение поднималось и падало вместе с барометром. Джон был шустрый малый и хорошо знал свое дело, но никого из живущих на земле так мало заботило ведение своих счетов, и ни-

кого так не обманывали партнеры, подмастерья и слуги. Человек компанейский, он был любитель выпить и развлечься; так что, сказать по правде, ни у кого не было такого доброго дома, как у Джона, и никто не тратил свои денежки более щедрой рукой.

Здесь мы имеем автопортрет гораздо более верный, чем хотелось бы многим англичанам. Джон Буль, как и приличествует нации лавочников, — торговец. Он неистово независим и горд, много пьет и отличается истинно бычьей невозмутимостью. К тому же он человек темпераментный, любит посетовать, не отличается чувствительностью, а по отношению к Николасу Фрогу, олицетворяющему Голландию («хитроумному проныре и шельме, скупому, бережливому, у которого хоть и брюхо подведет, но он карман свой сбережет»), исполнен высокомерного презрения, как и ко всем иностранцам. Хотя впоследствии Джон Буль претерпел немало модификаций, становясь менее склонным к вспышкам гнева и более респектабельным, некоторые черты остались постоянными. Его неизменно изображают с округлым животиком, солидным, миролюбивым и чуть сонным. Он более склонен утверждать то, что, по его суждению, абсолютно очевидно, чем заниматься рассуждениями. Он верит в Закон и Порядок и инстинктивно консервативен. Он любит свой дом, надежен, жизнерадостен, честен, практичен и яростно привержен своим свободам.

Имели место другие попытки придумать архетип англичанина — кратковременной популярностью пользовался вустерширский баронет, сэр Роджер де Каверли, творение Джозефа Аддисона, но никому не дано было продержаться так долго, как Джону Булю. Даже любопытно, каким образом такому не очень-то привлекательному персонажу удалось прожить такую долгую жизнь. Ведь, в конце концов, он не привлекателен физически и даже не отличается особенным умом. Причина его долголетия в основательности. Вскоре на карикатурах его стали изображать не быком, а бульдогом, так что почти через двести лет после того, как он был придуман, во время великого соперничества на море с Германией, он подходил джингоистскому мюзик-холльному гимну «Моря сыны, британской все породы» Артура Риса, от которого пошла гулять фраза «парни бульдожьей породы». А к началу Второй мировой войны в стране был человек, в облике которого, похоже, сочетались черты и бульдога, и Джона Буля, — Уинстон Черчилль.

Раз англичане сохраняли представление, что они должны жить не в городах, где они живут, а в деревне, где их нет, оставалось и ощущение того, что настоящий англичанин — непременно сельский житель. «Джентльмену пристало быть искусным в обращении с охотничьим рожком, он должен уметь гнать зверя, изящно обучать и носить сокола», — наставлял один авторитет XVII века. Похожее мнение находим у сэра Роберта Бёртона, писателя и ученого, в его «Анатомии меланхолии», где он рассуждает об увлечении знати охотой: «Это все, что они изучают, в чем упражняются, чем обыкновенно занимаются, и все, о чем говорят». Три века спустя принцип оставался прежним: лишь совсем недавно представители деревенского дворянства вообще стали придавать значение образованию, но не из-за образования как такового, а потому что с ним их детям, возможно, будет легче зарабатывать деньги и продолжать жить в деревне.

Образцом джентри, мелкопоместного неродовитого дворянства, в литературе можно назвать сквайра Вестерна в «Томе Джонсе» Филдинга — прекрасного наездника, любителя выпить и чертыхнуться, краснолицего хулителя ганноверской династии и человека серьезного. Любая жизненная загадка не настолько сложна, чтобы ее нельзя было свести к сравнению со стаей паратых гончих или с тем, как ведет себя загнанный барсук. Но сквайр Вестерн существовал и в реальной жизни. Леди Мэри Уортли Монтегю писала о Породе, что «утро они проводят среди гончих, вечера с такими же отвратительными спутниками — и выпивают все, что попадет под руку». Пример тому — Джек Миттон, который родился в 1796 году и к 21 году якобы получил в наследство ренту в размере 10 тысяч фунтов в год и 60 тысяч наличными. Отец Миттона умер, когда Джеку было два года, и в учении он так и не преуспел: его исключили сначала из школы-пансионата Вестминстера, а потом из Хэрроу. Нанятый впоследствии учитель отказался заниматься с ним, после того как Джек ударом кулака уложил его на землю. Армейская карьера рухнула, когда ему пришлось покинуть Седьмой гусарский полк по причине безудержного увлечения азартными играми. Он ничем не показал себя за год в парламенте, представляя Шрусбери от партии тори, но потом раскрылся его истинный талант — умение крушить все вокруг и развлекаться.

Об отчаянной храбрости Миттона ходят легенды. На полном скаку он проскакал по кроличьему садку, чтобы посмотреть, выдержит ли он его вес: садок рухнул, упала и лошадь, которая навалилась на него самого. Он на спор промчался в запряженном парой лошадей экипаже ночью по деревне, преодолев канаву, две изгороди и заборчик у рва в три ярда шириной. Заводился он с полуоборота и однажды колошматил шахтера из Уэльса двадцать раундов, пока тот не сдался. В другой раз, охотясь зимой на уток, он прополз голышом по льду, чтобы не замочить одежды. У него никогда не было с собой носового платка, перчаток или часов. Однажды его спутник, ехавший с ним в двуколке, рассказал, что никогда не попадал в аварию. «Как же медленно вы, должно быть, ездите всю жизнь, черт возьми!» — воскликнул Миттон, заехал на экипаже на высокий берег реки и перевернул его. Приезжавшие к нему на ужин и подсаживавшиеся к камину гости, бывало, обнаруживали, что он тайно подкладывает им в карманы раскаленные угли. Когда после ужина они разъезжались по домам, он имел обыкновение одеваться разбойником с большой дороги и грабить их — одной из жертв оказался и его собственный дворецкий. Один из гостей остался у него ночевать и завалился спать мертвецки пьяный, а проснувшись, обнаружил, что Миттон подложил ему в кровать живого медведя и двух бульдогов.

В конце концов экстравагантные выходки доконали его. Не на пользу шли и ежедневные четыре—шесть бутылок портвейна, причем первую он выпивал утром, пока брился. (Его любимая обезьянка, которая проводила с ним все время и регулярно отправлялась вместе с ним на охоту верхом, тоже любила прикладываться к бутылке и сдохла, выпив по ошибке пузырек с лаком для сапог.) По свидетельству очевидца, за последние пятнадцать лет жизни Миттон спустил полмиллиона фунтов. В конечном счете у него накопилось столько долгов, что ему пришлось бежать в Кале, где однажды ночью он вдруг стал задыхаться. «Будь проклята эта икота», — выругался он и, чтобы отпугнуть ее, поджег полу своей ночной рубашки. Та вспыхнула, как бумага.

Заглушить боль помогал бренди, который Миттон стал пить в огромных количествах, и даром это не прошло. Он умер от белой горячки в Королевской долговой тюрьме 29 марта 1834 года.

* * *

Джек Миттон, конечно, исключение, даже по меркам своего времени. Но будь то во времена вигов, или в более «респектабельном викторианском обществе», или даже в конце XX века, одна характерная черта англичан остается постоянной. Джон Буль и его сторонники — люди практичные и деловые. Просто сказать, что у англичан серьезно ограничено представление о ценности интеллектуалов, будет весьма английской недосказанностью. «Пусть словесностью занимаются деревенские простаки», — заявил еще в 1525 году посол Ричард Пейс, преподававший греческий язык в Кембридже. Если отношение с того времени и изменилось, то ненамного, и это открыл для себя литературный критик Джордж Стайнер, когда пытался устроиться преподавателем в Кембриджский университет. Чуть ли не любое учебное заведение в мире гордилось бы тем, что среди его сотрудников есть такой красноречивый, загадочный и заставляющий думать человек. За годы научной деятельности он читал лекции в Париже, Чикаго, Гарварде, Оксфорде, Принстоне и Женеве. Его книги издавались с 1958 года. Пространный перечень его почетных степеней напоминает набранные мелким шрифтом на обороте условия ипотечного договора.

Но у Стайнера есть одна непреодолимая проблема. Он интеллектуал. На собеседовании для будущих преподавателей он опрометчиво заявил, что верит в важность идей.

«Я сказал, что застрелить кого-то из-за расхождения во взглядах по отношению к Гегелю — дело достойное. Это говорит о том, что такие вещи немаловажны».

На работу его не взяли. Сказанное характерно для Стайнера, но это говорит и о его глубоком непонимании англичан. Считать, что за любое интеллектуальное воззрение можно умереть или убить — это слишком для любого английского ученого мужа. В Англии нет интеллектуалов, и это уже стало расхожим понятием. Но это и не верно. Однако если вы собираетесь быть интеллектуалом в Англии, лучше не афишируйте этого и, конечно же, не называйте себя таковым. Не стоит разводить страсти в связи с вашими воззрениями или считать, что для каждой проблемы есть решение. И самое главное, не надо корчить из себя умника.

Я познакомился с Джорджем Стайнером в Кембридже, где, после отказа университета признать его таланты, ему предложил стипендию внештатного научного сотрудника и позволил время от времени читать лекции и смущать умы студентов Черчилль-колледж. Мы договорились о встрече по телефону, листая календарь. «Двадцать третьего апреля», — предложил я.

«О, двадцать третье апреля. День рождения Уильяма Шекспира, Владимира Набокова, Сергея Прокофьева, Джозефа Тёрнера и Макса Планка. А также Джорджа Стайнера».

Когда мы спускались по ступенькам колледжа, он указал на близлежащий дом и негромко проговорил:

— Видите окно наверху? Это комната, где умер Витгенштейн.

Знаете, что произошло в последний день рождения Витгенштейна? Он работал у себя за столом. Вошла миссис Б. с тортом в руках. *«Many happy returns*, Людвиг!» — воскликнула она. Он повернулся к ней и сказал: «Я хочу, чтобы вы хорошо подумали над тем, что только что сказали». Она разрыдалась и уронила торт.

Many happy returns — «Много счастливых возвращений [этого дня]» — традиционная английская форма поздравления с днем рождения (*англ.*).

Я подумал: может, Стайнер представил себя еще одним Витгенштейном? Оба эмигранты. У обоих не все гладко с Кембриджем (Витгенштейна, профессора философии, называли там «смерть ходячая»). Нет, сравнение не подходит. Стайнеру слишком нравится быть на виду, и у него слишком много публикаций. Стайнер не подходит Кембриджу потому, что настаивает на рассмотрении английской литературы в контексте других литератур. И слишком серьезно относится к идеям.

— Вы знаете, — продолжал он, — что под рю Фобур-Сент-Оноре похоронено сорок пять тысяч человек? Сорок пять тысяч мужчин, женщин и детей! Они погибли во время Коммуны. Погибли за идею. Вы, англичане, просто понятия не имеете, какое большое значение придается идеям, идеологии в остальной Европе. Все, что случилось в вашей стране, это лишь небольшая и прошедшая довольно цивилизованно гражданская война. Свою ненависть вы переносите на Ирландию. Существует глубокий общественный договор с терпимостью и инстинктивное недоверие проявлению ума или красноречия. Явись Господь Бог в Англию и начни излагать свои убеждения, знаете, что ему скажут? Ему скажут: «О, да будет вам!»

«При условии, что вы не ирландец, я считаю, что, по большому счету, не так уж плохо, что англичане против того, чтобы убивать людей за их убеждения», — как-то по-стайнеровски согласился Стайнер.

«Да, благословение этой страны в могучей посредственности ума. Это спасло вас от коммунизма и от фашизма. В конце концов, вам достаточно наплевать на идеи, чтобы еще страдать от их последствий!»

Он прав. Некоторые модные веяния, такие как заигрывание с монетаризмом и приватизацией 1980-х, могут получать распространение, но глубоко в душе англичане не доверяют «-измам», поэтому Тони Блэру было так нелегко доказать, что его вера в «третий путь» есть нечто большее, чем выраженный слоганом прагматизм. Существуют некоторые практические объяснения: обучение Породы не предполагало выпускать в свет молодых людей, слишком склонных думать или размышлять. Посетивший Англию в 1860-е годы французский профессор философии Ипполит Тэн отметил, что в частных школах больший упор делается на спорт и гораздо меньший — на изучение наук по сравнению с французскими лицеями, у которых из-за того, что они расположены в городах, все равно мало места для спортивных полей. По его меткому замечанию, английские школы имели тенденцию выпускать людей интуитивно консервативных; что касается религии, в них постоянно вдалбливался викторианский англиканизм, и они заканчивали школы «защитниками, а не противниками великого духовного установления, общенациональной религии». Кроме всего прочего, цельность ценилась в системе выше интеллекта; «учению и развитию ума отводилось последнее место, в первых рядах идут характер, отвага, смелость, сила и физическая ловкость». Вследствие этого англичане относятся к любой обещаемой им панацее не с энтузиазмом, а глубоко скептически.

Создается впечатление, что интеллектуалов в Англии презирают, потому что они страдают от самого разрушительного комплекса неполноценности: никто не воспринимает их так же серьезно, как они сами. Над такими людьми, как Стайнер, — по его же выражению — «насмехаются по всей стране». (Судя по этим словам, он еще вежливо отзывается об англичанах по сравнению с некоторыми другими континентальными европейцами. Рихарду Вагнеру ни одно существо не представлялось таким отвратительным, как истинный англичанин. «Он как овца с практическим овечьим инстинктом вынюхивает в поле, чем бы набить брюхо».)

Как же случилось, что в Англии нет места браминам духа? Ведь, в конце концов, страна обладает одной из наиболее выдающихся интеллектуальных традиций в мире. К концу XVII века Лондонское королевское общество стояло на вершине европейской науки. «Англия более, чем все страны Европы, может справедливо претендовать на то, чтобы возглавить философскую лигу, — писал в опубликованной в 1667 году книге «История Королевского общества» епископ Томас Спрэт. — Англичанам природа откроет больше тайн, чем другим, потому что гений, которым она уже их одарила, чтобы раскрывать и совершенствовать ее тайны, так замечательно соразмерен». Другие в гораздо большей степени, чем сами англичане, были готовы признать английский гений. Вольтер, во многих отношениях апофеоз Просвещения XVIII века, был очарован английской интеллектуальной традицией и в своих «Письмах об

Англии» сравнивал Исаака Ньютона с Рене Декартом. Он отмечал, что картезианская вера в чистое мышление — «вещь оригинальная, убедительная в лучшем случае разве что для невежд» и просто не идет ни в какое сравнение с гением Ньютона. «Первое — это набросок, второе — шедевр». Это различие остается до сих пор: альма-матер Ньютона, Тринити-колледж в Кэмбридже, дал миру больше нобелевских лауреатов (двадцать девять), чем вся Франция.

Но главное, что англичане не устраивают никакого шума по этому поводу. Когда недавно в одном и том же году Нобелевскую премию получили трое французов, французское правительство объявило этот день общенациональным праздником и отменило занятия в школах. А когда Аарону Клюгу позвонили в лабораторию молекулярной биологии в Кембридже и сообщили о присуждении ему Нобелевской премии 1982 года за заслуги в области химии, он воздел руки к небесам и счастливо вздохнул: «Теперь я смогу купить новый велосипед!»

Похоже, англичане едва замечают уровень своих интеллектуальных достижений. Шекспир, вероятно, величайший писатель в мире. Но когда Виктор Гюго приехал в Лондон поклониться этому человеку, памятник ему он так и не нашел. Вот как он пишет о тех, кого сочли достойными поминовения:

Статуи трех или четырех Георгов, один из которых был идиот... За муштру пехоты — статуя. За командование конной гвардией на маневрах — статуя. За защиту Старого Порядка, за разбазаривание богатств Англии на сколачивание «коалиции королей» против 1789 года, против Демократии, против Просвещения, против возвышенной устремленности человеческого духа — устанавливайте пьедестал, быстро, статую для мистера Питта. А чтобы найти дань уважения нации величайшему гению Англии, вам придется пройти далеко в глубь Вестминстерского аббатства, и там, в тени четырех или пяти огромных монументов, где в мраморе или бронзе возвышаются во всем великолепии никому не известные члены королевской фамилии, вам покажут маленькую фигурку на крохотном пьедестале. Под этой фигуркой вы прочтете это имя: уильям шекспир.

За полтора столетия со времени визита Виктора Гюго ситуация немного изменилась, но не так разительно, как это пытается представить культурная элита страны. Памятниками Шекспиру теперь служат театры в Лондоне и Стратфорде, где ставятся его пьесы, но ни тот, ни другой театр не выжил бы без средств, которые вкладывает в них британское правительство и иностранные туристы. Время от времени к великим причисляют новых писателей, и их могилы пополняют маленький перенаселенный Уголок поэтов Вестминстерского аббатства. Но основное замечание Гюго остается в силе: когда речь идет об отношении властей к увековечиванию какого-либо достижения, один генерал не из самых выдающихся приравнивается к дюжине поэтов. Только взгляните на составляемые Букингемским дворцом дважды в год списки почестей: их скорее удостоишься за составление протоколов муниципального совета, чем за том поэтических произведений.

Подход англичан к идеям заключается не в том, чтобы подавлять их, а дать умереть от безразличного отношения. Характерный для англичан подход к проблеме не в том, чтобы хвататься за идеи, они будут принюхиваться к ней, как натасканная на трюфели собака, и только выделив главное, будут искать решение. Подход это эмпирический и примиряющий, и единственной идеологией, которая при этом исповедуется, является Здравый Смысл. Идеям английский склад ума предпочитает вещи утилитарные. Как выразился Эмерсон, «они любят рычаги, винты, шкивы, фламандских ломовых лошадей, водяные мельницы, ветряные, приливные; любят, когда море и ветер движут их корабли с грузами». Теперь вы понимаете, почему из англичан вышло столько великих ученых.

Но ничто из этого в полной мере не объясняет, почему у англичан выработалось такое недоверие к интеллектуалам. Я склонен считать, что, возможно, это имеет какое-то отношение к их границам. Живя на острове, англичане стали народом сравнительно однородным. В какой-то мере они были изолированы от различных теорий, которые приливными волнами прокатывались по остальной Европе. Границы Англии определяет море и соседи-кельты, поэтому у англичан всегда присутствовало совершенно четкое понимание того, кто они. В их истории сравнительно немного политических потрясений, и это говорит о том, что им не было нужды переосмысливать себя: как и их законы, черты национального характера англичан были в основном застывшими. Интеллектуал же, напротив, процветает в более подверженном изменениям мире, где все представляется возможным; величайшие мысли становятся теориями для изменения миропорядка, а самые великие теории превращаются в идеологии. За то время, когда многие страны континентальной Европы проходили через объединения, разделения, войны, объединения и обретения себя вновь, институты Англии изменялись понемногу, шаг за шагом и зачастую в последнюю минуту. За последние два столетия во Франции сменились одна монархия, две империи и пять республик. За половину этого времени Германия прошла путь от монархии до республики, рейха, раздела между коммунизмом и капитализмом и, в конце концов, до нового объединения в качестве федеральной республики. Все это время Британия оставалась парламентской монархией. Никто не стремился к всеобщему потрясению: самое значительное изменение в обществе в XX веке — изобретение государства всеобщего благосостояния — стало практическим проектом, построенным скорее на идеалах, чем на идеологии. Может быть, просто англичанам не нужны интеллектуалы, которые скажут им, кто они.

* * *

Когда классовая структура Франции взорвалась революцией, родилась новая модель француза и француженки. «Подданным было сказано, что они стали Гражданами, — пишет искусствовед и историк Саймон Шама, — совокупность подданных, которых сдерживали несправедливость и устрашение, стала Нацией. От этого новшества, от этой Нации Граждан можно было не только ожидать, но и требовать справедливости, свободы и изобилия». Не претерпевший с тех пор изменений революционный идеал принес катастрофические побочные эффекты вроде оплакиваемых Стайнером тысяч людей, погибших во время Парижской коммуны. Однако сложилось представление о Гражданском Государстве, в котором у людей есть четко определенные права и обязанности, гарантированные конституцией.

Англичане, не испытавшие такого, подобного землетрясению, шока, остались нацией индивидуумов, не ожидающих от государства чего-то грандиозного. Любопытно, что до революции целый ряд французов, в том числе Вольтер, Монтескьё и Мирабо, побывали за Ла-Маншем и превозносили именно это свойство англичан. Во время Американской войны за независимость, когда французские соглашатели провозгласили, что они на стороне восставших колоний, Бомарше получил письмо от одного своего друга, в котором говорилось, что «весь мир смотрит на Францию как на избавителя, как на единственную нацию, способную побить англичан». Но в этом письме был и совет: «Случись вам одержать победу, проявите уважение к Англии. Ее свободы, ее законы, ее таланты не подвергаются угнетению абсурдным деспотизмом. Это образец для любого государства». Даже такой кровожадный революционер, как Жан Поль Марат, восхищался тем, что ему удалось узнать об английской политической традиции, когда он был в Лондоне в изгнании; Джон Буль счел бы странным, что его считают вдохновителем Французской революции, но отчасти так оно и есть.

В то время как Французская революция дала миру Гражданина, творением англичан стала Игра. Каждую неделю в школах и на стадионах во всех уголках земного шара от Шпицбергена до Огненной Земли можно увидеть, как живет это наследие. Слово *soccer*, которым называют этот распространенный во *всем* мире вид спорта, пришло из жаргона частных школ и является сокращением от «Association Football». Бейсбол представляет собой одну из форм английских детских игр с мячом и битой, а американский футбол — это вариант регби, появившийся после того, как Уильям Уэбб Эллис побежал с мячом в руках во время футбольного матча в школе Регби. Теннис получил новую жизнь в частном Марилебонском крикет-клубе, а в 1877 году состоялся первый всемирно известный Уимблдонский турнир. Англичане установили стандартные дистанции для соревнований по бегу, плаванию и гребле и провели первые современные скачки. Современный хоккей ведет свою историю с составления правил игры Хоккейной ассоциацией в 1886 году, соревнования по плаванию — со времени образования в 1869 году Английской ассоциации пловцов-любителей, а началом современного альпинизма можно считать попытку сэра Альфреда Уиллса покорить вершину Швейцарских Альп Веттерхорн в 1854 году. Англичане придумали ворота, гоночные лодки и секундомеры и первыми стали разводить современных скаковых лошадей. Даже заимствуя некоторые виды спорта из других стран, как, например, поло или лыжи, англичане устанавливали правила. Первые боксерские перчатки с прокладкой надел в середине XVIII века победитель многих соревнований английский боксер Джек Браутон, а через столетие были утверждены правила бокса, составленные маркизом Квинсберри. Этот список можно продолжить.

Вы можете возразить, что если бы в XIX веке доминировала любая другая нация, она передала бы миру свои увлечения. Построй империю шотландские горцы, все теперь, возможно, играли бы в шинти — командную игру с клюшками и мячом. Если бы весь мир сделали своей колонией коренные североамериканцы, это мог бы быть лакросс (командная игра, в которой две команды стремятся поразить ворота соперника резиновым мячом, пользуясь ногами и снарядом, представляющим собой нечто среднее между клюшкой и ракеткой), хотя его называли бы изначальным индийским именем — баггатавей. Империя басков установила бы межконтинентальные чемпионаты по пелоте — игре, что стала прообразом современного сквоша. Так что, возможно, принятие английского спорта во всем мире стало просто следствием политической и торговой мощи в то время, когда мир был накануне того, чтобы стать меньше. Но это не объясняет, откуда это увлечение у самих англичан. Похоже, имеет смысл предположить, что каким-то образом это связано с безопасностью, процветанием и наличием свободного времени. Возможно, тот факт, что на дуэли стали смотреть косо раньше, чем в остальной Европе, указывает на возникшую необходимость найти им альтернативу. Несомненно, в то время как урбанизация означала конец традиционного деревенского спорта, появление великих школ-пансионов, где были собраны вместе для обучения тому, как управлять империей сотни мальчиков, сделало насущным поиск способов дать выход энергии тем, кому было не справиться со своими гормонами.

Спорт, естественно, занял центральное положение в английской культуре. В 1949 году, когда Т. С. Элиота (еще одного человека, ставшего англичанином по желанию) занимал вопрос, что определяет национальную культуру, он составил перечень характерных интересов англичан. В него вошли «Дерби дей, регата Хенли, Каусская регата, двенадцатое августа, финал кубка, собачьи бега, пинбол, дартс, сыр уэнслидейл, вареная капуста в дольках, свекла в уксусе, готические церкви XIX века и музыка Элгара». Спустя полвека мы должны немного изменить этот список, отразив продукты-полуфабрикаты, средства массовой информации и закат пинбола. Но самая поразительная характерная черта остается: из тринадцати черт, которые Элиот считает отличительно английскими, не менее восьми связаны со спортом.

Глубоко в национальное сознание проник и язык спорта. Сегодня выражение a good sport кажется слегка устаревшим, но отозваться так о мужчине или женщине — по-прежнему высокая похвала. A good sport — это человек, который с готовностью признает поражение, сказав, что «победил сильнейший». Проходя в самый разгар «Битвы за Англию» по Пиккадилли, писательница-пацифистка Вера Бриттен увидела плакат продавца газет. Он гласил:

САМЫЙ КРУПНЫЙ НАЛЕТ

СЧЕТ 78:26

АНГЛИЯ ПО-ПРЕЖНЕМУ В ИГРЕ

Поэтесса Вита Сэквилл-Уэст, которую никак не назовешь бездумной поклонницей английских мужчин, писала в 1947 году:

Английский мужчина проявляется лучше всего в момент, когда ему бросают мяч. Тогда становится видно, что в нем нет ни недоброжелательности, ни мстительности, ни подлости, ни недовольства, ни желания воспользоваться возможностью сыграть нечестно; видно, что он законопослушен и уважает правила, которые в основном сам и придумал; он понимает как само собой разумеющееся, что их так же будет уважать и соперник; он будет глубоко шокирован любой попыткой сжульничать; в равной степени его презрение вызовет и ликование победителя, и любое проявление раздражения в отношении проигравших... Все очень просто. Бросаешь, ударяешь мяч ногой или битой или не попадаешь по нему; то же относится и к другому. И все воспринимается без обиды.

Значение того, о чем она говорит, трудно переоценить. Это важные для англичан представления об *Игре*. Ее любят как таковую.

Дикий нрав Джека Миттона и большинства английских джентри был отчасти укрощен доктринами евангелической церкви начала XIX века. Но еще одним цивилизующим влиянием стала Игра. Ее моральное значение нигде так не воспевается, как в эпическом стихотворении Генри Ньюболта из трех строф «*Vitaï Lampada*». Сам Ньюболт, худощавый и скромный подросток, так и не дорос, чтобы играть в крикет за свою школу, Клифтон-колледж, но понял, что значит крикет для английского правящего класса. После смерти его друг, тоже поэт, Уолтер де ла Мэр сказал, что Ньюболт «всю жизнь оставался верным своему представлению и идеалу Англии и английскости». Стихотворение Ньюболта остается воплощением веры в то, что все жизненные проблемы можно решать честной игрой.

Vitaï lampada — светоч жизни *(лат.)*.

Весь колледж замер вокруг двора —
Подачи стук и слепящий свет.
Очков бы десять — и наша игра.
Лишь час играть, и замен уж нет.

Не лента отличия для пиджака
Манит, не слава крикет-бойца:
Легла на плечо капитана рука:
«Играть, играть, стоять до конца!»

«Гатлинг» — картечница Гатлинга; многоствольное скорострельное оружие.

Пески окрасились в красный цвет
От крови распавшегося каре.
Заклинило «гатлинг», полковника нет,
И слепнет полк в дыму и жаре.

Далек наш дом, только смерть близка,
Но есть слово «честь», и голос юнца,
Как в школе, летит над рядами полка:
«Играть, играть, играть до конца!»

За годом год этот вечный зов,
Пока суждено школьным стенам жить,
Пусть слышит всяк из ее сынов
И, слыша, не смеет забыть.

Пускай, ликуя, сей яркий свет
Несут, сколь отпущено от Творца,
А падая, бросят идущим вслед:
«Играть, играть, играть до конца!»

Трудно не поддаться этому ритму, хотя есть в нем нечто настолько невероятно глупое, что тяжело представить, как, черт возьми, его вообще когда-то могли воспринимать серьезно. Тем не менее в те времена до августа 1914 года, когда вокруг была тишь да гладь, представление о том, что жизнь, по сути дела, один из вариантов Игры, казалось почти правдоподобным. «Войны, которые случались, не были всеобщими, это были лишь короткие версии Олимпийских игр с применением оружия, — вспоминал писатель-мемуарист Осберт Ситуэлл. — Один раунд выигрываешь ты, следующий — противник. Разговоров об истреблении или о том, чтобы „сражаться до конца", было не больше, чем во время матча по боксу».

Трудно себе представить, что кто-то мог придерживаться веры в Игру в грязи окопов во Фландрии. Тем не менее даже в 1917 году старики, толкавшие молодежь на смерть в этой грязи, все так же несли вздор о физическом и моральном превосходстве, которое давали занятия спортом. Английская элита продолжала разделять необоснованное представление о том, что все население страны провело годы формирования личности на спортивных полях, как герои Коринфа, что, естественно, ставило их выше врагов. Один взгляд на результаты медицинского освидетельствования двух с половиной миллионов молодых людей, призванных на военную службу в 1917–1918 годах, дал бы им понять, насколько они не правы: из каждых девяти мужчин призывного возраста в Великобритании лишь трое были признаны годными по состоянию здоровья. У двоих имелись отклонения. У троих здоровье никуда не годилось. Один был хроническим инвалидом. Но тогда спорт был в равной степени направлен и на повышение силы духа, и на улучшение здоровья. В пропагандистском послании войскам в том же году лорд Нортклифф заявлял, что британские солдаты, конечно же, лучшие воины, потому что обладают чувством индивидуальности, в то время как противника учили лишь «повиноваться, и повиноваться без конца». Причиной неадекватности бедного германца называли то, что «он не играет в индивидуальные игры. Футбол, который развивает индивидуальность, появился в Германии сравнительно недавно».

Стихотворение Ньюболта стало гимном Породы, людей, которые, вероятно, представляли себе смерть лишь еще одним фаст-боулером — игроком на подаче. Единственный сын поэта, Фрэнсис, мог бы рассказать ему, как он был озадачен, когда его ранили во время футбольного матча, который оказался сражением при Ипре. Другие поняли поэта буквально. 1 июля 1916 года, в начале сражения на Сомме, в котором суждено было погибнуть 420 000 британских солдат, капитан У. П. Невилл, командир роты восьмого полка Восточно-

Суррейских стрелков, вручил каждому из своих четырех взводов по футбольному мячу. На одном было написано: «Финал великого Европейского кубка с выбыванием, Восточный Суррей против баварцев. Мяч в игре в 0 часов». На другом: «Судейства не будет». Первому взводу был предложен приз, если они пройдут, передавая друг другу мяч, до переднего края немцев. Но прежде чем Невилл смог вручить приз, его убили.

Капитан Невилл был, ясное дело, безумцем. Чему научила этих людей Игра, так это значению слова «мужество», самоконтролю и повиновению приказам. Как показывает жизнь Ч. Б. Фрая, последствия этого могут быть самыми неординарными. Сын главного бухгалтера в Скотленд-Ярде, он играл на Кубок футбольной ассоциации еще до того, как в 1890 году оставил частную школу Рептон и в период между школой и университетом (конечно, Оксфорд и самая высокая стипендия в Уодем-колледже) появился в команде графства Суррей по крикету. Ко времени окончания учебы он уже выступал за университет в крикете, футболе и легкой атлетике, установив мировой рекорд в прыжках в длину — 23 фута 6 $\frac{1}{2}$ дюйма (7,17 м), а сыграть крайним нападающим за сборную Оксфорда по регби ему не удалось лишь из-за травмы. Мимоходом он умудрился получить высший балл по классической литературе. Работая спортивным журналистом, он представлял Англию как в футболе, так и в крикете (в 1902 году в субботу он сыграл в финале Кубка Футбольной ассоциации за Суррей, а к следующему понедельнику уже набрал 82 очка, играя в крикет). Однако поистине великолепен он был как бэтсмен — защитник калитки и «бегун». Последний раз его приглашали сыграть за Англию, когда ему уже было сорок девять лет.

Конечно, он герой Англии. Пусть за всю карьеру Фрая перебежек у него было вполовину меньше, чем у Джека Хоббса, но Хоббс, сын граундсмена — отвечающего за содержание поля, был профессионалом. Фрай, казалось, воплощал идеал игрока-джентльмена: было что-то присущее только ему в самых памятных выступлениях, таких как на стадионе «Лордз» в 1903 году, когда он, в партнерстве со старым выпускником Хэрроу Арчибальдом Маклареном, 232 раза остался «невыбитым» и тем самым спас любителей-«джентльменов» от профессионалов-«игроков». Красивый, крепко сложенный, интеллигентный и с незапятнанной репутацией, Фрай — наиболее ярко выраженный представитель Породы.

Тем не менее в своей автобиографии «Такую жизнь стоит прожить» целую главу он посвящает прославлению нацистской Германии. В 1934 году немцы обратились к Фраю с целью выяснить, не мог бы он помочь наладить отношения между английскими бойскаутами и гитлерюгендом. Нацисты оказались расчетливыми в выборе восторженного поклонника. Приехав в Мюнхен, Фрай нашел, что германский народ «предан фюреру», счел Рудольфа Гесса симпатичным и привлекательным и пригласил его к себе в гости в Англию, а юные нацисты произвели на него впечатление «спокойных, внимательных и вежливых молодых людей». Что, похоже, понравилось Фраю в Германии больше всего, так это целеустремленность и энергичность страны.

Там абсолютно не встретишь бесцельно болтающихся по барам юных бездельников, которые того и гляди сломаются пополам и которых часто можно увидеть в местах развлечения в Лондоне. Нет и того типа девиц, для которых предаваться ночным утехам составляет, похоже, всю цель существования. Берлин 1934 года предстал передо мной миром, ставшим чище после порыва свежего ветра, который оставил в нем потребность к действию, добавил энергии и готовности трудиться, не утратив способности наслаждаться.

В этой арийской стране чудес Фрай начал выяснять, подходят ли английские бойскауты для выполнения поставленной задачи. Впечатлило его и то, что в отличие от Англии с ее школами и университетами, клубами и добровольными организациями у немцев все было под контролем рейхсминистерства культуры и подход к делу получался куда более серьезный. Встретившись наконец с Гитлером, этот великий герой английского спорта поздоровался с ним нацистским приветствием, говорил с ним час с четвертью, безропотно принял нацистский подход к «еврейской проблеме» и сделал вывод, что в этом «великом человеке» есть «врожденное достоинство», что он «выглядит свежо и подтянуто», «заметно насторожен» и «спокоен и вежлив». Книга написана в 1939 году. В заключение восхваления нацистской Германии Фрай говорит, что «таковы были мои впечатления и заключения, когда я последний раз видел герра Адольфа Гитлера. Что бы ни произошло после того, я не вижу причин отказываться от них».

В своих симпатиях к фашизму Фрай был совсем не одинок среди состоятельных англичан. Возможно, несправедливо осуждать спортсмена за то, что он не разбирается в политике. Но в том и заключается суть Породы, что чувство справедливой игры и спортивное благородство якобы должны воспитывать в них качества характера, с которыми они могли вести за собой народ. Еще о Ч. Б. Фрае следует упомянуть, что хоть он и изображал из себя джентльмена-любителя, способом поддержания иллюзии, что играет в игру лишь для удовольствия, ему служила журналистская деятельность. Порода дело хорошее, если, как у Дерека Вейна, «достаточно средств, чтобы избежать необходимости работать». Для любого, кто жил в реальном мире, принадлежать к Породе было невозможно.

«Сам я не джентльмен, — признался как-то писатель Саймон Рейвен. — У меня нет чувства долга. Я пользуюсь привилегиями и доволен этим: но вытекающих из этого обязательств я склонен избегать или даже полностью их игнорировать». Таким стало послевоенное отношение к викторианскому идеалу — больше от Флэшмана, чем от Тома Брауна — героев романа Томаса Хьюза. И все же в Саймоне Рейвене глубоко сидит нечто от английского джентльмена. Умный и образованный, прекрасный игрок в крикет, симпатичный и пользовавшийся популярностью в школе, Рейвен в юности, должно быть, смотрелся этаким Аполлоном во фланелевом костюме, будущим членом Породы. Но его подвело слишком сильное воображение и слишком слабая самодисциплина.

К тридцати годам в жизни Рейвена произошло одно за другим немало событий. Он получил высшую стипендию 1941 года в школе Чартерхаус, но спустя четыре года был исключен оттуда за «обычную вещь» (гомосексуальное поведение); ему дали стипендию в Кембридже и даже пригласили поучаствовать в конкурсе на ученую должность, но он лишь оставил за собой целый шквал долгов; поступив офицером в Королевский Шропширский полк легкой пехоты, он постарался уйти из армии, прежде чем букмекеры смогли подать на него в военный трибунал за неоплаченные чеки. Свое отрицательное отношение к браку и детям он обосновывал тем, что «на детей уходят деньги, которые можно с большей пользой потратить на высококачественные удовольствия для себя», но случилось так, что у него родился сын, и в результате его брак оказался обречен. Когда однажды остро нуждавшаяся в деньгах мать ребенка послала Рейвену телеграмму «ПРИШЛИ ДЕНЕГ. ЖЕНА И РЕБЕНОК УМИРАЮТ С ГОЛОДУ», он якобы телеграфировал в ответ: «ИЗВИНИ ДЕНЕГ НЕТ. ПРЕДЛАГАЮ СЪЕСТЬ РЕБЕНКА».

По меркам английского джентльмена поведение Рейвена следовало бы классифицировать как хамское или того хуже. Он сказал однажды, что слишком интеллигентен, чтобы не быть мерзавцем. И что у него, как у всякого мерзавца, воинский чин капитана. И все же он был настолько уверен, что с идеалом покончено, что в 1960 году писал:

> Традиционного джентльмена, то есть человека, чья жизнь основана на правде, чести и обязательстве, свели в могилу определенные проявления враждебного давления со стороны общества, главные из которых — зависть и материализм. Под этим давлением ему пришлось или забыть о своих стандартах превосходства, или, если он не отказался от них, признать, что они — никому не нужный анахронизм, объект в лучшем случае насмешки, а в худшем — ненависти.

Есть нечто довольно забавное в том, с каким абсолютным хладнокровием Рейвен произносит надгробную речь по английскому джентльмену, словно идеал — вещь настолько хрупкая, что его можно запросто уничтожить «враждебным давлением со стороны общества, завистью и материализмом». Но даже если мы расходимся относительно причин, джентльмена действительно свели в могилу, это стало общепринятой истиной. Приводимые в поддержку этого довода свидетельства варьируются от роста супружеских измен до того, что в лондонском Сити уже больше верят, что «мое слово — моя гарантия».

Саймон Рейвен прибыл на ланч с пунктуальностью джентльмена, ровно в двенадцать тридцать, и тут же, извинившись, отправился искать уборную. «Проблема с кишечником. Досадная вещь». Высокий, чуть неопрятный, в клубном галстуке, не дававшем разойтись воротнику рубашки без верхней пуговицы, в твидовом пиджаке, он выглядит как человек, годами живущий в меблированных комнатах, этакий, может быть, раздражительный учитель начальной школы на пенсии. Оказалось, что я не так уж далек от истины: большую часть писательской карьеры он провел в одном из домов в Диле, в графстве Кент, который снял для него издатель, выплачивавший ему гонорар понедельно: единственный способ что-то получить от этого автора. В результате появилась серия весьма занимательных романов «Милостыня для забвения» объемом в миллион слов.

Характерным оказался ответ на просьбу поговорить с ним о судьбе английского джентльмена: «Как вы знаете, давать интервью — дело утомительное и изматывающее. Но, если вы пригласите меня на ланч где-нибудь в *очень изысканном и спокойном* месте, то можно и встретиться». В ответ я предложил ресторан «Каприз» в районе Сент-Джеймс. Далее последовала целая серия почтовых открыток с тремя-четырьмя нацарапанными словами на обороте. «На „Каприз" согласен. Какого числа?» — «В среду, согласен. 12:30?» — «Хорошо, 12:30».

«Сто лет здесь не был», — говорит он, заказав «Кампари» с содовой. В окружении жен банкиров и более состоятельных политиков-консерваторов, которые здесь теперь обосновались, он смотрится довольно убого.

В данном случае, как и многие другие, от кого можно было бы ожидать какой-то конкретики о том, что присуще англичанам (ведь, в конце концов, все его романы о том, как англичане ко всему относятся и как они ведут себя), Рейвен проявил поразительную неуверенность относительно сути национального менталитета. «Думаю, очень важен крикет» — вот примерно этого и удалось добиться. Но он прав. Именно из-за того, что в душе англичанам больше интересны игры, чем что-либо еще, крикет — это на сто процентов английский спорт. Побывав в Индии на Кубке мира 1996 года, Роберт Уиндер был поражен тем, как по-разному реагируют соревнующиеся народы:

Пакистанец или индиец может даже покончить жизнь самоубийством, если его команда терпит поражение; жителю Вест-Индии может показаться, что весь мир рушится, если на поле что-то идет не так. Но это страны, где крикет — один из первых предметов национальной гордости. В Англии крикетные команды никто не поддерживает, за ними наблюдают. Поддерживают игру, а не команду.

В неторопливом ходе матчей по крикету, которые длятся целыми днями, тоже есть что-то от этой удивительно бесстрастной преданности. Возможно, все было бы по-другому, если бы играла британская команда и от ее игры зависела бы честь флага. Но есть кое-что еще.

Когда Порода уже стала вымирать, английский идеал крикета прекрасно сформулировал в 1931 году в обращении к молодым игрокам лорд Харрис. «Вы правильно делаете, что любите эту игру, — сказал он, — потому что она в гораздо большей степени свободна от всего грязного, всего бесчестного, чем любая другая игра в мире. Если вы играете в нее остро, благородно, щедро, с самопожертвованием, это само по себе моральный урок, и проходит этот урок в классе, полном Божьего воздуха и солнечного света». Более четкого определения ценности Игры вы нигде не встретите. Возможно, дух крикета будет жить и дальше в бесчисленных матчах на школьных и деревенских площадках. Но жульничество в крикете присутствовало даже в те времена, когда лорд Харрис произнес эти слова. На следующий год весь мир понял почему. Во время тура по Австралии капитан английской команды Дуглас Джардин дал указание своим фаст-боулерам последовательно целиться при подаче таким образом, чтобы мяч, отскочив от земли недалеко от бэтсмена, шел ему прямо в ногу. Для публики это подавалось как прием, заставляющий бэтсменов ошибаться, после чего мяч легко могли поймать ближайшие полевые игроки. Но броски его боулеров, особенно Гарольда Ларвуда (бывшего шахтера и совершенно определенно «игрока»), оказались настолько стремительными и мячи один за другим разлетались в стороны с такой страшной скоростью, что бэтсмены противника просто не знали, что делать. Как именно Джардину — выпускнику Винчестер-колледжа и Оксфорда, капитану команды графства Суррей и «джентльменов» против «игроков» — удалось увязать эту очевидную тактику устрашения с помощью бросков в корпус бэтсмена, а не в калитку с «моральным уроком в классе, полном Божьего воздуха и солнечного света», нам узнать не дано. Наверняка он так и не извинился за эту тактику. Но на данном примере видно, в какую этическую неразбериху попали англичане, когда идеал любителя оказался несоответствующим времени.

К тому моменту, когда Саймон Рейвен написал свою погребальную песнь по джентльмену, английский крикет стал уделом профессионалов. Проблема состояла в том, что, как оказалось, в профессиональный крикет англичане играют хуже, чем многие другие. К 1990-м годам иностранные игроки, приезжавшие провести сезон за команду какого-нибудь английского графства, были поражены, обнаружив, что у местных игроков отсутствие энтузиазма — обычное дело и им, похоже, было почти все равно, победит их команда или проиграет. На уровне национального чемпионата игроки переняли привычку австралийцев осыпать оскорблениями или освистывать бэтсменов, что-нибудь делали с мячом, если им это удавалось, а один из капитанов английской сборной был даже замечен в том, что громко выкрикивал нецензурные выражения в адрес арбитра. Возможно, Рейвен был прав.

И все же в круговороте его собственной жизни, вероятно, тоже есть нечто, свидетельствующее о типично английском. Несмотря на то что его исключили из школы Чартерхаус, до него сегодня дойдет письмо, написанное на лондонский адрес без номера дома — Charterhouse, EC 1.

«Поняв, что мои книги становятся все хуже и хуже и продаются все меньше, я осознал, что нужно что-то делать», — говорит он. Похоже, у определенного типа англичан всегда есть нужные люди среди знакомых, и в случае с Рейвеном это «что-то» стало выходом на управляющего одним из самых необычных заведений Лондона. Томас Саттон всю жизнь торговал углем из даремских копей (благодаря этому бизнесу он стал самым богатым простолюдином Англии), и, чтобы успокоить душу, в начале XVII века он основывает два заведения для пользы других. Одному из них, школе Чартерхаус, стало слишком тесно на том месте, где она первоначально располагалась в Лондоне, и она переехала за город, в графство Суррей, в угоду амбициозным торговцам из «домашних графств», мечтавшим видеть своих сыновей джентльменами. Другое основанное Саттоном заведение, дом призрения для «солдат-джентльменов, воевавших с оружием в руках на земле и на море, купцов, разоренных кораблекрушением или пиратским нападением, и слуг короля или королевы», по-прежнему стоит на Чартерхаус-сквер.

Чтобы попасть в Госпиталь Саттона, нужно быть «джентльменом», а раз данный вид сведен в могилу в 1960 году, там должна царить гулкая пустота. Однако это заведение, куда многие стремятся попасть, не только заполнено, но туда допустили и самого Рейвена. Он старается не производить впечатления некоего *roué*, увидевшего свет и изменившего пути свои: он не переваривает остальное человечество,

Roué — повеса, тертый калач, пройдоха (*фр.*).

как и раньше. Но в том и заключается сила Английского Истеблишмента, что он может выдержать насмешки в любом количестве, а потом принять виновных в свое лоно. Воистину, ни одному англичанину никуда не деться от институтов, которые сделали его таким, какой он есть.

И вот под сводами этого дома призрения «братья», как называют пенсионеров, доживают свой век.

Их кормят трижды в день, им прислуживают во время ланча, подают пиво и вино, и все это за 138 фунтов в месяц. Рейвен хотел бы получать больше, чтобы выплатить хотя бы часть своих долгов на многие тысячи фунтов, но сомневается, что у него это когда-нибудь получится. Единственный серьезный запрет — и он напоминает об убеждениях Породы — не разрешает приводить женщин. «Но в моем возрасте это не проблема», — говорит Рейвен. Единственное исключение из этого правила — живущая там экономка.

Несмотря на распространенное представление,
ночные сорочки у английских женщин не из твида.

Гермиона Джинголд.
«Сатердей ревью», 1955 год

Не так часто встретишь человека с пересаженной кожей на заднице. Мужчина, о котором идет речь, с двойным подбородком, лысеющий, лет пятидесяти с лишним, в костюме в полоску и хорошо сшитых туфлях, выглядит воплощением британской честности. Сразу чувствуешь, как он гордится тем, что на его слово можно положиться. Днем он управляет коммерческим банком. А ночью любит, чтобы его пороли до крови. Это его увлечение известно как *le vice anglais* — «английский порок».

Операция на ягодицах, в результате которой большая часть тысячи фунтов попала в руки косметического хирурга с Харли-стрит, стала необходимой вследствие того, что он всю жизнь подвергался телесным наказаниям. Как и при повреждении брови в боксе, рана может снова неоднократно открываться, прежде чем придется пересадить на этот участок новую кожу. Порки начались в детстве, и занимался этим отец. Поцелуи между отцом и пятилетним сыном были запрещены на том основании, что это не по-мужски. Телесные наказания полагалось «принимать как мужчина», поэтому во время порки он не должен был выказывать эмоций. Если мальчику удавалось перенести эту пытку и не заплакать, отец поздравлял его. В течение следующих десяти лет «моя задница подвергалась нападкам не менее семнадцати человек, включая родителей, няньки, учителей, старших учеников». Рассказывает он без намека на жалость к себе и вспоминает об этом со смехом. На этой стадии порка — обычное дело в английском частном обучении того времени — еще не имела сексуального подтекста. Она составляла лишь часть школьной системы, нацеленной на исполнение амбиций сквайра Брауна относительно его сына Тома и на превращение его в «смелого, полезного, правдивого англичанина, джентльмена и христианина».

Лишь когда молодой человек стал учиться в университете, воспоминания о порках в детские и юношеские годы стали пищей для сексуальных фантазий. Он читал поэта-садомазохиста Суинберна, эротические романы «Фанни Хилл» и «Историю О», однако выяснилось, что английские девушки не очень-то склонны реализовывать его порывы. Ничего не дал и брак: у жены мысль о порке тростью энтузиазма не вызвала. Затем последовали обращения к трем различным психиатрам, с помощью которых он пытался «вылечиться» от своей навязчивой идеи. В конце концов третий врач посоветовал ему не проводить жизнь в угрызениях совести, а потратиться и найти способ тайного удовлетворения этой потребности. Жена, с которой в остальном он вел нормальную супружескую жизнь и имел четверых детей, согласилась, что он будет удовлетворять свои наклонности в другом месте при условии, что никто, особенно дети, не увидит его зада, пока не заживут рубцы от ударов.

И вот его жизнь разделилась. Большую часть времени он вел жизнь представителя высших слоев общества: воспитывал детей, посылал их учиться в такие же дорогие школы, как и те, где ему впервые задубили задницу, а сам в это время разъезжал по миру — британский банкир, столп респектабельности. Вечерами он находил женщин, предпочтительно черных и мускулистых, которые за деньги отхаживали его. Во время одного из визитов в Нью-Йорк он открыл для себя процветающий клуб садомазохистов, где познакомился с людьми, которым нравилось, чтобы пороли их или пороть других. Оказалось, что больше всего его возбуждает не просто порка, а порка *на людях*. С тех пор этот коммерсант-банкир использовал любую возможность предаться своим утехам среди группы друзей или в клубах с незнакомыми, но разделяющими его наклонности людьми.

Разобраться, откуда такая потребность, довольно непросто. Человек посторонний, вероятно, ничего не вынесет из суждения одного средневекового путешественника об Англии, заметившего, что «англичане получают удовольствие от печали». Англичане далеко не единственные, кто увлекается этим, — в том, что он не прочь, чтобы его отшлепали, признается в своей «Исповеди» Руссо, — но называть это стали *le vice anglais*. Загляните в любую телефонную будку в центре Лондона и вы найдете полдюжины визитных карточек проституток, в которых без тени смущения предлагается телесное наказание. Один голландский торговец порнографией как-то поведал писателю Полу Феррису, что «суперспециализация англичан — это порка. Говорят, трахаться в Англии не разрешается, а пороть — пожалуйста». Ведется это, конечно, издавна: хлыст можно увидеть на стене комнаты проститутки Молль, изображенной на третьем листе серии гравюр Хогарта «Карьера проститутки». Англичанами написано множество литературных произведений на эту тему с такими названиями, как «Роман о порке». В XIX веке исключительно на флагелляции специализировались целые бордели. Англичане даже изобрели машину, с помощью которой можно было одновременно высечь нескольких человек.

Иностранных визитеров это увлечение смущало, и время от времени высказывались суждения, что подобное изначально практиковали англосаксы или что это результат чрезмерного увлечения англичан мясом. Традиционно считалось, что это увлечение высших слоев среднего класса развивалось у мальчиков в убогих викторианских школах-пансионах, где порка была основным средством устрашения. «Где же орудия наслаждения? — спрашивает мужчина у любовницы в романе «Ценитель искусства» Томаса Шэдвелла. — Я настолько привык к ним в Вестминстерской школе, что до сих пор не могу без них... Не жалей сил. Я так люблю, когда меня наказывают». (Доктора Басби, одного из директоров Вестминстера в XVII веке, «флагеллянты считали, возможно, лучшим экспертом по обращению с розгой, которого только знала Англия». Школа сия внесла еще один великий вклад в эту забаву: среди ее выпускников числится Джон Клеланд, автор «Фанни Хилл», описания порок в которой в значительной мере послужили распространению представления о том, что англичанам страшно нравится, когда их лупят.) Авторы викторианских порнографических рассказов о порках, конечно, подписывались такими именами, как Итонец или Старый Школьный Приятель, говорившими, что эти истории написаны теми, кого самих пороли в школе, и предназначены для таковых.

Несомненным фактом является и то, что регулярные встречи любителей порки проходят в «Мьюрской академии», клубе английских фетишистов, расположенном, представьте себе, в Хэрфорде, и являются они туда в специально пошитой школьной форме.

Я по наивности вообразил, что на самом деле это игра, в которой женщины лишь делают вид, что устраивают болезненную порку, а жертвы воображают себя озорниками-школьниками. Но банкир сказал, что я неправ: «Без боли все теряет смысл: с таким успехом можно лупить и диван».

А не считает ли он, что эта потребность появилась в результате порок в детстве?

Ну, это было самое убедительное объяснение, которое давали психиатры. При порке отец требовал, чтобы я не плакал и не дергался. Если у меня получалось, он поздравлял меня. Эти «психи» считают, что испытываемая боль ассоциируется у меня с завоеванием любви и уважения. Что касается школ, нельзя не заметить, что англичанам нравится, когда их бьют тростью, ведь именно ею пользовались при порке в английских школах, а шотландцы, похоже, предпочитают кожаную ременную плетку, что была в ходу в школах Шотландии.

Было бы глупо утверждать, что «английский порок» получил среди англичан широкое распространение. Это не так. И, несмотря на название, он присущ не только англичанам. По мнению *aficionados*, знатоков, в протестантских странах Европы он встречается чаще, чем у католиков. Однако английскому лицемерию созвучна его центральная двусмысленность: то, что наказание — награда, а боль — наслаждение. Можно было предположить, что с отменой телесных наказаний в школах эта практика пойдет на убыль. Но очевидно, что это не так. Она процветает. «Этим занимаются люди из всех слоев общества: один из моих любимых родственных душ — водитель автобуса. А еще много женщин. Не знаю, как обстоят дела в самом дипломатическом корпусе, но жены двух высокопоставленных диппработников, появляясь в Лондоне, первым делом звонят мне с просьбой зайти и отшлепать их».

В романе Кингсли Эмиса «Выбирай девочку себе по вкусу» есть эпизод, когда в конце 1950-х годов героиня романа Дженни находит работу учительницы и переезжает в незнакомый городок. С ней заговаривает молодой человек. У него на лице выражение, «которое она давно привыкла замечать у впервые видевших ее мужчин, причем некоторые из них были уже в возрасте». Он простодушно открывается ей, спросив, не француженка ли она. И делает глупость. Опыт Дженни подсказывает ей, что если мужчины интересуются, не француженка — итальянка, испанка, португалка — ли она, значит, виды у них на нее больше коммерческие.

«Даже дома, на Маркет-Сквер, к ней однажды подошел мужчина и, узнав в конце концов, что она не проститутка, сказал, словно извиняясь: „Мне так неудобно, я думал, вы француженка“. Интересно, что бы это была за жизнь, если бы я действительно жила во Франции?»

Франция и «заграница» — это обитель запрещенных удовольствий, и туда отправлялись, чтобы достать непристойные книги («Улисс» вышел в Париже) или пожить сомнительной в моральном отношении жизнью — то, что называется *louche*.

Louche — то, на что смотрят искоса, подозрительный, темный (*фр.*).

Слово это, вообще-то, французское и не имеет точного эквивалента в английском. Роман Кингсли Эмиса опубликован в 1960 году, когда в Англии, спустя тридцать лет после первой публикации на континенте, впервые появился запрещенный цензурой текст романа Д. Г. Лоуренса «Любовник леди Чаттерлей». («Неужели вы думаете, что вам захочется, чтобы эту книгу прочитала ваша жена или ваши слуги?» — вопрошал незабвенный Мервин Гриффит-Джоунз, обвинитель по возбужденному по этому факту делу об ответственности за непристойное поведение в суде Олд Бейли.) Представление англичан о Франции как о фантасмагории бесконечного совокупления имеет давнюю историю. «Считается, что французы знают о любви и о том, как ею заниматься, больше, чем любой другой народ на земле», — утверждал два столетия тому назад писатель Лоренс Стерн, и это мнение сохраняется и поныне. Летом 1997 года газета «Пипл» напечатала вклейку на четыре страницы — «Запрещенные французские секреты секса» с «эксклюзивными выдержками» из запрещенного доклада под редакцией некой мадемуазель «Énorme Poitrine». (По этой «потрясающей груди» сразу видно, что это выдумка англичан:

«Énorme Poitrine» — потрясающая грудь (фр.).

ежедневный красочный парад «девиц с третьей страницы» в дешевых газетенках доказывает, что английские мужчины без ума от женских грудей.) Помимо полезных советов, таких как «стоя на коленях, женщина не сможет стимулировать себе клитор, потому что ей придется оторвать руку от пола и она упадет», этот материал давал возможность полюбоваться многочисленными фотографиями моделей в чулках и подвязках. И во французских трусиках.

Это увлечение заграничной сексуальностью раскрывает маленькую ужасную тайну, на которой зиждутся отношения между полами в «респектабельном обществе» и говорить о которой не принято. Учебные заведения XIX века, которые, как предполагалось, выпускали из своих стен идеальных англичан и англичанок, наделяли и тех и других, при условии, что они обучались раздельно, совершенно разным отношением к жизни, и даже в браке им приходилось до самой смерти вести раздельную и неравноправную жизнь. Герой клубной среды — солидный, лишенный воображения индивидуум с курительной трубкой, который неизменно заказывал пудинг с изюмом, — в обществе дам всегда чувствовал себя не в своей тарелке, потому что воспитывался в одном чисто мужском заведении за другим. При наличии такой глубокой пропасти между полами иерархия, существовавшая в общественной жизни, не могла не находить продолжения в самых интимных отношениях.

Лицемерие немалого числа англичан, которые выставляют себя людьми высокоморальными, а сами занимаются развратом, принимает такие формы, что даже трудно поверить. Вместе с промышленной революцией возникли большие города, которые позволяли безнаказанно заниматься тем, что невозможно в более ограниченных сообществах с более упорядоченной жизнью. Считается, что еще в 1793 году в одном только Лондоне было 50 тысяч проституток. Сорок лет спустя еще один исследователь перечислял, из какой среды они появлялись:

Модистки, портнихи, работницы на производстве соломенных шляпок и в скорняжном деле, швеи-шляпницы, шелкомотальщицы, золотошвейки, швеи на обувном производстве, продавщицы в лавках дешевого платья или работницы у дешевых портных, кондитеров, продавщицы в сигарных лавках, лавках модных товаров и на благотворительных распродажах, множество служанок, завсегдатаи театров, ярмарок, танцевальных залов, которые отличаются безнравственным поведением почти во всех местах общественного отдыха в больших городах. Назвать даже приблизительно число тех, кто регулярно занимается тайной проституцией в различных слоях общества, не представляется возможным.

Уличных проституток часто одевала хозяйка борделя и, пока они искали клиента, посылала приглядеть за ними своего человека на случай, если они попытаются скрыться вместе с одеждой.

К 1859 году полиции было известно о 2828 борделях в Лондоне, цифра, которая, по мнению журнала «Ланцет», была вполовину занижена, исходя из того, что на улицах насчитывалось до 80 000 проституток. Средоточием их бизнеса была Хеймаркет, где на многих лавках красовались объявления «Постели внаем». Гулявший в сумерках по Хеймаркет Федор Достоевский столкнулся с целыми армиями запрудивших улицу проституток — пожилых и молодых, привлекательных (Достоевский считал, что «во всем мире нет женщин красивее англичанок») и дурнушек.

Все это с трудом толпится в улицах, тесно, густо [писал он]. Толпа не умещается на тротуарах и заливает всю улицу. Все это жаждет добычи и бросается с бесстыдным цинизмом на первого встречного. Тут и блестящие дорогие одежды и почти лохмотья, и резкое различие лет, все вместе... В Гай-Маркете я заметил матерей, которые приводят на промысел своих малолетних дочерей. Маленькие девочки лет по двенадцати хватают вас за руку и просят, чтоб вы шли с ними. Помню раз, в толпе народа, на улице, я увидал одну девочку, лет шести, не более, всю в лохмотьях, грязную, босую, испитую и избитую: просвечивавшее сквозь лохмотья тело ее было в синяках... Но что более всего меня поразило —

она шла с видом такого горя, такого безвыходного отчаяния на лице, что видеть это маленькое создание, уже несущее на себе столько проклятия и отчаяния, было даже как-то неестественно и ужасно больно. Я воротился и дал ей полшиллинга. Она взяла серебряную монетку, потом дико, с боязливым изумлением посмотрела мне в глаза и вдруг бросилась бежать со всех ног назад, точно боясь, что я отниму у ней деньги.

Такую картину трудно забыть. Защитники викторианского Лондона — тогда величайшего города на земле — могли сказать, что Достоевский был там очень недолго, поэтому вполне возможно, что его рассказ — сплошные выдумки, основанные на каком-нибудь незначительном факте. Но подобные сцены запечатлел и Ипполит Тэн, французский профессор философии, приезжавший в Лондон в 1860-е годы.

Больше всего [писал он] вспоминается Хеймаркет и Стрэнд вечером, когда нельзя пройти и сотни ярдов, чтобы не наткнуться на двадцать проституток; некоторые просят купить стакан джина, от других слышишь «это мне на арендную плату, мистер». Создается впечатление не разврата, а крайней, жалкой нищеты. От этой скорбной процессии на этих величественных улицах становится дурно, это ранит. Мне казалось, что я вижу бредущих мимо мертвых женщин. Вот где гноящаяся рана, вот настоящая язва английского общества.

В других европейских странах куртизанка могла приобрести респектабельность; существовало общепринятое пространство для *grande horizontale*. Но в викторианской Англии все выглядело невероятно убого

Grande horizontale — куртизанка, проститутка (фр.).

отчасти потому, что все делали вид, что этого бизнеса не существует, и отчасти потому, что это было проявлением коммерческой сути отношений между мужчинами и женщинами в самом неприкрытом виде. Проститутку нигде не принимали, потому что вне пределов реальности, определяемой кошельком клиента, ее просто не существовало. По мнению Тэна, «в результате не остается ничего кроме выражения похоти, незатейливой и грубой».

Это явление было таким вопиющим, что просто изумляет, как англичане могли закрывать на него глаза. Но пока кто-нибудь вроде начавшего целую кампанию журналиста У. Т. Стеда из газеты «Пэлл-Мэлл» не обращал их внимания на эти проявления дурного вкуса, англичане предпочитали не замечать их. В 1880-е годы Стед купил тринадцатилетнюю девочку по имени Элиза Армстронг и переправил ее в безопасное место в Париже, доказав, что существует торговля, удовлетворяющая аппетиты англичан – любителей девственниц. Был сделан вывод, что «Лондон или, скорее, те, кто торгует в нем белыми рабынями, — это крупнейший мировой рынок торговли человеческой плотью», и это сыграло немалую роль в повышении в 1885 году брачного возраста для женщин до шестнадцати лет. Среди газетных статей перед Первой мировой войной встречаются сказочки о том, что, хоть и ненасытность англичан-мужчин — факт общепринятый, все англичанки остаются просто розочками, чистыми и неподкупными. Настоящая опасность не в Англии, она, несомненно, исходит от иностранных торговцев белыми рабынями. Под типичным заголовком «ДЕВУШКИ ПРОДАЮТСЯ В БЕСЧЕСТЬЕ. ЛОНДОН — ЦЕНТР ОМЕРЗИТЕЛЬНОЙ ТОРГОВЛИ» газета «Ньюс оф зе уорлд» поместила представленное заместителем комиссара полиции сообщение о том, как иностранные импресарио нанимают девушек, мечтающих выступать на сцене, увозят их за границу и продают, после чего их ждет моральное разложение.

А ведь настоящее моральное разложение творилось не во Франции, а в самой Англии. После подобных разоблачений размах этой индустрии поубавился. Однако грязная, омерзительная натура английской проституции — визитные карточки в тысячах телефонных будок, тускло поблескивающий дверной колокольчик в Сохо над кривыми буквами вывески «МОДЕЛЬ – ЗАХОДИ», замерзшие девчонки, почти дети, на углах улиц в Бирмингеме, мужчины, снимающие девиц, не выходя из автомобиля компании, в которой работают, — свидетельствует, как незначительно изменился сам ее дух. Это все та же грубая, циничная сделка между относительно сильными и относительно бессильными, и ее все так же изо дня в день сопровождают грязь, болезни и опасность. Контрастом выступают другие европейские страны, где это занятие узаконено, бордели — заведения открытые, они зарегистрированы и находятся под контролем. Но ввести такую систему в Англии означало бы признать, что этот бизнес существует.

7 апреля 1832 года кумберлендский фермер Джозеф Томпсон отправился на рынок в Карлайле. Наведывался он туда регулярно, и единственное отличие состояло в том, что на этот раз он не собирался покупать или продавать скот. Ему надо было избавиться от жены.

Женаты они были уже три года, но не ужились и решили расстаться. Томпсон придерживался распространенного представления, что все законные узы будут считаться расторгнутыми, если он продаст жену чин по чину на публичном аукционе. В полдень он усадил ее на рынке на большой дубовый стул и, как сообщает хроника «Годовой реестр», задал тон своих торгов следующими, не обещавшими ничего хорошего, словами:

> Джентльмены, имею предложить вашему вниманию мою жену, Мэри Энн Томпсон, также именующую себя Уильямс, и я продам ее тому, кто назовет самую высокую, самую справедливую цену. Джентльмены, расстаться навсегда она желает так же, как и я. Мне она была сущая змея подколодная. Я взял ее для своего комфорта и для благосостояния дома своего; она же стала мне мучительницей, домашним проклятием, наваждением ночью и дьяволом днем. Джентльмены, сие есть истина, идущая от сердца, когда говорю вам: да избавит нас Господь от жен скандальных и девиц шаловливых! Бегите их, как бежали бы бешеной собаки, рыкающего льва, заряженного пистолета, болезни холеры, горы Этны или любой иной пагубы, в природе сущей.

Невероятно, но эта жуткая реклама не отпугнула потенциальных покупателей, и он продолжал, перечисляя уже более положительные стороны Энн:

> Она умеет читать романы и доить коров; смеяться и плакать у нее выходит с той же легкостью, с какой вы беретесь за стакан с элем, чтобы промочить горло. Она умеет взбивать масло и бранить служанку; знает *мурские мелодии* и может уложить складками свои оборки и чепцы; варить ром, джин или виски не умеет, но неплохо разбирается в их качестве, ибо прикладывается к ним не один год. Посему предлагаю ее, со всеми несовершенствами, за сумму в пятьдесят шиллингов.

«Мурскими мелодиями» в народе называли невероятно популярное творчество Томаса Мура (1779–1852) — ирландского поэта, переводчика, сочинителя баллад и певца.

Понятно, что от такой четко рассчитанной откровенности восхваления лес рук с предложениями цены не вырос, и только через час Томпсону удалось ударить по рукам с покупателем по имени Генри Мирз, который предложил двадцать шиллингов. Томпсон попросил в придачу ньюфаундленда, что и решило сделку. «Расстались они в самом прекрасном расположении духа: Мирз с женщиной направились в одну сторону, а Томпсон с собакой — в другую».

Красноречием фермер Джозеф Томпсон должен был обладать весьма изрядным, иначе приукрашенность всей этой истории очевидна. Дело, конечно же, необычное — иначе зачем «Годовому реестру» приводить все в таких подробностях? Однако случай этот был не первый. Обычай продажи мужчинами жен прослеживается еще у англосаксов, и даже тогда он приводил в недоумение другие народы. Мужчины еще занимались этим не далее как в 1884 году: целых двадцать случаев упоминает репортер журнала «Круглый год» в декабре того года, приводя имена и даты. Суммы были уплачены самые разные: от двадцати пяти гиней и полупинты пива до одного пенни и бесплатного обеда. Наиболее известный рассказ о продаже жен — «Мэр Кэстербриджа» Томаса Гарди, сентиментальное повествование о том, как Майкл Хенчард напился и продал жену с ребенком какому-то моряку, — был опубликован в 1886 году.

Купля и продажа жен — один из самых ярких примеров сравнительного статуса мужчин и женщин в некоторых слоях английского общества. Популярна эта практика была благодаря расхожему представлению, что это гораздо проще и дешевле развода. А при условии, что продажа должным образом засвидетельствована, покупка у мужчины его жены считалась такой же законной, как и обычная церемония бракосочетания; кое-где купивший жену должен был еще и заплатить налог, как за любую приобретенную скотину. Эти деяния воплощали средневековое представление о том, что женщины по определению стоят ниже мужчин: как толковали законодатели, если бы Бог хотел сделать женщин равными мужчинам или поставить их выше, он создал бы Еву не из ребра Адама, а из его головы. Естественным следствием было насилие по отношению к женщинам, будь то выставление непристойных жен на позор (последний такой случай зарегистрирован в Леоминстере в 1809 году) или наказание плетьми, запечатленные в средневековых манускриптах.

В угнетении женщин англичане были не одиноки. Это было обусловлено множеством факторов — важностью войн, законами наследования, неравным распределением богатства, представлениями о воспитании детей и жизни в семье, — бытовавших в большинстве стран Европы. Находчивые женщины умудрялись обходить препоны, возведенные обществом мужчин, и об этом свидетельствует число женщин, владевших большими земельными угодьями в конце XVIII и начале XIX веков. Даже некоторые путешественники XVI века отмечают в своих рассказах, что положение знатных женщин в Англии выше, чем в других европейских странах. Купец и историк Эммануэль ван Метерен, впервые попавший в Англию в 1575 году, отмечает, что

женщины всецело под властью мужей... но не в такой строгости, как в Испании или где-нибудь еще. Их не держат взаперти, наоборот, они свободно управляют домом или занимаются домашним хозяйством. Они хорошо одеваются, любят относиться ко всему беспечно и обычно оставляют заботу о домашних делах и ежедневную рутину слугам. На всех приемах и празднествах им оказывают высочайшие почести; сажают во главе стола, где им подают в первую очередь... Вот почему Англию называют Адом Лошадей, Чистилищем Слуг и Раем Замужних Женщин.

Все дело было в сексе. Как и в большинстве обществ, где доминировали мужчины, женщины становились жертвами бесконтрольного сексуального желания. Но ведь правила устанавливали мужчины. Если мужчины оказывались сексуально несостоятельны, во всем винили женщин. Среди статуй Семи смертных грехов Похоть изображена в виде женщины, и, видимо, поэтому общепринятая мудрость гласит, что хорошей женщиной может быть только скромная женщина. Женщин, уверенных в себе в сексуальном отношении, вероятно, ждали неприятности. Явных свидетельств того, что такие женщины были, не существует, но об этом свидетельствует, например, то, как много власть имущих считали необходимым выступать против них. Если в 1620 году Яков I приказал епископу Лондонскому предложить пастве молиться против «вызывающего поведения наших женщин и ношения ими широкополых шляп и коротких стрижек», значит, кто-то из женщин был готов игнорировать установленные правила. По крайней мере, в отношении к женщинам не было раскола между роялистами и сторонниками парламента: во времена английской республики после казни сына Якова короля Карла I пуритане продолжали нападки на женщин. После Реставрации к этой теме обратились вновь, и такие люди, как епископ Джереми Тейлор, проповедовали, что благочестие — это «жизнь ангелов, глазурь души».

Иногда какой-нибудь просвещенный мужчина вроде философа Джона Стюарта Милля, женившегося на вдове, с которой был близок немало лет, мог заявить, что эти законы оскорбительны. Но его голос оставался гласом вопиющего в пустыне. Лишь в 1870 году в первом Законе об имуществе замужних женщин парламент признал за ними право контролировать собственные финансы. Нет, сказать, что в викторианской Англии, выпестовавшей идеального англичанина, не было места для женщин, нельзя. Представление о месте женщины было в нем слишком четким.

Когда викторианские ученые мужи взялись за составление авторитетного списка людей, благодаря которым нация стала великой, — двадцатитомного Национального биографического словаря, оказалось, что подавляющее большинство в нем — мужчины. Из поименованных 28 тысяч человек, начиная с истоков британской истории до 1900 года, женщин было лишь 1000. Как отметил редактор словаря Сидней Ли, «к сожалению, женщины еще долго не смогут в значительной мере претендовать на внимание общенационального биографа». Возможных объяснений этому два. Или женщины действительно сыграли весьма небольшую роль в отечественной истории, или редакторы закрыли глаза на их достижения. Несомненно, первоначальный словарь, вместе с другими свидетельствами достижений англосаксов, начиная с Великой выставки 1851 года, Лондонского королевского Альберт-Холла, галереи Тейт и Национальной портретной галереи, «Нэшнл Траст», Оксфордского английского словаря, Музея Виктории и Альберта, Музея естественной истории и Музея науки в Лондоне до великолепного одиннадцатого издания Британской энциклопедии и «Кембриджской истории английской литературы», принадлежит своему времени, времени расцвета Великобритании как имперской державы. Общественная жизнь тогда была миром мужчин.

Через сто лет после публикации первых двадцати двух томов в рамках словаря вышли приложения с некрологами умерших незадолго до этого людей, которые имели большое влияние в обществе. Они стали свидетельством постепенного роста роли женщин в ходе XX века. В первоначальном издании статьи о женщинах составляли 3,5 процента. В приложении, рассказывающем о жизни выдающихся людей, умерших между 1986 и 1990 годами, каждая десятая статья — о женщине. К тому времени издательство Оксфордского университета приняло решение пересмотреть к наступлению нового тысячелетия весь проект. В политически корректных 1990-х годах увеличению сообщений о роли женщин в национальной истории уделялось первостепенное внимание. После пяти лет изысканий редакторы обнаружили, что на историю страны оказали влияние еще 2000 женщин. В результате число женщин, получивших признание, выросло втрое. И все же это была лишь незначительная часть от целого.

Изначально словарь не учел достижения женщин потому, что искали их не там, где надо. В то время женщины были отлучены почти от всех сфер общественной жизни, и их вряд ли стоило искать среди выдающихся политиков. Офицерами в армии и на флоте были мужчины, а священники исключительно мужского пола мертвой хваткой держались за посты преподавателей в известных университетах. Если у женщин и была возможность найти применение своим способностям, то, вероятно, лишь в качестве учителей, волонтеров, миссионеров, хозяек или, в небольшом числе случаев, писателей или художников, хотя даже и тут некоторые считали благоразумным публиковаться под мужским псевдонимом.

Женщины, которые оказывались более чем способными чего-то достичь, были всегда. В конце концов, в викторианском обществе правила королева, и во времена наивысшего расцвета империи мифотворцы оглядывались назад, чтобы провести сравнение с еще одним золотым веком в правление Елизаветы I. (Конечно, даже Елизавета воодушевляла войска, собранные в Тилбери, чтобы противостоять вторжению испанцев в 1588 году, словами: «Я знаю, телом я слабая и немощная женщина, но у меня сердце и душа короля, к тому же короля Англии».) В стране всегда хватало отважных женщин, начиная с королевы бриттов Боадицеи и аббатисы Хильды из Уитби и кончая медсестрой Флоренс Найтингейл и премьер-министром Маргарет Тэтчер. Именно женщины помогли сохранить английскую культуру после катастрофического нашествия норманнов, выходя замуж за захватчиков и оказывая покровительство писателям, которых соотносили со старой традицией. Во времена, когда английская экономика основывалась на торговле шерстью, для нее был жизненно важен труд прядильщиц. И всегда находились женщины, которые сбрасывали навязываемую им смирительную рубашку сексуальных отношений. Очевидные примеры — это любовницы Байрона: леди Каролина Лэм, Клара Клэрмонт и леди Оксфорд.

Больше, чем любой мужчина своего времени, сделала для улучшения жизненных условий заключенных XIX века Элизабет Фрай. В викторианскую эпоху вся

Европа подражала неутомимым и очень практичным кампаниям Октавии Хилл по улучшению домов для бедных. Задумав постройку Хэмпстед-Гардена, Генриетта Барнетт, жена викария из Ист-Энда, провела для осуществления своего проекта закон в парламенте, а затем купила землю и начала на ней строительство. Это заставило премьер-министра Эскита назвать ее «неофициальным опекуном детей всей страны». Этот список можно продолжить. Но главное относительно этих женщин состоит в том, что они были ограничены занятиями, которые можно было рассматривать как сравнительно безобидное продолжение их домашней жизни. Миссия Флоренс Найтингейл в госпиталях Крыма началась после того, как фронтовой корреспондент газеты «Таймс» бросил клич: «Неужели ни одна из дочерей Англии не готова в этот суровый час к работе, требующей милосердия?» Однако, будь мисс Найтингейл замужем за самым рядовым викторианским мужчиной, можно было бы держать пари на все, отложенное на черный день: ей пришлось бы остаться дома.

В общем, именно там, по мнению английских мужчин, должны были находиться их женщины. «Респектабельное общество» со всеми его запретами, возможно, появилось и в викторианскую эпоху, но разделение мира на мужскую и женскую сферы началось гораздо раньше, и тому немало свидетельств. Несомненно, к временам ганноверской династии английским мужчинам модного общества было гораздо комфортнее в компании своего пола, чем среди женщин. Один из посетивших Англию французов, Сезар де Соссюр, был поражен английским обычаем выдворять женщин из-за стола после ужина и смог объяснить это лишь тем, что «женской компании они в основном предпочитают выпивку и азартные игры». В отличие от англичан он нашел английских женщин обходительными, отзывчивыми и пылкими, потому что «они не презирают иностранцев, как мужчины; они не отдаляются от них и иногда предпочитают их своим соотечественникам». Французский публицист Жозеф Фьеве, питавший ненависть почти ко всему английскому, был особенно разгневан грубым отношением англичан к женщинам. В 1802 году он писал, что

> англичане заставляют женщин удаляться после ужина, потому что хотят предаться выпивке. Часто бывает, что они засиживаются за столом аж до одиннадцати вечера, а женщины в это время, позевывая, скучают в какой-нибудь гостиной наверху. Хозяин дома может запросто оставить приглашенных женой гостей и отправиться в таверну, чтобы выпить, поболтать и поиграть от души с приятелями.

Такие скверные манеры могли сходить мужчинам с рук потому, что они считали: ничего стоящего по любой теме, кроме домашних забот, от женщины не услышишь. Прослеживалась четкая иерархия: женщины уходили из-за стола, потому что мужчины собирались говорить о делах, превосходящих их понимание, таких как политика, бизнес или война. Как выразился лорд Честерфилд, «особенно с женщинами нужно говорить как со стоящими ниже мужчин и выше детей».

Есть два возможных объяснения тому, что мужчины говорили такое. Или они действительно считали женщин существами второго сорта, или, с беспокойством осознавая всю несправедливость отказа женщинам в полноправном участии в жизни общества и понимая также, что продолжаться этому недолго, искали оправданий. Чем сильнее становился вызов, тем громче раздавались проповеди о том, что семья — краеугольный камень благополучного и упорядоченного общества, а жена и мать — душа семьи. «Первейшая сфера деятельности женщины — это дом, и о другом речи быть не может» — говорится в одной из проповедей начала XIX века. А Элизабет Сэндфорд считала, что «в независимости есть нечто не свойственное женщине. Это противно Природе и посему грех. Воистину благоразумная женщина чувствует свою зависимость; она делает то, что в ее силах, но осознает свою неполноценность». Речь здесь идет о среднем классе, который в викторианской Англии стал наиболее важной общественной группой в стране. Среди пропагандистов составилось мнение, что работающие женщины — признак «общества варваров». Из этого следовало, что если мужчина хочет сохранить свое положение, никто не должен видеть, что хозяйка дома ходит на работу. (Необходимо было поддерживать видимость процветания на единственный доход, и одним из последствий этого стало то, что фигура мужа и отца, вынужденного трудиться больше и больше, чтобы заработать средства на поддержание семьи, стала со временем сухим и холодным карикатурным образом.)

Именно по причине глубоко закрепившегося представления о том, что мужчины и женщины живут в абсолютно разных мирах, в результате реформы избирательной системы 1832 и 1867 годов право голоса получило большее число мужчин, но не было сделано абсолютно ничего, чтобы предоставить права женщинам. У мужчины практический склад ума, основанный на образовании; у женщины — это сплошная интуиция. Из этого следовало, что выражение «образованная женщина» — оксюморон: чтобы чему-то научиться, необходимо избавиться от инстинктивной логики, а это составляет саму суть женщины. А на практическом уровне, учить женщин латыни и греческому — значит обременять ценное пространство мозга, которое должно быть занято более тонкими материями, такими как приготовление еды, шитье и ведение дел с лавочниками. Вот какую картинку этой идеальной маленькой женщины нарисовал журнал «Панч»:

> Она внимательно следит, не образовались ли дырки на перчатках отца. Она искусная мастерица готовить овсянку, сыворотку, тапиоку, куриный бульон, крепкий бульон и тысячу маленьких домашних деликатесов для больного... Она не придумывает отговорок, чтобы не почитать отцу вечером и не выслушивать его наставлений... Она не знает ничего об иконоборчестве или о миссии женщины. Она изучает домоводство, в совершенстве владеет общими правилами арифметики... Она проверяет приходящие каждую неделю счета и не краснеет, когда ее видят в воскресенье в лавке мясника.

Мужчины пусть производят, а женщины лишь потребляют, домашний очаг пусть будет убежищем от окружающего мира, а «ангел в доме» будет окутан ореолом безгрешности. И к середине XIX века на женщин уже смотрят как на средство очищения индустриального общества. «Квотерли ревью» предлагает стране «воспользоваться орудием, которое вложил нам в руки Господь... В очищение потока безнравственности омойте его благотворным целомудрием английской женщины». Неудивительно, феминистские толкования истории выступают против смирительной рубашки, что навязана женщинам этим идеализированным представлением о женственности. Примером может служить образ миссис Рочестер, часто появляющейся на страницах романа Шарлотты Бронте «Джейн Эйр». В образе «этой безумной, запертой на чердаке женщины» «автор романа воплощает свои собственные мучительные женские желания вырваться из мужских домов и мужских сочинений». Ну что ж, возможно.

Но это представление о женственности оказалось поразительно стойким. Героиня Селии Джонсон из «Короткой встречи», несомненно, признала бы его и отдала бы ему должное. В 1930-х годах огромной популярностью пользовались рассказы Яна Струтера в газете «Таймс» о простых радостях домашней жизни. От имени миссис Минивер автор описывает все, что делают ее дети — два мальчика и девочка, муж — человек свободной профессии, няня, горничная, повар, а также рассказывает про свой второй дом в Кенте, где мир и покой нарушают лишь такие вещи, как протекающие трубы, заболевшие домашние животные и мужья, засыпающие над газетой после ужина. Когда в жизнь миссис Минивер вторглись коварные замыслы нацистов, а ее муж отправился выполнять свой долг при Дюнкерке, ее образ перенесла на экран актриса Грир Гарсон, и ее стали считать ярким воплощением английской женщины военного времени. В это трудно поверить, но Черчилль якобы сказал, что, по его мнению, этот фильм внес больший вклад в победу, чем целый флот линейных кораблей.

В любом улучшении положения женщин в Англии нет почти никакой заслуги английских высших классов, которые с такой гордостью называют себя защитниками всего, что есть лучшего в стране. Если, как любят заявлять апологеты «индустрии наследия», высочайшим культурным достижением английского образа жизни является загородный дом, роль в нем английской женщины представляется достаточно четко. Она служанка или повар. Или управляет служанками и поварами. Когда Герман Мутезиус рассказывал немецким читателям, что такое английский дом, ему пришлось объяснять, почему у англичан вроде бы настолько больше слуг, чем в его родной стране. Помимо более высоких стандартов материального комфорта в английских домах и более узкой специализации английских слуг нужно учитывать и то, что «хозяйка дома лишь управляет домашним хозяйством, но не принимает в нем активного участия. Хозяйка английского дома никогда не появляется на кухне, да и против этого стал бы возражать повар. Она посылает за слугами, когда готова дать приказания». Впервые появившийся в 1861 году и адресованный быстро растущему среднему классу бестселлер миссис Битон носил название «О ведении домашнего хозяйства».

И все же внуков и внучек миссис Минивер можно найти до сих пор. Чтобы развеять представление о том, что Англия действительно изменилась, нужно сходить в течение рабочего дня за покупками в «Харвей Николс», зайти на ланч в модные рестораны «Дафнис» или «Бибендум» или просто взглянуть на лица, улыбающиеся с фотографий в журнале «высшего общества» «Дженниферс дайэри». Весь фокус раскрывают подписи к этим фотографиям: выходя замуж, женщина теряет не только фамилию, но и имя. Поэтому среди тех, кто веселится на благотворительных балах, на гулянках по поводу совершеннолетия дочерей, на которых продумана каждая деталь, светских свадьбах и ланчах «не без повода», есть миссис Хуго Форд, миссис Стивен Рив-Такер, миссис Дэвид Хэллем-Пиль и леди Чарльз Спенсер-Черчилль. На одной из фотографий тогдашний член кабинета министров и Тайного совета Вирджиния Боттомли стала «миссис Питер Боттомли». Да и какие тут могут быть сомнения: в этом мире даже Маргарет Тэтчер, самая известная женщина-политик во всей истории, всего лишь «миссис Дэнис Тэтчер».

Возможно, они уже больше не невольницы, все эти пышущие здоровьем, откормленные лица, но они — часть мира, который героиня Селии Джонсон тоже узнала бы сразу. В среде, из которой вышла покойная принцесса Диана, обучение женщин по-прежнему вряд ли считают целесообразным. Ведь она, прекрасно образованная женщина, вышла из школы с документом, цена которому не выше сертификата ухоженного хомяка. Такое отношение к образованию весьма показательно. В 1930 году писатель Эмиль Каммертс попытался сформулировать суть своего двадцатилетнего опыта жизни в Англии. Он отмечал, что школы и колледжи в Англии «сыграли в жизни англичан гораздо более значительную роль по сравнению с ролью любого выдающегося учебного заведения в жизни других стран... они преуспели в сохранении и развитии определенного типа характера и определенного идеала служения, без которого Англии никогда бы не стать тем, что она есть сегодня». Каммертс был англофилом, и более радикально настроенный критик истолковал бы «идеал служения», породивший Породу, в гораздо более желчных выражениях. Когда речь шла об общем подходе к образованию, этот идеал имел для женщин серьезные последствия. Он отражал крепкую связь между духом и телом — *mens sana in corpore sano* — и был исключительно мужской. В 1872 году У. Тёрли недвусмысленно связал принадлежность к мужскому полу

Mens sana in corpore sano — в здоровом теле здоровый дух (*лат.*).

с идеей успешности нации. На страницах журнала «Дарк блю» он громогласно заявил, что «нация немощных женоподобных книжных червей вряд ли может служить надежным оплотом свобод нации».

Женщин, осмеливавшихся уверовать в важность образования, или высмеивали, или устанавливали над ними опеку, или подвергали тому и другому. Возможно, первым «синим чулкам» и нравилось общество таких людей, как доктор Джонсон или Эдмунд Бёрк, однако Сидни Смит советовал им не выставлять свою ученость напоказ («если чулок синий, нижняя юбка должна быть длинной»). Читаешь этих пионеров XVIII века и словно видишь раскиданную по волнам в бурном море флотилию парусных суденышек, отчаянно подающих друг другу сигналы с мольбой спасти от стихии. Леди Мэри Уортли Монтегю писала приятельнице из Италии, что «сказать по правде, нигде в мире к нашему полу не относятся с таким презрением, как в Англии». Неудивительно, что в то время, когда столько мужчин восторженно рассказывали о себе и своей стране как о воплощении высочайшего уровня цивилизации, многие женщины, такие как писательница Мэри Уоллстоункрафт, эта ярая сторонница французской революции, считали себя не англичанками, а частью человечества в более широком смысле.

У среднего англичанина, принадлежавшего к среднему или высшему классу, таких сомнений не было. Ведь общество у них, в конце концов, мужское. Но образование англичане решительно хотели оставить себе. Идеализировавший женщин Джон Раскин — он был в этом настолько искренен, что, как говорят, оказался не в силах вступить в брачные отношения, потому что с ужасом обнаружил у жены волосы на лобке, —

считал, что женщине следует знать ровно столько, сколько необходимо для того, чтобы «разделять удовольствие мужа». Ведь как ни крути, череп у женщины меньше, чем у мужчины, а значит, и мозг меньше. А раз энергия, которой они обладают, ограничена и необходима для менструаций, роста груди и деторождения, то выходит, что сил на умственную деятельность остается меньше. Высказывались даже такие соображения, что, раз при менструации возможности женщины настолько ограничены, стремление получить образование может подтолкнуть их к стерилизации. В итоге женщинам настоятельно посоветуют держаться подальше от науки. Кроме всего прочего, образованные женщины будут оспаривать у мужчин рабочие места, вследствие чего многим из них придется уезжать в колонии, и таким образом могут пополнить ряды старых дев: следовательно, женщины, которые надеются выйти замуж, не должны требовать лучшего образования.

В это трудно поверить, но феминистке Эмили Дэвис удалось основать Гертон, женский колледж в Кембридже, лишь в 1869 году, а когда в 1896 году в этом университете проводилось голосование о допуске женщин к экзаменам на получение ученой степени, газета «Таймс» даже напечатала расписание поездов, чтобы живущие в Лондоне выпускники смогли съездить в Кембридж и проголосовать против этого предложения. Университет не разрешал женщинам стать его полноправными членами до 1948 года. Как и более распространенный предрассудок против «интеллектуалов», масштабы такой дискриминации женщин в Англии были выше, чем где бы то ни было: среди женщин, которые первыми добились права медицинской практики, Софии Луизе Джекс-Блейк это удалось потому, что она училась в Эдинбурге, Элизабет Гаррет Андерсон получила степень доктора медицины в Париже, а Элизабет Блэкуэлл — в Соединенных Штатах.

Чтобы подвести итог, достаточно одной ремарки. Для мужчин создавались все учебные заведения, даже детские. После того как по образу бойскаутов были организованы «герл гайдз» для девочек, общий настрой был четко подмечен в серии картинок в журнале «Кэслстоун хаус компани». На дворе 1918 год, и школьницы обсуждают создание группы «герл гайдз». Устремления пола налицо: «Завидую тебе ужасно. Конечно, быть гайдом здорово и очень мило, но разве это сравнишь с тем, когда в тебя выпускают торпеду, когда ловишь шпионов и все такое прочее». Затем одна из них вздыхает, глядя на форму гайдов: «Только посмотри, сколько карманов, — с восхищением промурлыкала Элси. — Вот здорово, как у мальчика».

Стоит ли удивляться, что такая обстановка вызывала гнев у духовных дочерей Мэри Уоллстоункрафт? В 1938 году Вирджиния Вулф, рассуждая в «Трех гинеях» о патриотизме, приходит к выводу, что у нее, как у женщины, мало причин быть благодарной «своей» стране. В воображаемом разговоре между братом и сестрой накануне мобилизации она решает, что

почувствует, что у нее нет оснований просить брата сражаться за нее, защищая «нашу» страну. «Эта „наша страна“, — скажет она, — в течение большей части своей истории относилась ко мне как к рабыне, отказывала мне в праве получить образование и хоть в какой-то мере обладать тем, чем владеет она. Кроме того, эта „наша страна“ уже не будет моей, стоит мне выйти замуж за иностранца. Эта „наша страна“ не предоставляет мне защиты, вынуждает ежегодно платить немалые деньги, чтобы защитить меня, и при этом настолько не способна это сделать, что даже меры предосторожности при авианалетах пишутся на стене. Поэтому, если ты настаиваешь, что идешь сражаться, чтобы защитить меня или „нашу страну“, пусть между нами существует трезвое и рациональное понимание, что ты сражаешься для удовлетворения своего полового инстинкта, ощутить который мне тоже не дано; чтобы принести пользу, к которой я не имею и, вероятно, никогда не буду иметь отношения; но не для того, чтобы удовлетворить мои инстинкты, или защитить меня, или мою страну. Ибо, как сказал бы человек посторонний, у меня, как у женщины, по существу, страны нет».

К строго иерархическому разделению полов привело изобретение «идеального англичанина». Считалось, что он должен быть благородным, благопристойным, стойким и мужественным, а англичанка должна быть стойкой, исполненной материнского начала, послушной и благочестивой. Поразительно, как быстро это понятие о «респектабельном обществе» пустило корни. Убедительное тому свидетельство — отношение к писательнице XVII века Афре Бен. Она создала целую серию пьес и стихотворений о неудачных браках и их печальных последствиях, и ее превозносила Вирджиния Вулф как первую женщину, жившую писательским трудом. В течение всей своей карьеры ей приходилось противостоять обвинениям (со стороны критиков-мужчин) в одержимости чувственностью — такие обвинения никогда не выдвинули бы мужчине: ее произведения не идут ни в какое сравнение с некоторыми творениями ее современника Джона Рочестера. Однако настоящий вызов Афре Бен был брошен после ее смерти. В 1826 году сэр Вальтер Скотт послал своей престарелой тетушке экземпляр романа Бен «Оруноко», историю раба-африканца. Когда Скотт снова навестил тетушку, та вернула ему книгу, посоветовав сжечь. По ее словам, книга была непристойна. Хотя она сама же призналась, что находит свое поведение необычным. «Разве не странно, — заметила она, — что мне, пожилой женщине восьмидесяти с лишним лет, сидящей в одиночестве, стыдно читать книгу, которую шестьдесят лет назад, как я слышала, читали вслух в Лондоне на потеху широкого круга лиц высшего и заслуживающего доверия общества?» Скотт в связи с этим заметил, что «это, конечно же, результат постепенного улучшения национального вкуса и роста пристойности».

Распалось «респектабельное общество» почти так же быстро, как и сформировалось. Доктор Эктон, тот самый, что поведал викторианской Англии о том, что мастурбация приводит к появлению «раздражительных ипохондриков», рекомендовал женатым парам производить соитие не чаще одного раза в неделю или десять дней. Он отмечал, что «большую часть женщин (к счастью для них) не очень-то беспокоят какие бы то ни было сексуальные желания... Как правило, скромная женщина редко желает сексуального удовлетворения для себя самой. Она отдается в объятия мужа, в основном, чтобы ублажить его; и если бы не желание стать матерью, она, конечно, предпочла бы, чтобы он избавил ее от ухаживаний». Свидетельством страстного желания получить более честную информацию стало то, что в 1918 году, лишь через двадцать лет после последнего издания книги доктора Эктона, Мэри Стоупс публикует первое откровенное пособие по сексу — «Супружеская любовь». С марта по декабрь того года книга выдержала пять изданий. К середине 1920-х годов было продано полмиллиона экземпляров.

В годы Первой мировой войны по улицам ходили «женские патрули» и искали прелюбодействующих с подружками солдат. К 1930-м годам в общественных парках миловалось столько парочек, что одна французская туристка, школьная учительница, пришла в ужас. Одетта Кеун делает вывод, что это следствие «определенной нехватки секса» у англичанок, что любовник из среднего англичанина никакой: для него любовная игра, перед тем как завлечь ее в постель, — вещь никчемная. «У англичан занятия любовью — не наслаждение, а выполнение какой-то функции... Моя конкретная претензия к английскому мужчине заключается в том, что он не уделяет сексуальному акту достаточно времени, усилий или внимания, и в результате получается нечто однообразное, несвежее и смертельно скучное как кусок его любимого холодного пудинга». (Здесь она права: в отличие от французов англичане действительно никогда не считали искусство обольщения искусством.)

В последующие десятилетия XX века «респектабельное общество» рухнуло, да так, что от него остались лишь отдельные кариатиды, подобные задрапированным женским фигурам, которые некогда поддерживали фронтон давно исчезнувшего римского храма. Скорость происходивших изменений была поразительной. Французский философ Ипполит Тэн в свое время был убежден, что замужние англичанки почти никогда не изменяют, количество разводов перевалило за 1000 в год только в 1918 году, причем в основном разводились члены сравнительно малочисленного высшего класса. Сегодня по числу разводов страна на первом месте в Европейском союзе. К концу

1990-х годов четверть незамужних женщин в возрасте от 18 до 49 лет сожительствовали с мужчинами. В Англии самый высокий процент неполных семей в Европе. Никого не смущает и тот факт, что порномагнат Пол Реймонд стал одним из богатейших людей в стране и вращался среди герцогов и графов.

Ничего чисто английского в этих тенденциях нет: распады семей, рост отношений, не зарегистрированных государством, терпимость к порнографии — общее явление для всех западных стран. Некоторые причины таких изменений достаточны явны. Две масштабные войны, в последней из которых военные действия были намеренно направлены против гражданского населения, ускорили развал иерархических различий между мужчинами и женщинами. Благодаря вкладу в победу женщин, работавших на военных заводах, в сельском хозяйстве и служивших в армии, стало еще труднее утверждать старомодные истины в духе миссис Минивер о роли «домашнего ангела». Растущие возможности женского образования, распространение феминизма и утверждение равных прав для женщин — при всем этом мужчины уже не могли цепляться за старое мужское представление о типично английском. А контрацептивная таблетка освободила женщин от постоянного страха забеременеть.

Конечно, старые стереотипы могут рассмешить кого угодно. Гораздо интереснее что-то придумать, чем попытаться понять, что происходит вокруг, этим и объясняется феноменальный успех милой нонфикшн Билла Брайсона об Англии. Во время первого посещения страны в 1973 году его поразил контраст между английскими женскими журналами и такими же журналами, издававшимися на Среднем Западе Америки:

Статьи в журналах матери и сестры всегда были о сексе и личном удовлетворении. Там присутствовали такие названия, как «Добейтесь многократных оргазмов», «Секс в офисе: как это устроить», «Таити: новое горячее местечко для секса», «Исчезающие тропические леса — подходят ли они для секса?». Британские журналы взывали к более скромным устремлениям такими заголовками, как «Свяжите себе двойку», «Грошовое предложение для экономной хозяйки» и «Пришло лето: время для майонеза!»

Если тогда так и было, то теперь этого уже давно нет. В хорошо продающихся женских журналах речь только и идет что о сексе, сексуальных проблемах, сексуальном здоровье и сексуальной этике.

Тот факт, что в Англии старая модель отношений между мужчинами и женщинами рухнула гораздо более основательно, чем во многих других уголках Европы, свидетельствует, что в английской формулировке, не сработавшей в конце XX века, было нечто особое. Возможно, причина в том, что англичане, убедившись, что империи, для которой изобретались эти модели, больше нет, сочли эти прототипы неуместными. Как понятия «Порода» и «любитель» уже нельзя было использовать в качестве образцов для мужчин, так и старинные архетипы, которые мужчины стремились навязать женщинам, оказались в равной степени излишними. Во внешнем мире рухнул авторитет нации, а в самой стране то же произошло с авторитетом тех, от кого можно было ожидать защиты старых, устоявшихся моральных ценностей. Обращает на себя внимание, что двое наиболее известных публичных морализаторов этого столетия — Козмо Лэнг, великий архиепископ Кентерберийский, и Джон Рейт, основатель

Би-би-си, — не англичане, а шотландцы. А вместо твердо сжатых губ Тревора Говарда и дрожащей нижней губки Селии Джонсон появилась самая искрометная в мире молодежная культура.

Помимо расцвета музыки и моды англичане имеют самые высокие среди всех индустриально развитых государств показатели сексуальной активности тинейджеров. Количество незамужних женщин, занимающихся сексом к девятнадцати годам, составляет 86 процентов. В Соединенных Штатах, занимающих второе место, эта цифра составляет 75 процентов. Девственницами идут к венцу менее 1 процента невест. Возникнув на обломках империи, Англия стала страной, в которой успеха можно добиться благодаря способностям, а не следуя общепринятым нормам или связям, а также страной, где, хотя еще много чего нужно сделать, женщины получили растущее равноправие в общественной жизни.

Глава 11   Старая страна, новые одежды

Англичане обладают поразительной способностью обращать вино в воду.

Оскар Уайльд

В Англии изменились не только роли мужчин и женщин. Изменилась и сама страна, где живут англичане. В ней, как и во всем остальном мире, заправляют названия брендов. Англичане носят бейсболки и джинсы, едят подобие американской, азиатской или итальянской еды, ездят на машинах, сделанных в самых разных уголках земли (даже величайший британский автопроизводитель «Роллс-Ройс» теперь принадлежит немцам), танцуют под интернациональные ритмы и играют в компьютерные игры, разработанные в Сиэтле или Токио. В этом новом мире ни география, ни история, ни религия, ни политика не оказывают того влияния, что раньше. А раз за последние полвека изменились внешние формы, изменения претерпело и то, что было несомненным внутри.

Вторая мировая война, время «Короткой встречи» и «Где мы служим» были последним продолжительным периодом, когда мы хотя бы с какой-то долей уверенности могли сказать, что впечатление от Англии соответствует реальности. Даже тогда многое указывало на то, что старые моральные ценности рушатся.

Для моего отца страна стала катиться вниз, когда, приехав домой на побывку с конвоев в Северной Атлантике, он услышал, как хозяйки хвастаются друг перед другом купленным на черном рынке кусочком мяса в дополнение к скудному продовольственному пайку. Страна, в которой «уважаемые» в остальном люди не испытывают стыда, нарушая правила, обречена. Спекулянт, который мог достать вам все что угодно — от нейлоновых чулок до куска бекона, был таким же типичным англичанином, как и отказывавшие себе во многом персонажи Селии Джонсон и Тревора Говарда, сдержанность которых говорила об их альтруизме.

И «Короткую встречу» и «Где мы служим» написал Ноэль Кауард, который свои «черты типичного англичанина», равно как и акцент и сигаретный мундштук, приобрел за время путешествия по жизни от рождения в семье продавца пианино в Западном Лондоне до дружбы с английской королевской семьей. После того как наступил мир, созданное им представление об Англии просуществовало недолго. Меньше чем за десятилетие Кауарда довели до унизительного для него сетования против театральной школы «кухонного реализма», на фоне которой его пьесы о жизни среднего класса стали казаться такими хрупкими и устаревшими. Приводя совет, который якобы дал ему Черчилль — «англичанин имеет неотъемлемое право жить там, где сочтет нужным», — Кауард покинул страну, чтобы жить изгнанником на Бермудах, в Швейцарии и на Ямайке, но не платить налоги, необходимые для постройки Нового Иерусалима.

Новая театральная сенсация, «Оглянись во гневе» Джона Осборна, — яростная реакция против бессмысленности, среди которой, как выяснилось, он живет, — была впервые поставлена в мае 1956 года. Этой пьесе, по ходу которой зритель становится свидетелем того, с какой горечью относится Джимми Портер к ценностям «эдвардианской команды», шикарно живущей семьи его жены, предпосланы слова «ничего доброго не осталось, благие дела забыты». Как объяснял сам Осборн в газете «Трибьюн»,

это письмо ненависти. Оно адресовано вам, мои соотечественники, я имею в виду тех людей в моей стране, которые осквернили ее. Мужчины с наманикюренными пальцами, ведущие немощное, преданное ими тело моей страны к погибели... Я лишь надеюсь, что это [его ненависть. — *Примеч. автора.*] придаст мне сил. Думаю, так оно и будет. Возможно, это даст мне возможность продержаться оставшиеся несколько месяцев. А пока, будь ты проклята, Англия. Ты разлагаешься и очень скоро исчезнешь.

Вслед за Осборном появились целые легионы писателей, чтобы попировать на трупе эдвардианской Англии. Даже те, кто в характерно английской манере считал, что эти нападки заходят «чуть дальше, чем следует», ощущали, что жить в Англии — значит участвовать в каких-то поминках. Правящий класс, без сомнения, потерпел сокрушительное фиаско, не сумев предложить для XXI века ничего нового, и поэтому англичане обнаружили, что двигаются в будущее задом наперед, не отрывая глаз от некоей точки на рубеже XIX и XX веков. Пришло время задаться вопросом: а оправдано ли это оплакивание прошлого?

Можно начать с того, что англичане дали миру. И здесь нас ожидает первая проблема. Потому что величайшим наследием, завещанным англичанами всему остальному человечеству, стал их собственный язык. Даже во время Второй мировой войны, когда закладывались основы для военного Тройственного пакта, ось — Рим—Берлин—Токио, Ёсукэ Мацуока вел переговоры от имени императора на английском языке. Это средство общения в области техники, науки, путешествий и международной политики. Три четверти мировых почтовых отправлений пишут на английском языке, на нем составлены четыре пятых всех данных, сохраняемых в компьютерах, и на нем разговаривают две трети ученых всего мира. Для всего мира это как малайский — его нетрудно учить, на нем можно запросто объясниться; умение немного говорить по-английски во многом вам поможет, и именно поэтому, по некоторым оценкам, четверть всего населения планеты в той или иной степени говорит на этом языке. К концу 1990-х годов Британский совет прогнозировал, что на рубеже второго тысячелетия 1 миллиард (тысяча миллионов) людей будут учить английский.

Некоторые из тех, кто изучает язык, будут говорить на нем абсолютно свободно, как генеральный секретарь НАТО, доктор Йозеф Лунс, голландец по происхождению, который однажды заметил, что предпочитает говорить по-английски, потому что «когда говоришь на родном языке, такое ощущение, что тебя тошнит». Однако большинство учит язык в качестве средства для достижения определенной цели. Составители Оксфордского английского словаря, этой библии английского, не ведут учета, откуда происходят новые слова, но можно спокойно держать пари, что примерно из 3000 новых слов, ежегодно поступающих в их базы данных, лишь малая часть — из Англии; остальные приходят из Америки, Австралии или из международного языка компьютерного дела и науки. В конце концов, в числе примерно 650 миллионов человек, у которых английский первый или второй язык, англичан лишь 8 процентов.

Француза можно вычислить, как только он откроет рот. Французы говорят на французском. Англичане говорят на языке, который не принадлежит никому. Профессор Майкл Даммит, уикэмовский преподаватель логики в Оксфорде, стоя однажды в Чикаго в очереди за билетом на поезд, завел разговор с каким-то попутчиком. Через некоторое время этот человек сказал: «Вы, должно быть, из Европы». «Да, из Англии», — ответил Даммит. На что этот стоявший рядом спиноза заметил: «По-английски вы говорите довольно сносно». Даммит был настолько поражен, что не удержался и сказал, что он действительно англичанин. Только потом ему стало ясно, что для многих американцев английский — лишь название языка, на котором говорят в Америке, точно так же, как и голландский — язык, на котором говорят в Голландии. Парадокс английского языка в том, что он дорог и близок его носителю и в то же время принадлежит всем и каждому. Что происходит с народом, который больше не является обладателем своего собственного языка?

Когда я появился в офисе Оксфордского английского словаря, группа экспертов разбиралась с только что попавшим к ним на стол вопросом от очередного представителя общественности, пытающегося следить за развитием языка. Он был в шоке, услышав, как кто-то называет некое техническое оборудование «кобелиными причиндалами» (the dog's bollocks). «Что это значит? — недоумевал обеспокоенный автор письма. — И откуда, Господи прости, взялось это выражение?»

Как раз такие задачи лексикографам по вкусу. В издании Оксфордского английского словаря 1933 года, который до последнего времени был самым авторитетным источником определения значений слов в английском, выражения «кобелиные причиндалы» нет. Есть толкования и для «собачьей головы» (dog's head, «бабуин с собачьей мордой»), и для «собачьего носа» (dog's nose, «алкогольный напиток из смеси пива и джина»), и для «сна по-собачьи» (dog-sleep, «изображаемый или притворный сон»), а также еще для тридцати с лишним выражений, в которые входит слово «собака». А вот «кобелиных причиндалов» нет.

В просторном офисе с открытой планировкой, который впечатляет царящей там удивительной тишиной (за полтора часа ни одного телефонного звонка), оксфордские лексикографы пытаются проследить происходящие в языке изменения. На экранах мониторов одно за другим мелькают сообщения от наблюдателей по всему англоговорящему миру с новостями о новых словах и выражениях. Одна информантка связалась с ними, чтобы сообщить, что, по ее мнению, в первый раз замечено выражение «bad hair day». Как оказалось, появилось оно в одной из газет Сиэтла. Корреспондент из Кембриджа, штат Массачусетс, столкнулся с не встречавшимся доселе использованием слова «Maltese», которое датируется раньше прочих в словаре. Это вызывает сдержанное волнение.

«Bad hair day» — день, когда ничего не выходит, не получается (англ., жарг.).

«Maltese» — мальтийский, относящийся к Мальте (англ.).

Выражению «dog's bollocks» тут же сумели дать определение немало взрослых англичан. Если что-то — DB, то лучше уже не придумаешь, нечто вроде «роллс-ройса». «Just the ticket», как сказали бы лет тридцать назад. Это показатель того, как быстро может меняться английский язык: ведь он

«Just the ticket» — то, что надо; то, что доктор прописал (англ., жарг.).

может подхватить любое выражение и уже через несколько месяцев сделать его ходовым. Выражения постоянно придумывают, в частности, журналисты, просто чтобы проверить, сколько пройдет времени, прежде чем другие начнут использовать их так, словно эти выражения давно стали частью языка. Если повезет, от изобретения слова до обнаружения, что оно вошло в повседневный обиход, проходит всего несколько недель. Составляя список повседневных слов, придуманных с 1960 по 1990 год, лексикограф Джонатан Грин подвел черту под 2700 словами — от «AC/DC» («бисексуальный») до «zonked» («находящийся в состоянии опьянения, интоксикации»). В том, как пользуются английским языком, есть что-то от Шалтая-Болтая: слова могут значить все что угодно в зависимости от того, какое значение в них вкладывает говорящий. Похоже, англичане не только приняли поразительную способность своего языка изменяться, но и радуются этому. «Языки перестают изменяться, только когда становятся мертвыми», — весело заявляет Патрик Хэнкс в большом офисе с открытой планировкой Оксфордского английского словаря, а затем снова обращается к экрану, чтобы просмотреть последнее входящее сообщение от информатора с дальних окраин англоговорящего мира.

Одним из последствий роста роли английского языка как средства общения для всего мира стал отказ в той или иной степени от попыток установить какие-то рамки. Французы, которые, как выяснилось, проиграли больше всех в этом соревновании по выработке универсального языка, отреагировали на это вирусное распространение английского чем-то вроде языкового изоляционизма, пытаясь запрещать использование иностранных слов и определяя для радиостанций квоту музыкальных произведений, которые должны исполняться на французском языке. Англичане смеются над ними по этому поводу, и не только потому, что французы их исторические враги и — по крайней мере, в этой войне — проигравшая сторона, но и потому, что те никак не могут понять, что эти их великодержавные притязания на владение своим языком обречены. Английский язык не хранит никто, есть лишь люди, такие как сотрудники Оксфордского английского словаря, которые фиксируют его изменения. Когда появляется новое издание любого словаря английского языка, люди интересуются не тем, сохранились ли в нем старые значения, а тем, сколько в нем признано новых слов. Люди пишущие склонны радоваться разнообразию своего языка, откуда бы новые слова ни появлялись.

Это беззаботное отношение англичан к своему языку не ново. Первый словарь английского языка изначально отражал попытку повторить проделанное *Académie Française* с французским языком. Академический словарь, который появился в 1694 году после пятидесяти пяти лет труда, создавался как последнее слово в том, что касается верного и неверного словоупотребления. Поступавшие предложения такого же директивного подхода к английскому языку вертели и так сяк годами. Дефо убеждал Английскую академию «поощрять классическое образование, оттачивать и облагораживать *английский* язык и развивать возможности правильного языка, которыми так пренебрегают». Подобный вопрос поднял в 1712 году и Джонатан Свифт в «Предложении по исправлению, улучшению и уточнению английского языка». Откликнувшемуся на этот призыв доктору Сэмюэлю Джонсону не удалось первому создать словарь английского языка (этой чести удостоился ученый Бенджамин Мартин), но его труд остается выдающимся примером лексикографической работы, проделанной в одиночку. К чести Джонсона, он понял, насколько глупо пытаться законсервировать язык. Как он писал в предисловии:

> Когда мы видим, что люди стареют и один за другим умирают в определенное время, из века в век, мы смеемся над неким эликсиром, который обещает продлить жизнь до тысячи лет; с таким же успехом может быть высмеян и лексикограф, который, будучи не в силах привести пример народа, сохранившего слова и фразы своего языка от перемен, возомнит, что его словарь сможет забальзамировать язык и уберечь его от разложения и упадка... Язык, который может сохраняться без изменений, это, скорее всего, язык народа, лишь ненамного приподнявшегося над варварством, народа, отделившегося от других народов и полностью занятого добыванием средств к существованию.

Если бы не Джонсон, то кто-нибудь другой спас бы англичан от возможной идиотской директивности *Académie Anglaise*. Эволюция слов — показатель успеха, а не поражения. Странное дело, но именно в Америке, где рождается так много новых слов и словоупотреблений, большой спрос на исторические словари английского языка: значит, есть потребность знать свое наследие. Англичане, похоже, не только примирились с тем, что они больше не властны над своим языком, но и положительно радуются его расширению. Народ, который страшится своего будущего, так себя не ведет.

(Кстати, «кобелиные причиндалы» придумали печатники для описания используемого в газетах значка «:-». Выражение это исключительно английское.)

Как и английский язык, новая Англия чем-то обязана прошлому и в то же время ничем ему не обязана. Главная перемена состоит в том, что старая Англия была построена на шаблонах идеальных англичанина и англичанки, выработанных много веков тому назад, а Англия новая — это страна энергичная, простонародная и в высшей степени изобретательная. А так как в основе английской культурной традиции лежит индивидуализм, возможности Англии, появляющейся из кокона последнего полувека или чуть большего периода, почти безграничны.

Значительные перемены выражаются не в смене правительств, а в переменах *Zeitgeist*. Лейбористская партия, с убедительным преимуществом пришедшая к власти в мае 1997 года, заявила о стремлении

Zeitgeist — дух времени
(нем.).

придать Британии «другой бренд»: назвавшись «новыми лейбористами», они отказались от большей части идеологического багажа, и вот, смотрите, на сцене появляется новая Британия, страна, отряхнувшая с себя злого духа прошлого. Через несколько месяцев под их дудку уже плясало большинство средств массовой информации. «ОБНОВЛЕННАЯ БРИТАНИЯ» — кричал заголовок вынесенной на обложку статьи октябрьского номера журнала «Тайм». «После 50 лет борьбы с тем, что часто представлялось невыполнимым, Соединенное Королевство заметно прибавило шагу», говорилось в номере. В доказательство этих преобразований приводились сведения об успешных кинорежиссерах, миллионерах, сделавших состояния на компьютерных играх, модных дизайнерах, телеведущих и валютных дилерах. Эти люди, справедливо отмечал журнал, подавили в себе комплекс принадлежности к старой стране, погрязшей в классовых запретах и общественных предрассудках, которые осуждают наживающих себе состояния, и воспользовались возможностью следовать своим коммерческим инстинктам. Одно из главных преимуществ этих людей, хотя об этом никто не упомянул, состоит в том, что они говорят на языке, на котором говорит весь мир. Второе заключается в географическом положении их страны, позволяющем утром решать деловые вопросы с Азией, а после полудня — с Северной Америкой; третье — это многолетняя история ведения торговли, на чем и была построена империя; четвертое — еще одно следствие имперских времен — сеть связей по всему миру и способность ассимилировать иные культуры; пятое — сравнительно высокий уровень подготовки и мастерства рабочей силы; шестое — привлекательность Лондона как основного места проживания деловых людей из других стран в силу таких английских особенностей, как законопослушность, предприимчивость и терпимость. Это перечисление можно продолжить. Главное же состоит в том, что ничего из вышеперечисленного не было следствием политических решений нового правительства.

Осенью после своего избрания Тони Блэр принимал глав правительств Содружества со всего мира. Перед началом его приветственной речи всем пришлось в напряженной тишине просмотреть видеопрезентацию, отмечавшую творческие, коммерческие и научные достижения новой Британии, страны, где человек достигает положения в обществе благодаря своим способностям. Во время презентации звучала музыка групп «Оазис» и «Спайс Герлз», на экране сменяли друг друга изображения комнат для переговоров, машин «Формулы-1» и фармацевтических фабрик, постоянно делался упор на то, что Британия теперь молодая страна. Когда настал черед речи премьер-министра, эта основная тема в ней повторилась. «Новая Британия — это страна, где положение в обществе достигается благодаря способностям, где мы разрушаем классовые, религиозные, расовые и национальные барьеры», — заявил он. Прицел был взят на формирование «единой нации», к чему издавна стремились консерваторы: «для всего народа, а не для привилегированного меньшинства».

Для того чтобы всучить, как покупателю, образ этой «новой страны», использовался дурацкий лозунг — «Cool Britannia», от которого любой действительно хладнокровный человек лишь глазами захлопает или вздрогнет: стараясь постичь молодежную культуру, политики среднего возраста всякий раз понимают ее превратно. Хотя элемент «Британия» немаловажен: никому и в голову не пришло сказать «Cool England». Дело в том, что страна переживает один из периодов своей истории, когда англичанина можно назвать человеком, живущим на острове в Северном море, которым управляют шотландцы. Преимущество «Британии» еще и в том, что это слово собирательное. Чтобы быть британцем, необязательно быть белым англосаксом. Сдается, что быть британским нигерийцем, мусульманином, евреем, китайцем, бангладещем, индийцем или сикхом намного легче, чем английским соответствием всего вышеперечисленного. Именно потому, что Британия — изобретение политическое, она допускает разнородность.

Наивысшим проявлением идеи Британии является королевская семья. Стремление к объединению королевства прочитывается в громыхающем перечне ти-

«Cool Britannia» — слово «cool» довольно многозначно («свежий», «прохладный»; «хладнокровный», «спокойный»; «клевый»). Выражение «Cool Britannia» — игра слов на созвучии с названием патриотической песни «Правь, Британия, морями» (Rule, Britannia).

тулов наследника трона: Чарльз принц Уэльский, герцог Корнуолла и Ротсея, граф Честера и Кэррика, барон Ренфрю, лорд Островов и Великий Правитель Шотландии. Институт монархии принадлежит миру красных мундиров и медвежьих киверов, «Юнион Джека» и пулемета системы Гатлинга, а королева Елизавета с принцем Филиппом — чуть ли не последние представители «респектабельного общества». Насколько разительно изменилась возглавляемая ими страна, стало до боли ясно после неожиданной смерти в 1997 году бывшей жены Чарльза принцессы Дианы. Следуя кодексу поведения, не допускающему проявления эмоций, монарх и ее консорт оказались чуть ли не единственными, кто оплакивал ее смерть без сантиментов. Многие из остальных представителей этой нации якобы «плотно сжатых губ» разыскивали цветочные магазины, покупали букетики цветов, а потом возлагали их как можно ближе к любому зданию, с которым ассоциировалась эта молодая женщина с исключительными привилегиями. Вскоре ворота Кенсингтонского дворца, Букингемского дворца, Сент-Джеймсского дворца и семейного дома в Нортхэмптоншире утопали в море лепестков и пластика. Зажженные свечи в банках из-под джема оставляли как на импровизированной могиле. На придорожную ограду и деревья в парках вешали карточки и фотографии вместе с наспех написанными записками. Среди наиболее разборчивых были такие, как ДИАНА МЫ ЛЮБИМ ТЕБЯ И У НЕБЕС ТЕПЕРЬ ЕСТЬ НОВЫЙ АНГЕЛ. А потом, когда наступило время похорон, публика выстроилась, миля за милей, на пути кортежа, бросая на гроб цветы и, что самое странное, сверкая вспышками фотоаппаратов, чтобы сделать снимок для семейного альбома.

При любом разгуле воображения это нельзя назвать типичным поведением нации, чья невозмутимость в минуты душевных переживаний была составной частью пародии на саму себя, к которой она относилась более чем непринужденно. Джордж Макдональд Фрейзер, создатель пользовавшейся огромным успехом серии исторических романов о Флэшмене, был потрясен, увидев, как выставляется напоказ то, что С. С. Форестер назвал «сентиментальностью нижней палубы». Кто знает, от имени скольких людей он говорил, когда задался вопросом, как случилось, что британский культ героя превратился в культ жертвы. «Мистер Блэр ощутил гордость. А мне стало стыдно, потому что оплакивание стало чем-то положительным, а откликом на трагедию, на преступление, повлекшее за собой смерть, стал некий ритуал: нужно обязательно смести цветочные лавки, чтобы разбросать на сцене дань уважения, непременно лить слезы и давать перед камерами душераздирающие интервью».

Смерть Дианы — трагедия, как трагична любая внезапная смерть в расцвете лет. Но была ли она более трагична, чем смерть любого из бесчисленных тысяч молодых мужчин и женщин, о коротких жизнях которых напоминают воинские мемориалы в каждой деревушке и городке страны? Диана была красивой, умела воздействовать на других ради своей выгоды и сострадать и умерла, наслаждаясь жизнью богатого завсегдатая ночных клубов. И все же она почему-то стала аутсайдером, а симпатию англичан к аутсайдеру трудно переоценить. Эта пользовавшаяся удивительной благосклонностью молодая женщина стала жертвой, с которой публика могла отождествлять себя, потому что дом Виндзоров («немцев» для репортерской братии) оказался в положении, в котором оказываются, одна за другой, все монархии — без связи с народом, от имени которого они якобы правят. То, что произошло, когда она умерла, можно назвать припадком коллективной истерии народа, которому в течение долгого мирного периода не дано было стать свидетелем внезапной смерти. Никому не показалось странным, что на ее похоронах Элтон Джон исполнил переработанную песню, которую изначально он сочинил в почитание своей героини Мэрилин Монро, потому что она тоже была иконой для века мирских ценностей, а иконы такого рода в конечном счете взаимозаменяемы. Записи этой песни разошлись в Англии тиражом 5 миллионов экземпляров. Масса появившихся в память о ней книг, плакатов, футболок и посуды говорит о безосновательности суждения о том, что в стране царят рациональность и сдержанность.

Толпы людей, заполнившие лондонские парки, чтобы возложить заветные подношения на импровизированные места поклонения, продемонстрировали, насколько значительно и насколько незначительно изменилась Англия во второй половине XX века. Неизменной, вероятно, осталась вежливость и предупредительность толпы, проявившей вдумчивое отношение, какое, насколько я себе представляю, можно было выявить при других больших скоплениях народа в любое время этого столетия. За исключением мотоциклистов эскорта, сопровождавших катафалк, полиция держалась в стороне. Везде царило спокойное достоинство. В подавляющем большинстве присутствовали белые англосаксы, но были и представители других рас. Среди оплакивавших Диану оказалось гораздо больше женщин, чем мужчин. Присутствовало достаточно много богатых и власть имущих; это стало искренним выражением народных чувств.

Возражая против публичного оплакивания, Джордж Макдональд Фрейзер недооценивает склонность англичан к сентиментальности, прекрасно подмеченную Чарльзом Диккенсом, у которого крошку Нел убивают, а маленького Тима он заставляет проковылять вперед и пожелать: «Веселого нам всем Рождества!» Умри Диана в те дни, когда в Англии царили нравы, установленные Породой и их со всем согласными одомашненными женами, мы увидели бы совсем иную картину. Однако в такой стране англичане уже больше не живут. Цели, для которой была вскормлена Порода, больше не существует. Освобождение английской женщины от навязанных ей ограничений позволило проявиться чему-то более волнующему.

Не то чтобы Диана была просто жертвой. Ее похороны приняли такие размеры потому, что превратились в некий языческий ритуал; Диана была кем-то вроде богини в век нехватки богов. На каком-то этапе, начав размышлять над этой книгой, я некоторое время подумывал, не построить ли ее вокруг представлений об английском герое, и наткнулся на описание того, как принимали толпы лондонцев в 1805 году адмирала Нельсона, когда он вернулся после погони за французским флотом через всю Атлантику и острова Вест-Индии: «Где бы он ни появлялся, он словно электризует английскую холодность, — писала леди Элизабет Фостер, видевшая, как он шествовал по улицам, — везде его сопровождают восторг и аплодисменты. Иногда какая-нибудь бедная женщина просит разрешения дотронуться до его сюртука. Даже дети научились благословлять его, когда он проходит мимо, в дверях и окнах полно народу».

Это могло быть описанием и низкопоклонства перед Дианой. И у того и у другой кружилась голова от выражаемого им поклонения (знаменитый сигнал Нельсона «Англия надеется...» изначально звучал «Нельсон надеется...»); и оба, несмотря на всех своих поклонников, были колоссами на глиняных ногах. Каждый заполнял некую потребность в конкретный момент истории своего народа: Нельсон был военным героем века войн; Диана стала святой покровительницей страны, переживающей свое падение. После смерти Нельсона гроб с его телом доставили в собор Святого Павла, по бокам стояли шестеро адмиралов в полной парадной форме, и похороны длились четыре часа с соблюдением всех почестей, положенных государственному деятелю. На похоронах Дианы все внешние формальности были сведены к минимуму, за ее гробом в Вестминстерское аббатство шли гражданские представители благотворительных организаций, с которыми она была связана, минимальное число военных стояло в почетном карауле у гроба, а собравшихся больше занимало, кто присутствует из кино- и поп-звезд. Разница между этими двумя похоронами показывает, насколько отошли в прошлое имперские представления о типично английском. На их место пришло нечто более личное. Иногда это просто ужасает.

* * *

Летом 1998 года во Франции собрались футбольные команды со всего мира, чтобы поспорить за чемпионский кубок. Невзирая на то что организация этого турнира со стороны французских властей была до известной степени беспорядочной, его проведение признали весьма успешным и многие миллионы зрителей с восхищением следили за прямыми телевизионными репортажами. Но имела место, конечно, и «английская проблема». Под «английской проблемой» понимается проблема хулиганства. Наиболее трагичную форму она приняла в мае 1985 года на стадионе «Хейзел», когда после крупной стычки между болельщиками «Ливерпуля» и «Ювентуса» погибло около сорока итальянцев. Перед французской и английской полицией стояла, грубо говоря, задача не дать этим хулиганам убить кого-нибудь еще. Тем летом они добились успеха, хотя уже после того, как весь мир стал свидетелем сцен, когда пьяные молодые англичане швырялись стульями, камнями и любыми другими предметами, которые, к несчастью, вызвали у них враждебное отношение. В противоположность англичанам шотландские болельщики успели изрядно напиться и все, что было потом, просто проспали.

Но больше всего в насилии английских хулиганов поражает то, что все это у них как бы в порядке вещей. Мне помнится один незначительный инцидент после игры между Англией и Швейцарией, которой открывался чемпионат Европы 1996 года. Англичане провели игру профессионально вяло, и швейцарцы сумели свести игру к ничьей 1:1. Добиться такого на стадионе «Уэмбли» в присутствии 70 тысяч английских болельщиков они даже не надеялись. Швейцарцы, в том числе и их сторонники, среди которых было немало женщин и детей — гораздо больше, чем можно было ожидать в Англии, — ликовали. Настроены они были дружелюбно и по сравнению с грубостью и невоспитанностью английских болельщиков вели себя спокойно и абсолютно никому не угрожали. Покинув стадион, они еще долго пели и плясали на улицах. На краю одного из тротуаров около сорока человек из них — мужчины, женщины и дети — выстроились, чтобы создать «мексиканскую волну». Молодой англичанин с бритой головой сначала таращился на них с другой стороны улицы, потом подбежал к одному из молодых людей из этой толпы и, приблизив лицо почти вплотную к его лицу, заорал: «Идиот!» Швейцарцы были явно ошарашены. Англичанин продолжал жестикулировать, двигая рукой вверх и вниз. «Ты идиот!» — снова взвизгнул он, размахнулся, ударил молодого человека кулаком в лицо и пошел через толпу. Шел он как ни в чем не бывало, вызывающе и достаточно медленно, словно предлагая попробовать отомстить за обиду, нанесенную их приятелю, — тот согнулся, и из носа у него текла кровь. Но никто не ответил, поэтому громила удалился развязной походкой, несомненно торопясь рассказать друзьям, как он уделал одного из болельщиков гостей.

Возможно, такая порочность присуща не только англичанам, но ни один представитель английского среднего класса не станет, если честно, отрицать страха перед тем, что можно ожидать от толпы футбольных болельщиков. В конце 1980-х в Турине писатель Билл Буфорд с ужасом наблюдал, как группа опухших фанатов «Манчестер Юнайтед», спотыкаясь, вываливалась из самолета, на котором они прибыли из Англии, чтобы попасть на игру своей команды против асов итальянского футбола — «Ювентуса». Было еще рано даже для ланча, а многие из них оказались настолько пьяны, что еле держались на ногах. Эти болельщики устроились затем в центре города. Выставив напоказ свои татуировки, они сидели в кафе на тротуаре, то и дело поносили непотребными словами Папу

Римского и время от времени вставали, чтобы справить малую нужду прямо на улице. И это они еще хорошо себя вели и не набрасывались на этих «проклятых итальяшек» с палками, ножами или бутылками.

«Почему вы, англичане, так себя ведете? — обратился к Буфорду один итальянец. — Потому что живете на острове? Потому что не чувствуете себя европейцами? Или потому что потеряли свою империю?»

Буфорд не знал, что и сказать. Вопрос возник от страха и искреннего недоумения. *Почему* малая часть населения Англии считает, что единственный способ хорошо провести время — это надраться до безобразия; я имею в виду действительно надраться *до безобразия,* чтобы пивом, вином и другими спиртными напитками несло даже от футболок, а содержимое желудков извергалось прямо на улице, — чтобы орать непристойности и затевать драки? Возможно, сыграли свою роль все причины, которые пришли в голову недоумевающему итальянцу. Вам, конечно, трудно даже представить, чтобы центр Лондона могли заполнить и вести себя подобным образом прибывающие целыми самолетами итальянцы. Положа руку на сердце, Буфорд мог бы признаться лишь в одном: именно такой часть населения Англии была всегда. Куда там стыдиться своего поведения: они считают, что право драться и напиваться дано им отчасти от рождения. Именно так они заявляют о себе. Несколько лет спустя на одной из отборочных игр мирового чемпионата 1990 года, проходившей на Сардинии, Билл Буфорд наблюдал ожесточенный бой толпы английских футбольных болельщиков с итальянской полицией. До того как разъяренные полицейские отходили его дубинками до потери сознания, он помнит момент, когда фанаты стали в панике отступать.

Кто-то крикнул, что, мол, мы же англичане. Чего мы тогда бежим? Англичане не отступают... И тогда все началось по новой. Некоторые из тех, кто обратился было в паническое бегство, вспомнили, что они англичане и что это важно, и стали напоминать другим, что они тоже англичане и что это тоже важно, и вот они, снова исполнившись чувства своей национальной принадлежности, вдруг резко останавливаются, разворачиваются на сто восемьдесят градусов и бросаются на итальянских полицейских.

Эта проблема не только англичан: у голландских и немецких фанатов по-своему проявляется болезнь, при которой молодые громилы с опухшими лицами выражают свою преданность тем, что бьют ногами или забрасывают камнями любого, кто говорит на другом языке или носит иные цвета. Однако истина в том, что именно англичане дали миру футбол. От них же пошло и хулиганство.

Ничего особо нового в грубости молодых англичан и в их готовности к насилию нет. В первые годы ганноверской династии иностранных гостей в равной степени шокировало поведение толпы и приятно поражала обходительность политиков. Сезар де Соссюр, глубоко возмущенный неприкрытым пьянством, «жуткой руганью», схватками голых по пояс мужчин (особенно его потрясло то, что в них участвуют и женщины) и повсеместным блудом, пришел к заключению, что «простой народ натуру имеет жестокую, дерзкую и вздорную весьма». Если вдобавок к этой естественной грубости появляется ощущение превосходства, дело принимает весьма опасный оборот. Уже в викторианские времена характерное для многих молодых англичан высокомерие по отношению к иностранцам отмечает американский писатель Ральф Уолдо Эмерсон: «Множество молодых невежественных англичан отличает присущая их нации самодостаточность и туповатость, и из-за их презрения к остальному человечеству, их сварливости и несдержанности невыносимое и оскорбительное поведение английского путешественника уже стало притчей во языцех».

Всякий раз после того, как английские футбольные болельщики устраивают бесчинства в центре какого-нибудь города, опрокидывая столики уличных кафе и расквашивая носы всем, кто на беду попадается им под руку, лондонская пресса и политики заходятся в истерике, пытаясь понять, откуда все это. Лучше бы они умерили свой пыл. Бесчинства англичане творили всегда. «Чем больше они проливают крови, тем больше жди от них жестокости и беспощадности... Они несдержанны и неистовы, быстро выходят из себя и долго не могут утихомириться» — такое (возможно, тенденциозное) краткое описание характера английских воинов XV века, которые прошли по Нормандии, сжигая и грабя все на своем пути, оставил французский писатель Жан Фруассар. Герцог Веллингтон четыре столетия спустя отмечал, что его армия — одно «отребье земное, чистое отребье» и что, несмотря на все его старания улучшить питание и условия жизни солдат, он мог терять над ними контроль на несколько дней подряд.

Футбол, пока не были составлены его правила, долгое время больше смахивал на уличные беспорядки, и люди рассудительные держались от него подальше. Тот самый французский путешественник XVIII века, которого так вывела из себя невоспитанность простого народа Англии, однажды по ошибке забрел на футбольный матч. «Они разбивают стекла в окнах и высаживают окошки в экипажах, — писал он. — Вас тоже могут сбить с ног, и никто при этом не испытает ни малейших угрызений совести; наоборот, это вызовет бурю смеха».

Сегодняшнее насилие, связанное с футболом, не удивило бы тех, кто ездил на воды в Бат XVIII века: футбольный матч в то время «больше походил на сражение, чем на игру», как писал Иэн Гилмор в книге «Мятежи, восстания и революция», рассказывающей об истории уличного насилия. Выражение «местное дерби» возникло именно тогда и было составлено из названий двух приходов этого города, где в футбол могли играть целыми днями и игра выливалась во всеобщую потасовку. Когда футбол стал спортом зрелищным, насилие развилось среди зрителей. С 1870-х годов футбольные матчи в Англии неизменно проходили под дружные удары руками и ногами и ругательства: трое авторов, изучивших архивы Ассоциации футбола и старые номера «Лестерширского ежедневного вестника» за двадцать лет до Первой мировой войны, встретили упоминания о 254 случаях нарушения порядка среди зрителей. Можно было прийти в ужас от одних угроз, летевших из толпы. Из дневника одного джентльмена за 1903 год следует, что футбольная толпа внушала страх даже в пору расцвета эдвардианской Англии: «Однажды на знаменитом поле севера Англии я видел и слышал, как половина толпы в 20 тысяч человек накинулась на бедного рефери, действия которого пришлись ей не по вкусу... Злобные выкрики, потоки оскорблений, яростное потрясание палками и кулаками... составило ужасную картину английской толпы».

Чем больше оглядываешься на английскую историю, тем больше приходится убеждаться, что наряду с обходительностью и глубоко заложенными убеждениями о правах личности в англичанах развита естественная склонность к беспорядкам. Народные праздники — как, например, празднование Мей Дей в 1517 году в Лондоне — зачастую могли закончиться физической расправой с теми, кого сочли за иностранцев. Пирушка по случаю приходского праздника, проходившая в сентябре 1620 года в деревне Токенхэм-Вик, из традиционного размахивания дубинками на улице переросла в полномасштабную драку, когда из близлежащей деревни Вуттон-Бассет подошли мужчины с видом, не обещающим ничего хорошего, и спросили: «Кто тут, в Токенхэме, из средних?» Один историк, который не так давно разбирался, что же там произошло, обнаружил, что в тех местах происходили и другие стычки. Например, в 1641 году, когда жители деревни Малмсбери, у которых верховодил некий мужичок «в маске лошади и колокольчиками на ногах», появились на приходском празднике в Лонг-Ньюнтон, ища повод для драки, и это закончилось тем, что несколько местных жителей получили серьезные ранения. «Без драки и праздник не праздник» — гласит местная поговорка. Но в конечном счете, несмотря на всю очевидную анархию, существовали определенные правила: казалось, в этом насилии присутствует некий элемент ритуала и толпа понимает и соблюдает пределы дозволенного. Позже, в том же столетии, проявления насилия иногда принимают политическую окраску: бесчинства становились последним средством бедняков, понявших, что их права попираются предпринимателями-аристократами, решившими завладеть общей землей, где раньше пасли скот.

Перебираясь в растущие города в поисках работы, они теряли прежнюю деревенскую скованность. Бунты в июне 1780 года продемонстрировали правящему классу, насколько все может быть нестабильно. Причиной послужило сформулированное лордом Джорджем Гордоном, протестантским религиозным фанатиком, требование к парламенту восстановить недавно отмененные законы, налагавшие штрафы на католиков за их вероисповедание, особенно в том, что касается права на приобретение или наследование собственности. Гордон был, мягко говоря, человеком непредсказуемым. (Он умер в Ньюгейтской тюрьме, отбывая пятилетний срок за клевету: к тому времени он уже стал иудеем.) Оказавшись лицом к лицу с ревущей толпой, которую он привел к Вестминстеру, парламент стал изворачиваться. Тогда толпа пустилась поджигать, бесчинствовать и грабить, и это продолжалось не один день. Дома католиков были разрушены, их церкви сожжены дотла, были распущены все заключенные Ньюгейтской тюрьмы и разграблен принадлежавший католику винокуренный завод в Холборне, что привело к предсказуемым последствиям: говорят, джин пили прямо из канавы. Лишь на третий день были развернуты значительные силы ополченцев, но к этому времени, по некоторым оценкам, в финансовом отношении был нанесен гораздо больший ущерб, чем в Париже во время Великой французской революции.

Гордоновские бунты продемонстрировали, насколько нестабильным может оказаться положение в крупных английских городах. Толпа была готова к крайним насильственным действиям как ради выполнения своих предвзятых претензий, так и в пользу лишенных гражданских прав после появления трактата Томаса Пейна «Права человека», когда в воздухе стали витать радикальные идеи Французской революции. В разгар бунтов уже не имело значения, что к ним привело; шел пир разрушения.

Вот составленный Иэном Гилмором перечень имевших место, помимо гордоновских бунтов, волнений:

В XVIII веке англичане (и англичанки) бунтовали против застав, огораживаний и высоких цен на продовольствие, против католиков, ирландцев и диссентеров (противников англиканской церкви), против натурализации евреев, импичмента политиков, рекрутского набора, домов вербовщиков [где мужчин убеждением или обманом завлекали на флот или в армию] и законов об ополчении, против цен на билеты в театр, иностранных актеров, сутенеров, публичных домов, врачей, лакеев-французов и владельцев пивных, против виселиц на Эджвер-роуд и публичных порок, против заключения в тюрьму мэров Лондона, против акцизного управления, против налога на сидр и на лавки, против работных домов и хозяев-промышленников, против намечаемого, по слухам, сноса шпилей соборов, даже против изменений в календаре... Имели место волнения во время выборов и после них, в тюрьмах и вне тюрем, в школах и колледжах, во время проведения казней, на фабриках и рабочих местах, во время судебных заседаний в Вестминстер-холле, перед Парламентом и внутри Вестминстерского дворца, в суде магистратов на Боу-стрит, в театрах, борделях, на территориях, прилегающих к соборам, и на Пэлл-Мэлл у ворот Сент-Джеймсского дворца.

Хотя Гилмор настаивает, что насилие редко было бессмысленным и обычно имело какую-то конкретную цель («агрессивная защита»), список получается просто ужасным. Но если оглянуться лишь на последние тридцать лет в Англии, мы можем сказать, что английская толпа протестовала против подушного налога, против методов охраны общественного порядка на футбольных полях и вне их, на приморских променадах и в кинотеатрах, против фашизма и из расовых предрассудков, против законов о занятости, против войны во Вьетнаме. Протестовали в каменноугольных копях и на Уайтхолле, против длинных волос и против коротких, за право праздновать День летнего солнцестояния, против экспорта живых животных и против импорта новых технологий, за признание профсоюзов, за право ездить на украденных машинах, из-за того, что уличным бандам нравится драться, потому что они столкнулись с другой бандой футбольных болельщиков, и так далее. Продовольственных бунтов, обычных для XVIII века, больше нет, однако нападения на хлопкопрядильные заводы в XVIII веке, сопротивление «капитана Свинга» использованию машин и дешевой рабочей силы в 1830-х годах связаны одной нитью с протестами против введения Рупертом Мердоком новых способов печати в Уоппинге в 1980-х. Читая этот перечень, можно представить себе, какой ужас и презрение испытывают англичане, глядя через Канал и видя, как слабовольные французские правительства, не желающие бросить вызов протестующим, мирятся с массовым неповиновением, открытым несоблюдением закона и народными восстаниями. Разница между двумя странами в том, что если во Франции массовые протесты — принятая, предполагаемая часть политического процесса, то уличные бесчинства в Англии реже имеют отношение к политике и чаще являются следствием внутренней готовности обмениваться тумаками. Попробуйте выйти на улицу после наступления темноты в половине городов по всей стране, где проводятся ярмарки, и вы увидите, что небольшая стычка между пьяными молодыми мужчинами и женщинами — такая же непременная составляющая доброй субботней вечеринки, как кебаб или карри. «Без драки и праздник не праздник».

Конечно, определенное отношение к этому имеет пристрастие англичан к алкоголю. Не знаю, есть ли другие крупные европейские города, кроме Манчестера или Ливерпуля, где путешественник садится на железнодорожном вокзале в такси, в котором водитель для своей же собственной безопасности отделен от пассажиров проволочной сеткой, а надпись в машине предупреждает, что «при рвоте, вызванной алкогольным опьянением, взимается дополнительная плата в размере 20 фунтов»?

Так ведется уже не одно столетие. Говорят, перед битвой при Гастингсе норманны провели ночь за молитвой, а воины короля Гарольда пьянствовали. Картину полупьяной нации дополняют средневековые поговорки: по одной из них, «овернец поет, бретонец пишет, а англичанин пьет». В другой: «норманн поет, немец наедается, англичанин надирается». Вильям Мальмсберийский (ок. 1095–1143) отмечает в «Хронике королей Англии», что во время норманнского завоевания «питие в особенности было упражнение повсеместное, и в занятии сим проводили целые ночи, равно как и дни... Ели, по обыкновению, до отвала и пили до блевоты». Королю Иоанну Безземельному, прибывшему в июле 1201 года с визитом к королю Франции в Фонтенбло, предоставили в распоряжение весь дворец. После его отъезда анонимный историк отметил, что «король Франции и люди его немало потешались меж собой над людьми короля английского, которые выпили все плохие вина, а все добрые оставили». В 1362 году архиепископ Кентерберийский сетовал, что при малейшей возможности англичане надираются до одурения и потому по религиозным праздникам «таверну почитают более, чем церковь, обжорство и пьянство встречаются чаще, чем слезы и молитвы, люди больше заняты распутством и бесчинством, а не проведением досуга в созерцании».

Иногда кажется, что, если страну предоставить самой себе, каждый уик-энд люди будут пребывать пьяными. В начале XVIII века дешевого джина и других спиртных напитков было так много, что общество, казалось, может просто лопнуть: в 1742 году население, составлявшее одну десятую часть сегодняшнего, осушило 19 миллионов галлонов джина промышленной крепости — в десять раз больше, чем мы выпиваем сегодня. Подходящее отражение этого феномена — симпатичный безобидный персонаж Г. К. Честертона, «покачивающийся английский пьянчужка, от которого и пошли неровные английские дороги». А вот иные времена: англичане напиваются мрачно, тупо. Яркое описание лондонского паба дает Достоевский: «Все пьяно, но без веселья, а мрачно, тяжело, и все как-то странно молчаливо. Только иногда ругательства и кровавые потасовки нарушают эту подозрительную и грустно действующую на вас молчаливость. Все это поскорей торопится напиться до потери сознания... Жены не отстают от мужей и напиваются вместе с мужьями; дети бегают и ползают между ними».

В феврале 1915 года тогдашний канцлер казначейства Ллойд Джордж сообщил жителям Бангора, что «пьянство наносит нам больший урон на войне, чем все германские субмарины, вместе взятые». А депутация кораблестроителей, приехавших просить правительство ввести сухой закон в целях повышения производства, услышала от него, что «мы ведем войну с Германией, Австрией и пьянством; и, насколько я понимаю, пьянство для нас — величайший из всех этих трех смертельных врагов».

Попытки британского правительства решить эту проблему, помимо других мер, через жесткое ограничение часов работы пабов и запрещение продажи алкоголя навынос, дали желаемые результаты. Снизилось число осужденных за пьянство, и поколения два-три вроде бы ограничивали себя в потреблении крепких напитков. По утверждению «Масс обзервейшн», в 1930-е годы многие мужчины в пабах Болтона пили по полпинты. Лишения Второй мировой войны приучили еще одно поколение молодежи относиться к выпивке сдержанно, и на самом деле лишь в 1970-х годах возросшее благосостояние и падение родительского авторитета позволило многим англичанам вернуться к тому, как вели себя их предки. К 1990-м годам следующее поколение уже сочетало удовольствие от выпивки с широко распространившимся употреблением наркотиков.

Англичане потребляют не намного больше алкоголя, чем другие народы Европы, поэтому, должно быть, это пьянство как-то связано с тем, *как* они пьют. Как сказал мне однажды Джордж Стайнер, «Сартра не встретишь в английском кафе по двум причинам. А: Нет Сартра. Б: Нет кафе». И он прав. Падение британской имперской мощи не сопровождалось таким взрывом творческой мысли, как в Вене в последние дни империи Габсбургов — Фрейд, Брамс, Малер, Климт и остальные, — и, возможно, отчасти это можно объяснить отсутствием золотой молодежи и элиты, то есть «кафейного круга». Марксизм, до того как прийти к власти, был явлением, встречавшимся лишь в кафе. От Лиссабона до Санкт-Петербурга можно зайти в кафе и заказать бокал вина или сидеть часами за одной чашечкой кофе. В кафе происходит смешение поколений и полов, и время проходит незаметно. Пабы же, наоборот, заведения для взрослых мужчин, там подают крепкие напитки, и все происходит как-то быстрее. В пабы не ходят, чтобы заняться чем-то в одиночку, например почитать газету (обычное явление в европейских кафе) или, никому не мешая, пошевелить мозгами за игрой в шахматы. Паб для того, чтобы пить.

На первый взгляд, эту готовность к выпивке и драке трудно совместить со свойственной англичанам сдержанностью. Что имел в виду Д. Х. Лоуренс, когда говорил, что «я не очень-то жалую Англию, но вот англичане *действительно* представляются мне весьма приятными людьми. Они такие джентльмены». Что было на уме у Джорджа Оруэлла, когда он писал, что «вероятно, самой яркой характеристикой английского общества является джентльменское поведение. Это замечаешь, как только ступаешь на английскую землю. Это страна, где кондукторы в автобусе приветливы, а у полицейских нет револьверов. Это не та страна, где живут белые люди и где запросто могут спихнуть с тротуара».

Мне кажется, дело в том, что все это относительно. Подавляющее большинство английского народа *не* проводит время за выпивкой, не дерется и не блюет. Даже те немногие, кто этим занимается, обыкновенно делают это вечером по пятницам или субботам. В ежедневной жизни английское общество в основном остается поразительно вежливым. Попробуйте хотя бы подсчитать, сколько «пожалуйста» и «благодарю вас» вы услышите при покупке газеты, или запомнить, сколько раз перед вами извинятся, толкнув в поезде. В отличие от некоторых других развитых стран, где научились силами полиции навязывать волю государства, большинство англичан полиция не пугает. В преступности тоже наблюдается общая тенденция избегать насилия: в Англии и Уэльсе разбойные нападения составляют примерно один процент зарегистрированных преступлений, в то же время кражи со взломом — 24 процента. В Соединенных Штатах, где краж со взломом происходит больше, чем разбойных нападений, пропорция последних на фоне всех совершенных преступлений в четыре раза выше. Трудно не сделать вывод, что преступлениям, связанным с конфронтацией и насилием, англичане предпочитают действия исподтишка. Наиболее показательны цифры по самым серьезным правонарушениям. Хотя после Второй мировой войны количество убийств стабильно растет, их уровень в Англии удивительно низок. Несмотря на сенсационные заголовки в газетах, у вас гораздо меньше шансов быть убитым в Англии по сравнению с большинством других промышленно развитых стран. Число убийств по Англии и Уэльсу ниже, чем в Японии, наполовину меньше уровня Франции и Германии, составляет одну восьмую уровня Шотландии или Италии и в двадцать шесть раз ниже, чем в Соединенных Штатах. Напрашивается вывод: несмотря на готовность некоторых англичан выпить и подраться, глубоко внутри большинство из них испытывают достаточно высокую степень уважения друг к другу.

А произошло вот что. По мере того как «респектабельное общество» кануло в небытие, стало терпимым и отношение к старинным, не таким благородным манерам. С этой точки зрения, похоже, что строгие правила поведения, одежды и этикета придуманы англичанами, чтобы защитить себя от самих себя. В третье тысячелетие Англия вступает не в темном костюме, а в ярком разнообразии нарядов, будучи обязанной прошлому и всем, и ничем.

Возьмите английское увлечение заключать пари. Более 250 лет, с конца XVI по начало XVIII веков, правительство с удовольствием потакало пристрастию к азартным играм, организуя государственные лотереи, выручка от которых помогала финансировать, в числе прочих, войны против Наполеона и строительство Британского музея. Однако с ростом национального самосознания стала выше и щепетильность: многое свидетельствовало о плохом воздействии лотерей на общество, и правительство лорда Ливерпуля постановило, что их следует отменить. Этим, однако, вкус к азартным играм отбить не удалось, и скоро пустили корни другие формы заключения пари: можно было делать ставки на исход состязаний между людьми, таких как ходьба, профессиональный бокс или борьба, или на петушиные бои, травлю собаками привязанного быка, собачьи бои или лошадиные бега. Увлечение этим было настолько велико, что ставки делали даже на гонки инвалидов с деревянной ногой. Неудивительно, что в Ланкашире азартные игры называли «биржей бедняков». К 1890-м годам регулярным еженедельным занятием во многих домах стали ставки по футбольным купонам на результаты матчей. В течение шестидесяти лет эти новые футбольные пулы, предлагавшие предсказывать исход матчей, стали крупнейшим частным игровым предприятием в мире.

Отношение властей к этому явлению было типично лицемерным: санкционируя государственную лотерею, правительство давало одобрение на то, что некоторые уже называли «пороком XX века» — как алкоголь был пороком прежних эпох. Однако власти вполне устраивало получать как можно больше прибыли путем обложения налогами компаний, занимающихся футбольными пулами, и букмекеров. В конце концов в 1994 году правительство консервативной партии («партии семьи» и «здоровых денег») поддалось соблазну легкого дохода и устроило еще одну государственную лотерею. Под пошлые рассуждения и полуправду о благе, которое несут обществу азартные игры — проводившиеся два раза в неделю розыгрыши показывало по телевидению Би-би-си, — и лотерея быстро стала одной из крупнейших в мире. Более двух третей взрослого населения покупало билеты регулярно, а 95 процентов — от случая к случаю. Масса фактов говорила о том, что общедоступность скретч-карт развивает пристрастие к азартным играм, но все предпочитали закрывать на это глаза. Это было многозначительным свидетельством того, что «респектабельное общество» кануло в Лету.

Можно было бы рассмотреть немало других примеров, начиная с изменений в отношениях полов и кончая тем фактом, что в 1998 году действующий министр иностранных дел, верховный посол страны, смог позволить себе завести интрижку, развестись с женой и сожительствовать с секретаршей в своей официальной резиденции, и никто ему даже слова не сказал. Однако то, как далеко зашла страна, вероятно, лучше всего отражает отношение англичан к еде.

В 1949 году Реймонд Постгейт, радикальный журналист, знаток классической литературы и обществовед, так разозлился на спокойное отношение англичан к невкусной еде, что предложил основать Общество борьбы с жестоким отношением к продуктам. Объектом его атаки стали бутылочки с соусом, которые можно найти на столе в любом ресторане:

> Их подают исходя из того, что вам захочется начисто скрыть вкус предложенного блюда. Ощутить, что оно разваренное, кислое, вязкое, водянистое, несвежее или приторное — что-нибудь из этих шести свойств (или все вместе) вам суждено непременно, будь то рыба, мясо, овощи или сладкое. Кроме того, все будет пережарено или переварено; блюдо могло быть и подогрето заново. Если заведение, где вы ели, английское, оно

будет называться закусочная или «каффи»; если иностранное, его могут назвать рестораном или «каффи». Во втором случае будет не так чисто, но у пищи может обнаружиться какой-то вкус.

Английская еда ужасна, и на то есть своя причина: англичан никогда особо не волновал вкус, и они не требовали приготовить что-то повкуснее. Когда в 1950-х годах родители Джона Клиза повели его поужинать не дома, приоритеты уже были расставлены четко. Его отец работал в Индии, Гонконге и Кантоне. Но несмотря на широту кругозора, которую давала тому поколению империя, они сохраняли свое донельзя четкое самоощущение. «Можно подумать, они могли выработать какой-то вкус, — рассказывал мне Клиз. — Но нет, их интересовала не еда. Родители выбирали ресторан не по блюдам, которые там предлагали, а по тому, подогревают ли там тарелки».

Стиль ресторанов, посетителями которых был средний класс, отражал их жизненный подход. Там царил полумрак, виднелись деревянные балки, а мебель была в основном кожаная. Это были места в мужском вкусе. Для каждого этапа трапезы полагался свой столовый прибор, и надо было знать, как следует и как не следует всем этим пользоваться. Суп надлежало есть не сгибаясь к тарелке, наклоняя ложку с края к нижней губе; засовывать ее в рот было не принято. И хотя разные классы в обществе выражались по-разному, удовольствие в конце трапезы следовало выказать словами «все было восхитительно, я вполне сыт»: удовлетворение выражалось в количестве съеденного. Если предлагали еще, можно было принять предложение, но полагалось извиниться за то, что еда понравилась: «Знаете, вообще-то не следовало бы, но, может быть, если только чуть-чуть».

И все же об английской еде всегда было что рассказать. На протяжении истории английская кухня — по крайней мере, для немногих привилегированных — могла поспорить с любой другой в Европе. Говорят, чтобы удовлетворить свои кулинарные запросы, Ричард II держал 2000 поваров. Сын Эдуарда III, герцог Кларенс, закатил банкет из тридцати блюд для 10 000 персон, а Генрих V отметил свою коронацию тем, что в фонтане во дворе его дворца текла не вода, а кларет. На стол могла попасть любая тварь Божья от мала до велика. Само собой, крупный рогатый скот, свиньи, овцы, козы, олени и дикие кабаны (хотя — как нередко бывало на средневековых банкетах — не в одну трапезу). Но ведь была еще и птица: куры, лебеди, павлины — которых зачастую подавали во всем оперении, — фазаны, куропатки, голуби, жаворонки, дикие утки, гуси, вальдшнепы, дрозды, кроншнепы, бекасы, перепела, выпи, не говоря уже о молодых лебедях, цаплях и зябликах. Подавалась и рыба — от лосося и селедки до линя и угрей, ракообразные от крабов до брюхоножек, и в завершение всего — сладкий крем и пюре, творог, кусочки фруктов и овощей в кляре, торты и пирожки с фруктовой начинкой.

Даже во время Второй мировой войны, когда в стране действовала карточная система, Джордж Оруэлл сумел составить список деликатесов, которые почти не встречаются в других странах. В списке присутствует копченая селедка, йоркширский пудинг, девонширская сметана, маффины (порционные кексы) и оладьи, рождественский пудинг, пирожки с патокой и яблоки, запеченные в тесте, картошка, зажаренная с куском мяса, молодая картошка, приправленная мятой, хлеб, хрен, яблочный сок с мятой, различные соленья, оксфордский фруктовый джем, джем из кабачков и желе из ежевики, стилтонский сыр и уэнслидейл и яблоки — оранжевые пепины Кокса. Этот список любой из нас мог бы дополнить. Однако англичанам так и не удалось сделать еду искусством. Слово «ресторан» — французское, да и меню составляется по-французски, и все потому, что английский язык так и не выработал точных названий, чтобы должным образом описать приготовленное. Командные высоты английской *cuisine* занимают французские *chefs*.

Cuisine — кухня (фр.).

Chefs — шеф-повара (фр.).

По нетленному выражению, идеальные англичанин и англичанка рождены не для удовольствий. В ходе всей английской истории элита твердила остальной стране, что слишком большой интерес к еде в какой-то степени аморален. Прослеживается и длительное влияние пуритан XVII века, которые твердо веровали, что простая пища — это пища Божья. После того как промышленная революция привлекла рабочую силу в города, знания о деревенской еде оказались утраченными. И конечно же, еда занимала весьма скромное место среди приоритетов строителей империи. «Ростбиф и баранина — вот и все, что у них есть доброго, — заключил немецкий поэт Генрих Гейне, посетивший Англию в начале XIX века. — Боже избави всякого христианина от их подливок... И храни Боже всякого от безыскусных овощей, которые они, поварив в воде, подают на стол почти такими же, какими их сотворил Господь».

Среди городской элиты стало модно заявлять, что с тех пор все переменилось и что англичане утратили безразличие к еде. Послышались самонадеянные заявления, что, мол, Лондон — гастрономическая столица мира, а еда — новый рок-н-ролл. Что ж, давайте посмотрим. Да, верно, в стране теперь полно первоклассных ресторанов, но у них есть тенденция концентрироваться в Лондоне и горстке городов вне его, и цены в них высоки. Если хотите хорошо поесть в Бирмингеме или Манчестере, добрый вам совет: отправляйтесь в Чайна-таун или район, где живут выходцы из Бангладеш.

Трудно переоценить пользу английской кулинарии от появления большой иммигрантской общины. Хотя большинство англичан, похоже, до сих пор считают «фиш-энд-чипс» квинтэссенцией английской еды, число лавок, где продают это блюдо в Британии, сократилось почти наполовину: одно время их было 15 000, а теперь эта цифра упала до 8500. О поразительном росте популярности кухни других стран свидетельствует наличие в Британии такого же числа китайских и других восточных ресторанов, помимо 7300 заведений, где подают блюда индийской кухни. Джон Кун, человек, придумавший продавать навынос блюда китайской кухни, сколотил целое состояние и построил карьеру, открыв для себя, что хотя англичане могут и не представлять себе, что такое побеги бобов, они непременно отличат букву А от буквы Б. Его ресторану «Катэй» рядом с площадью Пиккадилли никогда бы не завоевать такой популярности, если бы он не нашел способ сделать экзотическое более земным с помощью постоянных меню. С ростом популярности китайской кухни после Второй мировой войны его пригласили готовить еду в недорогих домах отдыха выходного дня Билли Батлина, ориентированных на англичан, которым нравились тогда массовые выезды на выходные дни за город. Там он решил проблему отторжения непривычной заморской пищи, придумав отвратительное сочетание *чоп-суи*, овощного рагу, с курицей и чипсами. Посетителям понравилось.

Речь не о том, что теперь общий уровень еды в Англии великолепен. Это не так. Для большинства людей есть не дома — значит потреблять богатый жирами фастфуд, а если готовить что-то дома, то можно стать жертвой чего-нибудь расфасованного в производственных масштабах незнамо где и неизвестно на какой фабрике. Что изменилось, так это *отношение* людей к еде. Все повара — ведущие кулинарных программ, которые появляются на телевидении каждые десять лет, предлагают что-то новое и могут рассчитывать на то, что станут весьма состоятельными людьми. Центром дома стала уже не гостиная и не общая комната, а кухня, и вас больше не сочтут дегенератом, если вы признаетесь, что любите хорошо поесть. Это часть общей, более широкой перемены.

Выкройки, по которым кроили образцовых англичан и англичанок, порваны. Вместо них появляется нечто иное, еще не совсем оформившееся. Со старыми иерархиями покончено, и по мере их развала мы видим, как высвободившаяся энергия выливается в моду и музыку. Кто объяснит, почему Англия дала миру множество величайших групп, в то время как во Франции считался крутым один Джонни Халлидей? Возможно, дело и в невыносимой скуке английских пригородов или в ужасно переменчивой погоде. В то же время все это сверхобилие уличных компаний, «модов» и рокеров, панков, техно и трэвелеров, инди-кидз и раггамаффинов и других группировок внутри групп, основанных на различных вкусах, воззрениях и взглядах, выражает основополагающую веру в свободу личности. Стиль уже не однороден и больше не диктуется сверху: британские дизайнеры востребованы индустрией моды потому, что принадлежат к той же креативной культуре, что и задающие тон на процветающей музыкальной сцене.

Великого бэтсмена, игравшего за Сассекс и сборную Англии, Ранджитсингхджи (он первым совершил 3 тысячи пробежек за сезон), называли человеком, «благодаря которому Индия выросла в глазах обычного англичанина». Но ведь он принадлежал к небольшому и очень привилегированному классу людей, которые по своей речи и поведению *были* англичанами. С прибытием значительного числа иммигрантов из стран с другой культурой англичанам пришлось вырваться из своего самодовольства, взглянуть на себя по-иному, признать различия и порадоваться этому. Возможно, они еще не полностью избавились от ощущения, что страна потеряла себя. Они еще не полностью избавились и от подозрительности к «загранице». Да и как они могли это сделать, если это плод целого тысячелетия островной жизни? У каждого школьника, отправляющегося по обмену во Францию, Германию или Голландию, есть бабушки с дедушками, прабабушки с прадедушками и прапрабабушки с прапрадедушками, для которых континент был лишь местом, куда страна посылала их воевать. Более миллиона из них так и не вернулись обратно.

Но они живут в стране, которая, несмотря на все ее лилипутские политические разногласия, прочно покоится на традиции личной свободы, до сих пор руководствуется принципом честной игры, которая терпима, добродушна и которую трудно вывести из себя. Они живут в обществе, где предполагается, что каждый может поступать как ему или ей вздумается при условии, что это не запрещено законом, а не наоборот, что верно для большей части остального мира: в Германии есть даже законы о том, когда можно выбивать ковры или мыть автомашину. Они живут в обществе, где ценят слово, и поэтому театр у них один из ведущих в мире, где больше газет и более высокий общий уровень телевидения, чем где бы то ни было. Их столица предлагает гораздо большее многообразие развлечений, чем любой другой город на земле. Некоторые их дома и церкви представляют собой образцы самой прекрасной на земле архитектуры. Они по-прежнему невероятно изобретательны и предприимчивы. У них самая красивая хоровая музыка и величайшее разнообразие музыкальных представлений в Европе. Их сельская местность — один из самых прелестных уголков на земле, и ни один клочок земли не оставлен заботой предыдущих поколений. В Оксфорде, Кембридже и многих учебных заведениях в Лондоне, Манчестере и других городах у них обосновались блестящие умы и одна из самых интеллектуальных традиций в мире.

И все же они пребывают в убеждении, что с ними все кончено. В этом их прелесть.

Уильям и Валери Плауден переезжают из дома, который их семья занимала последние 800 лет. Это невысокое фахверковое поместье, как бы оставленное про запас в «голубых холмах моей памяти» хаусмановского «Парня из Шропшира». К Плауден-Холл не ведут дорожные указатели, там не проводятся дни открытых дверей, там не продают горшочки с джемом от «Нэшнл Траст», не подают чай пышущие здоровьем дамы в твидовых юбках. Когда подъезжаешь по дорожке, в разные стороны разлетаются молодые, еще бесхвостые фазаны. Посреди дремлющих полей бестолково бродят овцы и коровы. Рядом с большим домом садовник подрезает верхушки травы на лужайке. Он скрыт от всего остального мира, и клацанье его ножниц — самый громкий звук в округе. Ни машин, ни поездов, ни самолетов.

Семья Плауден «сидит» на этих землях по меньшей мере с XII века, когда один из их предков осаждал вместе с крестоносцами Акру. Отсюда миль двадцать или около того до Айронбриджа и тамошней долины, где 200 лет назад началась промышленная выплавка чугуна и был сооружен первый в мире чугунный мост, скрепленный по старинке «ласточкиным хвостом» и врезкой. Праздник жизни тоже покинул эти места, и долина Северна, когда-то черная от дыма чугунолитейных заводов, снова впала в глубокую спячку. Свидетелями всего этого в течение многих лет были члены семьи Плауден. И они по-прежнему здесь, эта семья Плауден, они живут в Плауден-Холле, в деревушке Плауден, в краю тихого довольства.

История семьи не сказать чтобы героическая. Один из Плауденов стал известным юристом при Елизавете I, другой командовал Вторым гвардейским пехотным полком в битве при Бойне, третий заработал небольшое состояние в Восточно-Индийской компании, еще один умер в школе, «объевшись вишен», был среди них и адмирал, погибший в бою в одном из конвоев через Северную Атлантику, но не было ни одного премьер-министра или философа. Их жизнь вращается вокруг фермерского хозяйства, полудюжины черных лабрадоров, охоты, стрельбы и рыбалки. Это не тот образ жизни, благодаря которому ваше имя привлечет внимание издателей «Кто есть кто»: государственная служба ограничивается присутствием в мировом суде и время от времени, когда графство посещает королева, обращением в Высокого Шерифа. Остальное время занято чтением журналов «Фармерз уикли», «Хорс энд хаунд» и «Шутинг таймс».

Считается, что этот тип английской семьи уже принадлежит истории, что его свела на нет Первая мировая война, налоги на наследство, налогообложение, страховая контора Ллойда и врожденное неумение вести дела. Это образ Брайдсхеда Ивлина Во, отеческие руины, покинутые семьями, которые не могут подладиться к требованиям современной жизни. Как и всякий образ, отчасти это верно. Но среди тех, кто выжил, это абсолютно не так. Уильяму Плаудену было двадцать и он служил в армии, когда умер его отец, оставив ему Плауден-Холл. Поняв, что шансов сохранить родительский дом, похоже, немного, Уильям стал искать арендатора. Но желающих не нашлось. Поэтому он уволился из армии, отправился в Оксфорд, но «понял, что голова не очень-то работает» и снизил планку до Королевского сельскохозяйственного колледжа в Сиренчестере. Когда он принял имение, в его распоряжении было 450 акров земли. Через несколько лет он управлял уже 2 тысячами акров. Сегодня в хозяйстве есть наемный управляющий, двенадцать человек работает на ферме, еще пять в лесах, каменщик на полный рабочий день, плотник, егерь, разнорабочий и садовник.

Плауден с женой уезжают на ферму в поместье с тем, чтобы в родовое гнездо мог въехать сын. В случае, если Уильям Плауден проживет еще лет семь, Плауден-Холл перейдет к еще одному поколению Плауденов без налогов. Уильям Плауден передает процветающий бизнес, который опровергает утверждение, что для всех этих старых семей, воплощающих традиционное представление о типично английском, время вышло.

Такие семьи — невозмутимые, практичные, откровенно «внепартийные», но глубоко консервативные, спокойные, славные, неинтеллектуалы — составляли ядро сельского английского общества. Спросите, что он думает о положении Англии сегодня, и получите немногословные ответы о том, как рушатся стандартные представления: «Мы построили шесть домов в деревне для людей с невысокими доходами. В пяти из шести живут пары, которые не женаты». Однако то, что его беспокоит на самом деле, понимаешь, лишь увидев его машину. Он съездил к местным печатникам и заказал собственные стикеры ярко-оранжевого цвета. На них надпись:

К ЧЕРТУ ЕС

БРИТАНИИ — САМОУПРАВЛЕНИЕ

«Рано или поздно, — говорит он, — Общий рынок рухнет. Я не понимаю, как можно управлять страной с двумя системами законов — нашими собственными да еще и всеми этими законами от людей из Брюсселя, которые отменяют наши. Чем быстрее это кончится, тем лучше». Сердце Англии еще бьется среди встающих один за другим холмов Шропшира. Оно разъезжает по округе со стикером на заднем стекле, который предлагает всей остальной Европе убираться к черту.

Его можно понять. Что теперь символизирует национальную принадлежность? Контроль над языком англичане потеряли давным-давно. А если единая европейская валюта, евро, победит, то британский фунт, символ нации и империи, отойдет в историю. И тут возникает вопрос, что останется у англичан из того, что, по их представлению, было бы английским и только английским. В повседневной жизни у английской столичной элиты больше общего с парижанами или

ньюйоркцами, чем с сельской или пригородной Англией. А множество других внешних проявлений типично английского, от одежды до языка, теперь принадлежат всему миру.

Доктор Дэвид Старки однажды отмел стенания печалящихся о том, что не проводятся празднества на День святого Георга, сказав, что «Англия сама перестала быть просто страной и стала вместилищем духа... Англия воистину превратилась в некий отвратительный антитезис нации; на соседей мы похожи, а друг на друга нет». Несомненно, подобные «плачи Иеремии» ждут нас и в будущем. Они составляют одно целое с навязчивой идеей об упадке, которая отравляет представление страны о самой себе со времен войны. Но ведь любая страна есть вместилище духа: именно национальная идея характеризует законы страны, ее политику и искусство. Когда французские политики говорят «La France», они имеют в виду представление о судьбе страны, а не то, что видят вокруг. Что такое Америка без американской мечты? Ведь нельзя же пятьдесят лет слушать, как раскладывают по косточкам твой упадок, и чтобы тебя это никак не задело. И все же, несмотря на заявления, что со страной «все кончено», склад ума, благодаря которому английское общество стало таким, какое оно есть — с его индивидуализмом, прагматизмом, любовью к словам и, помимо всего прочего, с этим славным, фундаментальным упрямством, — остался неизменным.

Англия, какой ее представляет весь остальной мир, — это Англия времен Британской империи. У каждого народа, отправляющегося в будущее, как у машины новобрачных, отъезжающей от церкви после венчания, позади грохочут пустые консервные банки его истории. Но для большинства англичан их история остается лишь историей. И наоборот, в Шотландии или Ирландии каждый уважающий себя взрослый считает себя частью нерушимой традиции, простирающейся назад в прошлое, к тем временам, когда их предки еще ходили синими от вайды: угнетенные народы помнят свою историю. А бывшие угнетатели забывают. У англичан сегодня нет ничего общего с традицией, которую отмечают в красно-бело-синих тонах. Взгляните на последний вечер «Промс». Кто из этих людей с довольными, тупыми лицами, горланящих «Земля надежды и славы», верит хоть в одно слово из этого гимна? «Шире все и шире размах твоих границ»? Да будет вам.

Бунтовщики 1960-х скоро уже будут дедушками и бабушками, с их проявлениями протеста потихоньку ужились, и им на смену одни за другими приходят другие фантазеры-анархисты. Нормы 1940-х годов прочно забыты, новых на смену не выработано. Крепко сжатых губ никто не видел уже много лет. Лишенное чувства четкой национальной предназначенности, каждое послевоенное поколение все больше зацикливается на себе, порождая бóльших эгоистов, чем предыдущее. Никакого консенсуса не существует даже по таким вопросам, как одежда, не говоря уже о каких-то предписаниях.

На самом деле сетование Старки можно рассматривать как свидетельство силы англичан. Может статься, что индивидуальность, твердо укоренившаяся в ощущении прав личности, более предпочтительна, чем похожесть, которая приключается, когда великие школы для мальчиков выпускают тысячи как можно больше похожих друг на друга молодых людей, чтобы управлять империей, которой больше не существует? Когда такой мастер-класс существовал, каждый знал свое место в неофициальной иерархии. У прежнего англичанина присутствовали элементы благородства, но до определенной степени это строилось на лицемерии. Новое поколение совершенствует свое собственное самосознание, самосознание, основанное не на прошлом, а на своих собственных потребностях. В мире, где общение происходит все более высокими темпами, расстояния сокращаются, товары становятся всемирными, а коммерческие объединения все более крупными, наиболее важным в национальном самосознании является индивидуальное ощущение каждым своей страны.

Англичане одновременно заново открывают прошлое, похороненное с созданием Британии, и придумывают новое будущее. Красно-бело-синие цвета уже больше не востребованы, и англичане возвращаются к зелени Англии. Маловероятно, что новый национализм будет построен на флагах и гимнах. Он скромен, индивидуалистичен, ироничен, крайне субъективен, для него так же важны города и регионы, как и графства и страны. Он базируется на ценностях, которые настолько глубоко заложены в культуре, что к ним приходят почти бессознательно. В век упадка национальных государств он может стать национализмом будущего.

Оглавление

Литературно-художественное издание

ДЖЕРЕМИ ПАКСМАН

АНГЛИЯ: ПОРТРЕТ НАРОДА

Ответственный редактор *Елена Румянцева*
Художественный редактор *Юлия Двоеглазова*
Технический редактор *Татьяна Харитонова*
Корректоры *Людмила Виноградова, Ксения Казак*
Верстка *Любови Копгеновой*

Подписано в печать 17.07.2009.
Формат 84×108 $\frac{1}{32}$. Печать офсетная.
Усл. печ. л. 20,16. Тираж 5000 экз.
Изд. № 90272. Заказ № 1362.

Издательство «Амфора».
Торгово-издательский дом «Амфора».
197110, Санкт-Петербург,
наб. Адмирала Лазарева, д. 20, литера А.
E-mail: secret@amphora.ru

Отпечатано по технологии CtP
в ИПК ООО «Ленинградское издательство».
195009, Санкт-Петербург, Арсенальная ул., д. 21/1.
Телефон/факс: (812) 495-56-10.